LATITUDES 2

Méthode de français

A2/B1

Régine Mérieux
Emmanuel Lainé
Yves Loiseau

didier

Avant-propos

Nous avons le plaisir de vous présenter *Latitudes*, ensemble pédagogique destiné à des grands adolescents et à des adultes désireux d'apprendre le français. Ce manuel correspond au second niveau d'un ensemble qui en compte trois. Il couvre 100 à 120 heures d'enseignement-apprentissage et permettra aux apprenants d'acquérir les compétences du niveau A2 (modules 1 et 2) et d'aborder le niveau B1 (modules 3 et 4) du *Cadre européen commun de référence pour les langues* (Éditions Didier, 2001).

Le *Cadre européen commun de référence pour les langues*

Les objectifs et les contenus de *Latitudes* ont été définis en tenant compte des principes du *Cadre européen commun de référence pour les langues* : compétences générales et compétences communicatives langagières, travail sur tâches, évaluation sommative et formative, ouverture à la pluralité des langues et des cultures.

L'acquisition et l'autonomie de l'apprenant

Le processus d'acquisition est soigneusement pensé : la démarche est fondée sur l'observation, la réflexion, la systématisation, puis la production. Chaque point de langue est appréhendé dans sa totalité et la typologie des activités proposées garantit la fixation des acquis.

La démarche de *Latitudes* vise à mener l'apprenant vers l'autonomie en le rendant responsable et conscient de son apprentissage. Par la mise en place de diverses stratégies, et grâce à l'acquisition préalable de savoirs et savoir-faire communicatifs, linguistiques et culturels, il va rapidement acquérir les aptitudes nécessaires à la réalisation de nombreuses tâches dans les domaines variés de la vie sociale. L'apprenant est souvent invité à agir en petits ou grands groupes, à simuler des scènes quotidiennes, à accomplir des tâches en liaison avec sa vie sociale. En lui laissant certaines latitudes, ces activités concrètes contribuent à sa motivation et à son engagement. Il a également à sa disposition la totalité des activités sonores. Les deux CD audio inclus dans le livre de l'élève, les transcriptions correspondantes, le cahier d'exercices (CD audio inclus) et les activités en ligne contribuent à développer sa prise en charge et son autonomie.

La démarche actionnelle

La démarche de *Latitudes*, résolument actionnelle, trouve sa légitimité dans le processus d'acquisition. Ainsi, chaque unité propose à l'apprenant d'acquérir des éléments de langue-culture qu'il pourra réinvestir dans des productions guidées ou libres et dans des tâches concrètes de la vie quotidienne. Ces tâches impliquent l'apprenant dans des actions de communication qui s'inscrivent dans un contexte social clair et aboutissent à une production et à un résultat mesurable.

L'évaluation

Trois types d'évaluation sont proposés dans *Latitudes* :

- des bilans d'autoévaluation après chaque module. Les apprenants peuvent tester immédiatement leurs connaissances par des activités courtes et très ciblées. Un résultat leur permet de se situer immédiatement et des renvois à certaines activités du livre et du cahier leur donnent la possibilité de dépasser leurs difficultés ;

- une préparation aux épreuves du DELF A2 (modules 1 et 2) et B1 partiel (modules 3 et 4) permet à l'apprenant d'évaluer ses compétences de communication orales et écrites ;

- des tests sommatifs pour chacune des 12 unités sont à la disposition des enseignants dans le guide pédagogique. Ils comportent des activités de réception, de production, de vocabulaire et de grammaire, permettant de vérifier les acquis. Un barème de notation et un corrigé sont également proposés.

La structure de l'ouvrage

Latitudes est une méthode facile à utiliser et très pragmatique, à la fois par ses contenus, sa progression et la mise en œuvre du travail proposé.

Grâce à une organisation par objectifs fonctionnels, la structure est claire et les contenus parfaitement balisés.

Latitudes se compose de quatre modules de trois unités. Introduit par un contrat d'apprentissage détaillé, chaque module fixe un objectif général : *échanger des opinions, parler de ses sentiments et de ses émotions, dire et dire de faire, structurer et nuancer ses propos.* De chacun de ces objectifs vont découler d'autres objectifs répondant aux besoins de la communication ; par exemple, *pour échanger des opinions*, il est nécessaire de savoir *exprimer son approbation et son indifférence* ou encore de *donner son point de vue* ou d'*exprimer ses intentions*, etc. C'est donc à partir de ces objectifs généraux, puis plus spécifiques, qu'ont été définis les savoirs linguistiques à l'aide desquels les apprenants vont mettre en œuvre diverses compétences, telles que *comprendre, parler, interagir, écrire, lire.*

À la fin de cet ouvrage, est proposé un ensemble de pages outils : précis de phonétique, précis de grammaire, lexique plurilingue, corrigés des autoévaluations, transcriptions de tous les documents sonores et index des contenus. Ces outils sont indispensables à l'apprenant dans sa démarche d'autonomisation et ils sont également précieux pour l'enseignant qui peut y trouver des références adaptées au niveau des apprenants.

L'ensemble du matériel

- Le livre de l'élève, accompagné de deux CD audio pour la classe, contient tous les documents sonores liés aux activités du manuel.
- Le guide pédagogique propose des explications détaillées sur la mise en place des activités, leur déroulement, leur corrigé, les informations culturelles utiles, des activités complémentaires sonores ou écrites permettant de moduler la durée de l'enseignement-apprentissage selon les besoins.
- Le cahier d'exercices, avec CD audio inclus, suit pas à pas la progression du livre de l'élève et propose des activités sonores et écrites. Ce cahier peut être utilisé en autonomie ou en classe.
- Le DVD propose douze documents authentiques de nature variée (reportage, extrait de film, bande-annonce, etc.). Il est accompagné de son livret d'exploitation, complément nécessaire pour renforcer l'apprentissage des éléments de langue-culture présentés dans la méthode et permettre certains élargissements.
- www.didierlatitudes.com : le site compagnon de la méthode propose aux apprenants plus d'une centaine d'activités autocorrectives en relation avec chaque unité de la méthode, le téléchargement d'extraits du livre et du cahier d'exercices, ainsi que le téléchargement intégral du guide pédagogique et des enregistrements de ses activités complémentaires. Enfin, le site présente la méthode de façon détaillée et offre un espace d'échanges avec les auteurs.

Nous espérons que vous aurez grand plaisir à travailler avec *Latitudes*.

Les auteurs

Latitudes 2 : Parcours d'apprentissage

Reprises du niveau 1 en gras		Objectifs de communication	→ Tâche	Activités de réception et de production orales
module 1 Échanger des opinions	Unité 1 Très drôle ! Page 10	• Exprimer sa certitude et son incertitude. • Exprimer son approbation et son indifférence.	Écrire un courriel à un journal pour prendre position sur l'application d'une loi.	• Comprendre un reportage radiophonique. • Interviewer un personnage public. • Raconter une expérience personnel
	Unité 2 Vous avez dit « culture » ? Page 20	• Exprimer et demander un point de vue. • Exprimer son intention de faire quelque chose (1).	Monter une animation dans son centre de langue pour promouvoir la culture française.	• Comprendre une conversation entr plusieurs personnes. • Donner son point de vue. • Parler de projets. • Créer des dialogues sur des thèmes donnés.
	Unité 3 Envie d'ailleurs... Page 30	• Justifier un choix. • Exprimer son intention de faire quelque chose (2). • Exprimer la restriction.	Monter un projet d'échanges avec un centre de langue francophone.	• Comprendre une interview. • Expliquer ses choix. • Expliquer ses intentions d'actions fac à une situation. • Présenter un projet.
Autoévaluation du module 1 page 40 – Préparation au DELF A2 page 42				
module 2 Parler de ses sentiments et de ses émotions	Unité 4 Voilà l'été ! Page 46	• Exprimer le fait d'aimer, de préférer. • Comparer. • Exprimer sa joie et sa tristesse.	Préparer un programme de séjour linguistique.	• Comprendre un bulletin d'information radiophonique. • Comprendre des témoignages. • Exprimer ses sentiments à partir d'une situation illustrée.
	Unité 5 Terre inconnue Page 56	• Exprimer sa peur, son inquiétude. • Rassurer. • Exprimer sa surprise.	Exposer son projet d'expatriation vers un pays francophone.	• Réagir à des situations surprenantes. • Exprimer des émotions. • Imaginer des dialogues à partir d'une situation illustrée.
	Unité 6 Vivement dimanche ! Page 66	• Exprimer sa colère et son mécontentement. • Exprimer sa déception, ses regrets.	Rédiger un courrier pour réclamer l'amélioration des conditions d'enseignement.	• Comprendre des réactions de colèr sur un problème de société. • Exprimer son mécontentement en situation.
Autoévaluation du module 2 page 76 – Préparation au DELF A2 page 78				

Activités de réception et de production des écrits	Savoirs linguistiques	Phonie – Graphie	Découvertes socioculturelles
• Comprendre et réagir à des prises de position sur un forum. • Résumer l'interview d'un personnage public. • Prendre position dans un courriel. • Répondre à une invitation.	• Le passé récent. • Les pronoms possessifs. • **Le passé composé, l'imparfait.**	• L'accent d'insistance. • La distinction présent, passé composé, imparfait.	La caricature, un sujet polémique
• Comprendre un article de presse. • Prendre position sur un forum.	• **L'interrogation (récapitulation)** – avec inversion et nom en sujet *(Paul a-t-il… ?)* – avec *qui est-ce qui/que* et *qu'est-ce qui/que.* • ***Pour, pour que****, afin de, afin que.* • **Le subjonctif** (1).	Les sons [t] et [d].	Les arts de la rue
• Justifier un choix par courrier.	• *Aller, venir, revenir, retourner.* • *Ne… pas… ni, ne… ni… ni.* • La restriction : *ne… que.* • Les doubles pronoms.	Les sons [f] et [v].	Les Français et le français hors de France
• Rédiger un sommaire de bulletin d'information. • Comprendre une lettre exprimant des sentiments et y répondre. • Rédiger une lettre de demande.	• La nominalisation et les suffixes. • **Le comparatif.** • Le superlatif de l'adjectif et de l'adverbe. • *Aussi, non plus.* • **Les accords simples du participe passé.** • L'accord du participe passé avec *avoir.*	Les sons [s] et [ʃ].	Vacances : tendances
• Comprendre un extrait littéraire. • Écrire un récit à partir d'une situation illustrée.	• Le plus-que-parfait (formation et emplois). • *Ça fait... que, il y a... que.* • *Depuis, pendant, il y a…*	Les sons [i], [y] et [u].	Vivre ailleurs
• Exprimer son mécontentement dans un courriel. • Rédiger une lettre exprimant la déception.	• Les pronoms *en, y.* • Les emplois du subjonctif et les conjugaisons irrégulières. • Quelques expressions pour quantifier.	Les sons [ɛ̃], [ɑ̃] et [ɔ̃].	Les beaux dimanches

Activités de réception et de production des écrits	Savoirs linguistiques	Phonie – Graphie	Découvertes socioculturelles
• Comprendre un courriel proposant de créer une entreprise. • Proposer à un ami un projet inhabituel, justifier ce choix. • Répondre à une proposition.	• Les pronoms démonstratifs. • Les pronoms interrogatifs. • La fréquence.	Les sons [r] et [l].	Les Français et l'entreprise
• Comprendre un billet d'humeur dans un journal. • Promettre, par courrier, de répondre favorablement à une demande.	• *Le, en, y* reprenant une proposition. • La formation des adverbes en *–ment.* • Quelques articulateurs pour organiser son discours.	Les sons [k] et [g].	Les jeux d'argent
• Comprendre une accusation. • Contester une accusation.	• Le vocabulaire du monde du travail. • La mise en relief (*c'est… que, c'est… qui*).	Les sons [j], [ɥ] et [w].	Communication et médias
La correspondance formelle : • comprendre un courrier exposant une situation problématique ; • rédiger une lettre pour exprimer son désaccord et protester.	• L'opposition. • *Toujours, déjà, ne… jamais.*	Les sons [n] et [ɲ].	Dépenser mieux !
• Comprendre des explications données dans une lettre formelle. • Rédiger un court texte explicatif.	• La forme passive. • La cause. • La conséquence.	Les sons [s], [z], [ʃ] et [ʒ].	Pétrole cher : que faire ?
• Exprimer des souhaits à partir d'une illustration. • Réagir positivement à une situation en manifestant l'évidence des réponses.	• La condition et l'hypothèse. • Le conditionnel présent (formation et emplois). • *Dans ce cas, au cas où.* • Le gérondif. • Sensibilisation au discours rapporté.	Quelques homophones.	La vie en rose

Ron Waddams, *Vis dangereusement*, 1998

Contrat d'apprentissage

module 1 Échanger des opinions → niveau A2

unité 1 Très drôle !

J'APPRENDS

POUR → Approuver, exprimer mon indifférence
- *je suis totalement d'accord, ça ne me plaît pas, je m'en fiche...*
- le passé récent : *il vient de...*
- les pronoms possessifs : *le mien, la tienne...*

→ Exprimer ma certitude et mon incertitude
- *je suis absolument certain de..., je ne suis pas sûr que...*
- le passé composé et l'imparfait

TÂCHE FINALE
Nous réagissons par courriel à la loi sur l'interdiction de fumer dans les lieux publics sur le site internet d'un journal.

unité 2 Vous avez dit « culture » ?

J'APPRENDS

POUR → Demander et donner un point de vue
- *je trouve que..., je pense que..., à mon avis...*
- *que fais-tu ? tu fais quoi ?...*
- l'interrogation
  - avec *qui est-ce qui... ? qu'est-ce que... ?*
  - avec inversion sujet-verbe : *Léo est-il là ?*

→ Exprimer mon intention (1)
- *j'ai l'intention de..., c'est décidé !*
- *pour que, afin de, afin que...*
- le subjonctif

TÂCHE FINALE
Nous organisons une animation pour promouvoir la culture française dans notre école.

unité 3 Envie d'ailleurs...

J'APPRENDS

POUR → Justifier mes choix
- *parce que..., c'est pour ça..., ça permet de...*
- la négation *ne... ni... ni, ne... pas... ni*

→ Exprimer mon intention (2)
- *je prévois de..., j'envisage de...*
- la restriction *ne... que*
- les doubles pronoms : *elle me l'a donné...*

TÂCHE FINALE
Nous préparons un projet de correspondance avec une université francophone.

Très drôle !

Florence Foresti

Coluche

Ségolène Royal

Jamel Debbouze

Pierre Desproges

> *C'est clair ?*

1 Écoutez la première partie du document et répondez.

1. Comment s'appelle l'émission de radio ?
2. Quel est le sujet de l'émission ?
☐ L'humour en général.
☐ Peut-on se moquer des personnalités publiques ?
☐ Peut-on rire de tous les sujets ?
3. Qu'est-ce que Coluche a fait en 1981 ? Pourquoi ?
4. De quelles personnalités publiques se sont moqués Jamel Debbouze et Florence Foresti ?
5. Ces humoristes ont-ils beaucoup de succès ?
6. Ces humoristes provoquent-ils une réaction positive ?

2 Écoutez la seconde partie du document et associez.

personne 1 •	• Rire des personnalités politiques, c'est une habitude.
personne 2 •	• Ça peut créer des problèmes.
personne 3 •	• On est libre de rire de ces personnalités.
personne 4 •	• On ne donne pas une image positive de notre pays.
personne 5 •	• Ce n'est pas important.

3 Écoutez à nouveau le document et expliquez les expressions dans leur contexte.

a. une caricature **b.** se moquer de quelqu'un **c.** faire grincer les dents de quelqu'un

> *Zoom*

4 Observez ces phrases, puis répondez.

*Le président Nicolas Sarkozy **vient de** déclarer...*
*Non, il n'est pas là, il **vient de** sortir déjeuner.*

1. Les événements
☐ se passent maintenant.
☐ se sont passés il y a longtemps.
☐ se sont passés il n'y a pas longtemps.
☐ vont se passer bientôt.

2. On forme le passé récent avec le verbe ..... au ..... + ... + le verbe à ..... .

5 Qu'est-ce qu'ils viennent d'entendre ou de voir ?
À l'aide des photos suivantes, imaginez ce qui vient de se passer.

Le passé récent

— Tu as des nouvelles de Lucas ?
— Oui, je **viens de** recevoir un courriel, il va bien.

Mesdames et Messieurs, nous **venons d'**atterrir à l'aéroport d'Orly...

> *Comment on dit ?*

6 Écoutez les interviews du reportage et répondez.

1. Qui a une opinion positive ?
2. Qui a une opinion négative ?
3. Qui est indifférent ?

7 a) Lisez les messages du forum et répondez : qui a une opinion positive, négative et qui est indifférent ?

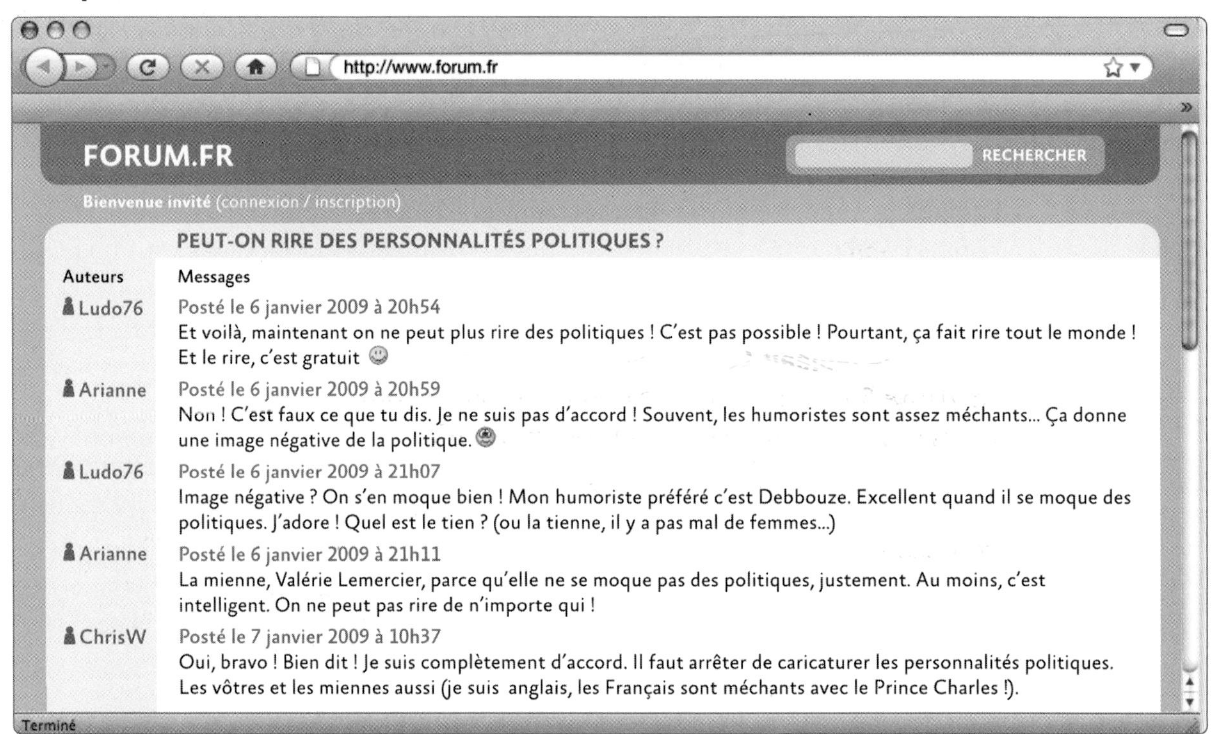

http://www.forum.fr

FORUM.FR — RECHERCHER

Bienvenue invité (connexion / inscription)

PEUT-ON RIRE DES PERSONNALITÉS POLITIQUES ?

Auteurs	Messages
Ludo76	Posté le 6 janvier 2009 à 20h54 Et voilà, maintenant on ne peut plus rire des politiques ! C'est pas possible ! Pourtant, ça fait rire tout le monde ! Et le rire, c'est gratuit
Arianne	Posté le 6 janvier 2009 à 20h59 Non ! C'est faux ce que tu dis. Je ne suis pas d'accord ! Souvent, les humoristes sont assez méchants... Ça donne une image négative de la politique.
Ludo76	Posté le 6 janvier 2009 à 21h07 Image négative ? On s'en moque bien ! Mon humoriste préféré c'est Debbouze. Excellent quand il se moque des politiques. J'adore ! Quel est le tien ? (ou la tienne, il y a pas mal de femmes...)
Arianne	Posté le 6 janvier 2009 à 21h11 La mienne, Valérie Lemercier, parce qu'elle ne se moque pas des politiques, justement. Au moins, c'est intelligent. On ne peut pas rire de n'importe qui !
ChrisW	Posté le 7 janvier 2009 à 10h37 Oui, bravo ! Bien dit ! Je suis complètement d'accord. Il faut arrêter de caricaturer les personnalités politiques. Les vôtres et les miennes aussi (je suis anglais, les Français sont méchants avec le Prince Charles !).

Terminé

b) Relevez maintenant les expressions utilisées pour exprimer *l'approbation, la désapprobation* et *l'indifférence* dans le document radio et le forum.

approbation : .....
désapprobation : .....
indifférence : *je m'en fiche*, ...

8 → À votre tour, réagissez sur le forum de la radio *Peut-on rire des personnalités politiques* ? Écrivez un texte de trois ou quatre lignes.

Exprimer l'approbation	Exprimer l'indifférence	Exprimer la désapprobation
Je suis complètement / totalement d'accord. Ah ! Ça me fait plaisir que + *subjonctif* Oui, bravo !	Je m'en moque. (se moquer de qqch) Je m'en fiche. (se ficher de qqch) (*fam.*) Ça m'est égal ! Bof !	Non ! Je ne suis pas d'accord. Ce n'est pas vrai. C'est faux. Ça me gêne. Ça ne me plaît pas.

C'EST LA MIENNE !

9 a) Lisez cette phrase extraite du reportage. Que remplace *la sienne* ?

*Le président Nicolas Sarkozy vient de déclarer qu'il n'aime pas sa caricature. Jacques Chirac aimait bien **la sienne**.*

b) Dans les messages du forum, repérez *la mienne, les miennes, le tien, la tienne, les vôtres*. Qu'est-ce qu'ils remplacent ?

c) Observez bien le tableau puis complétez-le avec les pronoms possessifs qui manquent.

adjectifs possessifs	pronoms possessifs	adjectifs possessifs	pronoms possessifs
mon salaire	*le mien*	**ma** télévision	
ton magazine		**ta** radio	
son métier		**sa** vie	*la sienne*
notre message		**notre** vie	
votre livre		**votre** maison	
leur président		**leur** histoire	

10 Lisez le tableau *Les pronoms possessifs*, puis complétez.

— Madame Bourdelle, nous ne savons pas où est votre mari. Nous avons retrouvé votre voiture sur le parking du supermarché, à côté de chez vous. Regardez la photo de cette voiture, c'est bien ..... ?
— Non commissaire. Ce n'est pas ..... . Nous avons une Peugeot 607, mais elle est bleue. Sur la photo, elle est grise.
— Mais, à l'intérieur, nous avons trouvé son portefeuille. Tenez.
— Oui, c'est ..... .
— Et ses clés.
— Oui, ce sont ..... . Nous avons presque le même porte-clés. Regardez, ... a une tour Eiffel rose et sur ....., elle est bleue.
— C'est bizarre tous ces objets trouvés dans cette voiture qui n'est pas ..... .
— Cette voiture, je la connais. C'est la Peugeot de mes voisins.
— Vous êtes certaine ? C'est ..... ?
— Oui, je la vois tous les jours.
— Très étrange... Votre voisin est passé ce matin. Sa femme a disparu lundi.

Les pronoms possessifs

Singulier

le mien	la mienne
le tien	la tienne
le sien	la sienne
le nôtre	la nôtre
le vôtre	la vôtre
le leur	la leur

Pluriel

les miens	les miennes
les tiens	les tiennes
les siens	les siennes
les nôtres	
les vôtres	
les leurs	

Attention :
Tu parles **de son** salaire ?
→ Oui, je parle **du sien**.

11 → Vous participez à l'émission de radio *Votre avis nous intéresse*. Vous avez deux minutes pour exprimer votre approbation, votre désapprobation ou votre indifférence sur les thèmes suivants. Justifiez votre opinion.

« *L'Organisation des Nations unies est inutile. Il faut la supprimer.* »

« *On vient de lancer une chaîne de télévision pour les bébés.* »

« *Maintenant, dans les collèges et les lycées, les élèves peuvent noter leurs professeurs.* »

« *Dans vingt ans, il sera interdit d'utiliser sa voiture dans les grandes villes du monde entier.* »

Exprimer la certitude et l'incertitude

> *C'est clair*

12 Écoutez le dialogue puis répondez : *vrai, faux* ou *on ne sait pas.* Si c'est faux, dites pourquoi.

1. Nathalie et Naïma sont amies. Faux - Elles ont juste rencontré.
2. Elles habitent au même étage. Faux - Naïma habit au etage 5ème et Nathalie habit au etage 3ème
3. Nathalie connaît un peu le quartier. On ne sait pas
4. Avant, il y avait un parc derrière l'immeuble. Vrai
5. Les gens du quartier sont contents de la construction des commerces. Faux - Ils voulent un parc.
6. Nathalie n'a pas assez de temps pour rencontrer son voisin aujourd'hui. Vrai

> *Comment on dit ?*

13 a) Écoutez à nouveau le dialogue. Les personnes expriment leur certitude et leur incertitude sur certains sujets. Sur quels sujets ? Quelles expressions utilisent-elles ? Complétez le tableau.

	sujet	expression de la certitude	expression de l'incertitude
Je suis certaine que…	aimer habiter dans l'immeuble	✗	
J'en suis sûre.			
Je ne suis pas certaine de…			
Probablement			
C'est évident.			
Je sais très bien que…			
Je suis absolument certaine que…			
Je ne suis pas sûre que…			

b) Écoutez à nouveau le dialogue. Retrouvez la fin de ces trois phrases et dites si on utilise l'indicatif ou le subjonctif.

Je suis certaine que ..... — Je sais très bien que ..... — Je ne suis pas sûre que .....

14 Écoutez et dites si les personnes expriment la certitude ou l'incertitude.

	certitude	incertitude
1		
2		
3		
4		
5		
6		

15 À l'oral, complétez les dialogues en exprimant la certitude ou l'incertitude.

1. — Et vous, que pensez-vous de sa candidature ? Vous pensez que c'est la bonne personne pour le poste ?
   — (incertitude)
2. — Vous êtes sûre ? Vous avez vu mon chien dans votre jardin ? Et il a mangé votre lapin ?
   — (certitude)
3. — Thomas, nous sommes sur la bonne route ?
   — (incertitude)
4. — Monsieur le ministre, la croissance va reprendre d'après vous ?
   — (incertitude)

16 → Vous avez reçu cette invitation. Répondez : vous vous excusez, vous exprimez votre incertitude et vous donnez une courte explication.

Exprimer la certitude et l'incertitude

Certitude

Je suis (absolument / complètement) sûr / certain de connaître cette fille.
Je suis sûr / certain que tu as oublié tes papiers dans l'avion.
J'en suis sûre / certaine.
Je sais bien / très bien / parfaitement que vous n'êtes pas rentrés à 23 heures hier.
Il est évident que nous ne pouvons pas acheter cet appartement.

Incertitude

Je ne suis pas sûre / certaine de la qualité de son rapport.
Je ne suis pas sûr / certain qu'il vienne avec nous.
Il a probablement oublié de t'appeler.

17 **Écoutez à nouveau le dialogue entre Naïma et Nathalie. Elles parlent d'un parc. Comment était-il ? Que s'est-il passé ? Que trouve-t-on aujourd'hui ? Répondez oralement.**

18 **Complétez cet article avec les verbes aux temps du passé qui conviennent.**

Il (faire) ..... beau, mais le vent (être) ..... frais quand l'avion présidentiel (se poser) ..... à l'aéroport d'Heathrow le 26 mars 2008 vers 10 heures du matin. De nombreux photographes (attendre) ..... au pied de l'escalier et (se préparer) ..... à prendre des clichés du couple présidentiel le plus glamour du moment. Ils (vérifier) ..... leurs appareils photo quand on (ouvrir) ..... la porte de l'avion. Mme Bruni-Sarkozy (sortir) ..... la première. Elle (porter) ..... un élégant tailleur gris de chez Dior, très classique. Elle (ressembler) ..... un peu à Jackie Kennedy.

19 **Regardez les deux images. Comment est-ce qu'on voyageait de Paris à Londres ? Et aujourd'hui ? Qu'est-ce qui a changé ? Rédigez un texte de quelques lignes.**

L'imparfait et le passé composé

L'imparfait et le passé composé présentent des actions et des états dans le passé.
***L'imparfait** présente des actions ou des états sans limites de temps précises. On l'utilise pour présenter le contexte, le décor d'une situation.*
C'était l'été, il faisait chaud et tous les lundis, on allait à la plage.

***Le passé composé** présente des actions ou des états terminés à un moment précis. Il présente les événements de la situation.*
Je regardais la télévision quand le téléphone a sonné. J'ai eu peur.

20 → **Jouez la scène.**

Vous êtes journaliste et vous travaillez pour un magazine francophone. Vous allez interviewer Carla Bruni-Sarkozy. Préparez des questions sur sa vie. Utilisez des informations données ci-contre. Rédigez ensuite un résumé de l'interview.

CARLA BRUNI-SARKOZY

Née à Turin, Italie le 23 décembre 1968
Père : industriel et compositeur d'opéra
Mère : pianiste concertiste
Jeunesse : piano, guitare, écriture de chansons
Études secondaires : en France et en Suisse
Études supérieures : école d'architecture à Paris
1985 – 1997 : carrière de mannequin international
Années 2000 : carrière d'auteur-compositeur-interprète ; grand succès de son premier album *Quelqu'un m'a dit* sorti 2002 (2 millions d'exemplaires vendus); en janvier 2007 : sortie de son second album *No promises;* décembre 2007 : premières photos en compagnie de Nicolas Sarkozy; 2 février 2008 : mariage avec Nicolas Sarkozy au Palais de l'Élysée; juillet 2008 : sortie de l'album *Comme si de rien n'était*

Approuvez-vous l'interdiction totale de fumer dans les lieux publics ?

Depuis le 1er janvier 2008, il n'est plus possible de fumer dans les lieux publics de convivialité : cafés, restaurants, casinos, discothèques. Partout, on doit pouvoir respirer de l'air pur. Tous les pays de l'Europe occidentale, sauf le Portugal, ont maintenant la même législation. Qu'en pensez-vous ? Quelques exemples de courriels reçus.

Vos courriels

« Je suis certain que les campagnes de sensibilisation contre le tabac sont utiles. Il est évident que cette interdiction totale est une bonne nouvelle pour la santé publique. Maintenant, on va respirer ! »
Gauthier

« Je suis tout à fait d'accord ! Bravo ! Mais... je ne suis pas certaine que les fumeurs acceptent facilement d'aller fumer sur le trottoir. Quand j'étais petite, j'aimais bien l'odeur du tabac. Mais aujourd'hui, je préfère prendre un café dans un environnement sans fumée. »
Laure

« Je ne suis pas d'accord. Ça me gêne, cette loi. Quand il y avait des espaces non fumeurs, c'était suffisant ! J'ai l'impression que c'est encore une liberté qui disparaît. »
William

→VOTRE AVIS ?

Vous souhaitez vous aussi réagir au thème de l'interdiction de fumer dans les lieux publics. Par groupes, écrivez un courriel au journal. Exprimez votre approbation ou votre désapprobation, votre certitude ou votre incertitude sur l'application de la loi. Racontez une expérience en exemple.

Des sons et des lettres

L'accent d'insistance

(5) **A. Écoutez ces phrases et soulignez la syllabe accentuée. Puis répétez.**

1. Je suis totalement d'accord avec vous.
2. Ah ! Ça me fait plaisir que tu viennes avec nous !
3. Oui, bravo !
4. Ça m'est égal !
5. Non ! Je ne suis pas d'accord.

Je chante, je chantais, j'ai chanté

(6) **B. Écoutez et cochez la phrase que vous entendez.**

1.	☐ il m'aime	☐ il m'aimait
2.	☐ tu parlais	☐ tu as parlé
3.	☐ on discute	☐ on a discuté
4.	☐ je passais	☐ je passe
5.	☐ tu manges	☐ tu as mangé
6.	☐ elle était	☐ elle a été

(7) **C. Écoutez et répétez.**

1. ils marchent dans la rue – ils marchaient dans la rue – ils ont marché dans la rue
2. j'écoute la radio – j'écoutais la radio – j'ai écouté la radio
3. on se lève à six heures – on se levait à six heures – on s'est levé à six heures
4. tu promènes le chien – tu promenais le chien – tu as promené le chien
5. elle porte un tailleur Chanel – elle portait un tailleur Chanel – elle a porté un tailleur Chanel
6. il change – il changeait – il a changé

CARICATURES : SUJETS DE POLÉMIQUES

Une spécialité très française !

Les caricaturistes illustrent les idées des articles de la presse. Par le dessin, ils exagèrent les défauts et le caractère d'une personne, d'une organisation, etc. La caricature est probablement née en Grèce dans l'Antiquité et a traversé le Moyen Âge et la Renaissance. En France, c'est au XIXe siècle qu'elle a connu un grand succès. Honoré Daumier (1808 – 1879) est peut-être le plus grand caricaturiste de l'histoire. Ses caricatures du roi Louis-Philippe sont célèbres. Au XXe siècle, avec les grandes guerres et la montée du nationalisme, elle a changé de rôle et elle est devenue un outil de propagande. La publication des magazines *HaraKiri* et *Charlie Hebdo* dans les années soixante a marqué le retour de la caricature comme outil satirique et polémique. Aujourd'hui encore, dans *Le Canard enchaîné,* fondé en 1915, ou dans des magazines et journaux tels que *L'Express*, *Le Monde* ou *Libération*, les caricatures continuent d'amuser les lecteurs et parfois les « victimes ».

Certains hommes politiques aiment bien leur caricature. Jacques Chirac, par exemple, a beaucoup ri de sa caricature des « Guignols de l'infos » de Canal +, émission satirique très populaire.

21 Lisez le texte et répondez.

1. Quand la caricature est-elle née ?
2. Quel est le principe de la caricature ?
3. Qui était la « victime » préférée de Daumier ?
4. Quels journaux publient des caricatures depuis le début du XXe siècle ?
5. Aujourd'hui, dans quels médias peut-on voir des caricatures ?
6. De nos jours, qui sont les cibles préférées des caricaturistes ?

Charles de Gaulle
président de la République française de 1958 à 1969
par R. Moisan

François Mitterrand
président de la République française de 1981 à 1995
par Wiaz

Jacques Chirac
président de la République française de 1995 à 2007
par Honoré

Nicolas Sarkozy
élu président de la République française en 2007
par Mric

ET VOUS?

24 a) **Dans votre pays, le président français est-il caricaturé dans la presse ou à la télévision ? Comment est-il représenté ?**

b) **Et les hommes politiques de votre pays ? Comment utilisent-ils la presse ? Est-ce qu'ils exposent leur vie privée ? Est-ce que c'est important pour vous ?**

Entre art et journalisme

Quelles sont les limites de la caricature ? Peut-on rire et parler de tout ? Plantu, caricaturiste pour le journal *Le Monde* et le magazine *L'Express* donne quelques réponses dans une récente interview.

« Je revendique l'autocensure ! Je n'entre pas dans la vie privée des hommes politiques, par exemple. Pour moi, le caricaturiste n'est pas seulement un artiste, il est aussi un journaliste qui écrit en images. Et même une caricature de journaliste... À ce titre, je me dois de m'interroger sur ma responsabilité, sur la manière dont mes dessins vont être ressentis à Beyrouth ou à Jérusalem.
Comme le disait Pierre Desproges, "on peut rire de tout, mais pas avec n'importe qui". »

Propos recueillis par Dominique Simonnet

22 **Lisez le document *Entre art et journalisme*. D'après vous, peut-on rire de tout et avec tout le monde ?**

23 **Regardez les caricatures de présidents français. Quels défauts sont grossis ? Quels symboles les caricaturistes ont-ils voulu transmettre ?**

Fichier Édition Présentation Aller Fenêtre Aide

La culture à la française ?

“Pouvez-vous nommer un seul artiste français encore en vie qui ait une importance mondiale ?”, interroge en une le magazine américain *Time*.

Dans une longue enquête intitulée « La mort de la culture française », Donald Morrison dresse un constat sévère sur la production culturelle de l'Hexagone. « Personne ne prend la culture plus au sérieux que les Français », note pourtant le journaliste. [...] Autrefois admirée pour l'excellence de ses écrivains, artistes et musiciens, la France est aujourd'hui une puissance vieillissante sur le marché mondial de la culture », ajoute le *Time*. [...] « Comment la France pourrait-elle redevenir un géant culturel ? » C'est la question que pose Donald Morrison à la fin de son réquisitoire. « Le pays pourrait peut-être retrouver sa grandeur perdue grâce à ses minorités, pleines d'ambition et de colère, qui s'investissent dans la culture aux quatre coins du pays. Ces minorités transforment la nation française en un grand bazar multiethnique fait d'art, de littérature et de musique. »

Great Time for French Culture, publication de Culturesfrance en réaction à la parution d'un article annonçant la “mort de la culture française” dans l'édition européenne du magazine Time fin 2007 © DR

Ajouter un commentaire

Commentaires

Lulu - Commentaire écrit le 27/11 à 15:17

C'est quoi, cet article ? Quand on voit le niveau des productions américaines, je trouve qu'on ne peut pas parler comme ça... Et puis, ils dépensent des milliards de dollars, les Américains, pour déverser leur « culture » sur toute la planète !

Bobby - Commentaire écrit le 27/11 à 22:34

Tout à fait d'accord avec l'article ! À mon avis, quand les Français accepteront d'intégrer les enfants de l'immigration, la France culturelle revivra ! On ne peut pas passer son temps à regarder vers le passé. La France est vraiment conservatrice et assez peu ouverte, la donneuse de leçon...

TiteKro - Commentaire écrit le 28/11 à 13:57

Ah ! c'est dur d'accepter cette réalité... La culture française décline, c'est bien vrai... Mais pour moi, elle n'est pas morte ! Monsieur Morrison a raison : les minorités participeront à la renaissance de notre culture !

Grizzly - Commentaire écrit le 01/12 à 10:05

La mort de la culture américaine ?
Qui est-ce qui pourrait citer un seul auteur américain vivant qui ait une importance mondiale et qui restera ?

Blingbling 08 - Commentaire écrit le 01/12 à 23:50

Je crois que les Français sont trop fiers pour accepter cette triste réalité, c'est tout.

> C'est clair ?

1 Lisez l'extrait de l'article *La culture à la française ?* et choisissez la réponse qui convient.

1. Cet article est extrait
☐ d'un magazine de sport. ☐ d'une publicité. ☐ d'un magazine d'information.
2. L'Hexagone désigne
☐ les États-Unis. ☐ la France. ☐ la Grande-Bretagne.
3. Dans cet article, il est question
☐ de culture. ☐ d'économie. ☐ de cuisine.
4. D'après l'auteur de l'article, qu'est-ce qui a changé en France depuis quelques années ?
5. Quelle solution propose-t-il à la question :
« Comment la France pourrait-elle redevenir un géant culturel ? »

2 Lisez l'article et les réactions sur le blogue, puis répondez.

1. Dites qui, sur le blogue, est d'accord avec l'article et qui, au contraire, n'est pas d'accord.
2. Le magazine *Time* interroge : « Pouvez-vous nommer un seul artiste français encore en vie qui ait une importance mondiale ? » À votre tour, essayez de répondre à cette question.
3. Et vous, quel est votre avis ? D'après ce que vous connaissez de la culture française en matière d'art, de littérature, de musique, de cinéma, pensez-vous qu'elle décline ?

3 → Réagissez, à votre tour, à l'article du *Time* sur le blogue. Écrivez votre commentaire.

J.M.G. Le Clézio,
prix Nobel de littérature 2008

> Zoom

4 Sur le blogue, Lulu interroge *C'est quoi, cet article ?* Lisez la phrase ci-dessous et retrouvez deux questions équivalentes. Associez.

Tu as vu quoi ?

a. Qui as-tu vu ?
b. Qu'est-ce que tu as vu ?
c. Qui est-ce que tu as vu ?
d. Qu'as-tu vu ?
e. Tu as vu qui ?

Quoi, que

Que fais-tu ? *(soutenu)*
Qu'est-ce que tu fais ? *(standard)*
Tu fais **quoi** ? *(standard, surtout à l'oral)*

5 Oralement, posez chaque question de deux autres manières.

1. Qu'est-ce que tu veux, Ali ?
2. Qu'avez-vous fait pendant les vacances ?
3. Tu vas boire quoi ? Un jus de fruit, un café ?
4. Qu'est-ce que tu as dans la main droite ? Montre-moi !

> *Comment on dit ?*

6 Donnez le point de vue de ces deux personnes d'une manière différente, remplacez les expressions en gras.

Je trouve qu'*on ne peut pas parler comme ça.* (Lulu)

La culture française décline mais, ***pour moi,*** *elle n'est pas morte.* (TiteKro)

8 **7 Écoutez les personnes et complétez le tableau.**

	exprime un point de vue, oui ou non ?	si oui, comment ?
1	oui	*Elle croit que…*
2	oui	je veux ...
3	oui	Il sais que ...
4	non	ce n'est pas ...
5	oui	pense que...
6	~~non~~ oui	Vous parriez
7	non	mon avis ...
8	oui	Pour moi ...

Exprimer son point de vue

Je trouve que / **Je crois que** / **Je pense que** } c'est vrai.

Pour moi, il faut manifester quand on n'est pas d'accord.
À mon avis, tous les animaux doivent rester en liberté.
Selon lui, Elsa va mieux.

8 Répondez à ces personnes. Exprimez votre avis d'une manière différente à chaque fois.

1. La France n'a plus de bons écrivains, de bons musiciens, de grands peintres.
2. Le pays de la mode, c'est l'Italie.
3. La meilleure cuisine est la cuisine asiatique.
4. On devrait interdire les voitures dans les grandes villes.
5. L'argent ne fait pas le bonheur.

QUI EST-CE QUI... ? QU'EST-CE QUE... ?

9 a) Observez la question extraite du forum et posez-la d'une manière plus simple.

Qui est-ce qui pourrait citer un seul auteur américain… ?

b) Lisez ces questions et trouvez les formes qui manquent.

- Tu as vu qui ? ➤ Qui est-ce que tu as vu ? ➤ ..... ?
- ..... ? ➤ ..... ? ➤ Qu'avez-vous visité à Québec ?

c) Choisissez l'élément qui convient pour poser cette question d'une autre manière.

Quelle chose peut te faire plaisir ?

→ (Qu'est-ce que / Qui est-ce que / Qu'est-ce qui / Qui est-ce qui) peut te faire plaisir ?

10 Associez les réponses aux questions.

1. C'est qui, eux, sur la photo ?
2. Qu'est-ce qui ne va pas ?
3. Qui est-ce qui t'a dit ça ?
4. Qui est-ce que vous avez vu au Zik café ?
5. C'est quoi, ça ?
6. Qu'est-ce que ça veut dire ?
7. Qui est-ce que tu as appelé ?

a. Je ne comprends pas le dialogue.
b. Ma copine Mia, mais elle n'a pas répondu.
c. Mon père à gauche et mon grand-père assis.
d. C'est mon père, pourquoi ?
e. On n'a vu personne.
f. Tu vois bien, c'est un cadeau.
g. Cherche dans ton dictionnaire !

11 Complétez les phrases avec *qui* ou *que*.

1. Qu'est-ce ..... tu vas faire après tes études ?
2. Ah ! bon ? Qui est-ce ..... t'a dit ça ?
3. Alors ? Qu'est-ce ..... tu as acheté cet après-midi ?
4. Qui est-ce ..... tu vas inviter à cette soirée ?
5. Qu'est-ce ..... se passe ici ?
6. S'il vous plaît, qui est-ce ..... a un parapluie ?

Qui est-ce qui... ?
Qu'est-ce que... ?

— **Qui** est-ce **qui** peut m'aider, s'il vous plaît ?
— Moi, je vais t'aider.

— **Qui** est-ce **que** tu vas inviter samedi ?
— Je vais inviter Luc et Léa.

— **Qu**'est-ce **qui** ne va pas ?
— Rien ne va.

— **Qu**'est-ce **que** tu veux ?
— Je voudrais bien un thé.

PAUL A-T-IL... ? LES FILLES VEULENT-ELLES... ?

12 a) Lisez et retrouvez la phrase équivalente dans l'article du *Time* page 20.

Comment est-ce que la France pourrait redevenir un géant culturel ?

b) Continuez les transformations.

1a. Vous partez à quelle heure ? → b. À quelle heure partez-vous ?
2a. Isa part à quelle heure ? → b. À quelle heure Isa part-elle ?
3a. Tu as de l'argent sur toi ? → b. .....
4a. Luc a de l'argent sur lui ? → b. .....

c) Que remarquez-vous dans les phrases transformées ?

13 Transformez les phrases selon les exemples.

*Où est-ce que vous allez ? → Où **allez-vous** ?*
*Tes amis sont venus comment ? → Comment tes amis **sont-ils venus** ?*

1. Pourquoi est-ce qu'elles sont tristes ?
2. Antoine est déjà parti ?
3. Tu as ton rendez-vous quand ?
4. Qui est-ce que Martin a appelé ?
5. Est-ce que madame Ankri peut nous recevoir ?

Paul a-t-il... ?

Il habite où ? = Où habite-t-il ?
Pierre habite où ? = Où **Pierre** habite-t-**il** ?

Elle est partie quand ? =
Quand est-**elle** partie ?
Anna est partie quand ? =
Quand **Anna** est-**elle** partie ?

Exprimer son intention (1)

Chers voisins,

Jeudi 12, à partir de 19 heures, apéritif chez Naïma et Gaël. Venez nombreux pour faire connaissance des nouveaux voisins et profiter des entrées à prix réduit pour les concerts du festival de musique "Terres du son" (Gaël organise...).

À jeudi !

Naïma

> *C'est clair ?*

14 a) Lisez le message de Naïma et répondez.

1. À qui Naïma s'adresse-t-elle dans son message ?
2. Que propose-t-elle ? Pourquoi ?
3. Quel jour et à quelle heure le rendez-vous a-t-il lieu ?

Elle propose de son rencontrer pour parler du concert.

9 **b) Écoutez le dialogue et répondez.**

1. Où la scène se passe-t-elle ?
2. Qui est Dominique ? D'où vient-il ? Pourquoi habite-t-il en France ?
3. Pourquoi les voisins parlent-ils de concerts ?
4. Que veut voir Antony ? Avec qui va-t-il aller au concert ?
5. Qui va aller voir le concert de Cesaria Evora ?
6. Qui a le premier album de Keziah Jones ?

> *Comment on dit ?*

9 **15 Écoutez de nouveau le dialogue. Dans la seconde partie, relevez au moins trois façons d'exprimer son intention, son envie de faire quelque chose.**

10 **16 Écoutez les dialogues et complétez le tableau.**

	qui ?	idée ?	exprime son intention
1	Isa	l'anniversaire de Mounir	**J'ai décidé qu'**on allait lui faire une énorme surprise.
2		améliorer votre santé	J'arrête de fumer
3	Phil	l'annonce de technicien	rappeler l'agence pour un emploi
4	Damien	repartir en Roumanie	repartir
5	Alexia	perdu 10 Kg	fait les sports

17 Regardez ces dessins et imaginez une réponse pour chaque situation.

18 → Par deux, interrogez-vous oralement et répondez à chaque question.

1. Qu'est-ce que vous pensez faire pour améliorer vos compétences en français ?
2. Vous allez faire quelque chose pendant les vacances d'été ? Quels sont vos projets ?
3. Vous avez décidé de rester en bonne forme longtemps. Comment allez-vous faire ?

Exprimer son intention (1)

Je veux changer de travail cette année.
Pauline a l'intention de se marier avec Lino.
Nous avons décidé de parler avec elle.
Elle a décidé qu'il fallait quitter cette région.
Oui, **je pense aller** chez Maryse samedi.
Je vais faire du sport, **c'est décidé !**

POUR FAIRE CONNAISSANCE

19 Lisez les phrases puis associez.

1. Je te passe l'album de Keziah Jones, pour que tu voies si tu aimes ce type de musique.
2. Venez nombreux pour faire connaissance des nouveaux voisins.
3. Je pense appeler mes amis de Paris afin de les inviter à mes trente ans en juin prochain.
4. Dites-le-moi assez tôt afin que je puisse organiser mon travail.

pour que •	
pour •	• est suivi de l'infinitif
afin de •	• est suivi du subjonctif.
afin que •	

20 Rayez l'élément qui ne convient pas.

1. Je t'appelle (pour – pour que) t'informer de la date de notre prochaine réunion.
2. (Afin que – Afin de) faire l'activité correctement, lisez bien la consigne.
3. Elle a indiqué les horaires précis (pour – afin que) tout le monde prenne le même train.
4. Rappelez-moi demain (pour qu' – afin d') on convienne d'un rendez-vous.
5. Tu peux m'indiquer le chemin (pour que – pour) aller chez Dominique ?

IL FAUT QUE TU SACHES...

21 Observez les phrases et complétez le tableau.

1. Je te passe l'album de Keziah Jones, Nathalie, pour que tu **puisses** le découvrir.
2. J'aimerais que Pierre **sache** que tu ne viendras pas dimanche.
3. Ton professeur demande que tu **fasses** ces quatre exercices pour lundi.
4. Je suis sûr qu'elle **aura** ses examens facilement.
5. Il faut que vous **passiez** une bonne nuit pour être en forme demain.
6. On ne pense pas qu'il **veuille** venir avec nous à Lyon.
7. Je sais qu'il **connaît** très bien le pays.

		forme	infinitif	réalisation des actions certaine ou incertaine
1	puisses	subjonctif	pouvoir	incertaine (pour que)
2	sache	subjonctif	savoir	incertaine (j'aimerais que)
3				
4				
5				
6				
7				

22 Rayez les formes qui ne conviennent pas.

1. Qu'est-ce que tu veux que je te (dis – dise – dire) ?
2. Je vous montre trois modèles pour que vous (pouvoir – pouvez – puissiez) les comparer.
3. Lisez le mode d'emploi afin de bien (comprenez – comprendre – compreniez) le fonctionnement.
4. Je suis absolument certaine que notre collègue (est venu – vienne – viendra) demain.
5. On voudrait bien que vous (prenez – preniez – prendrez) le temps de nous expliquer la situation.
6. Il faut que tu (réponds – répondre – répondes) au message de Monsieur Leprince.

23 → Par groupes de deux, posez-vous des questions sur vos projets. Exprimez vos intentions.

Exemples : — *Qu'est-ce que tu vas faire après le lycée ?*
— *J'ai l'intention de partir une année à l'étranger. Et toi ?*

— *Pourquoi est-ce que vous voulez absolument emmener vos enfants en Égypte ?*
— *Pour qu'ils découvrent une autre culture, une autre langue et pour qu'ils s'ouvrent sur le monde.*

Le subjonctif (1)

Pour présenter des événements ou des actions « non réalisées ».
Je le dis **pour que** tu le saches.
Je ne pense pas qu'il veuille venir.
Dis-lui **afin qu'**il puisse y réfléchir.
Je ne veux pas que vous fassiez ça.

→ CULTURE À L'AFFICHE

Vous organisez une animation dans votre école pour montrer l'importance de la culture française. Discutez en groupes de la forme de cette animation : faut-il créer un journal, des affiches, organiser des conférences ou une « journée française », etc. ? Ensuite, définissez les tâches à réaliser et organisez le travail entre vous. Posez-vous des questions (qui est-ce qui veut faire… ?). Pour finir, écrivez votre projet d'animation.

Des sons et des lettres

[t] ou [d] ?

11 A. Écoutez et choisissez [t] ou [d].

	1	2	3	4	5	6	7	8
[t] *(temps)*								
[d] *(dans)*								

12 B. a) Écoutez. Est-ce que vous entendez [t] en première ou en deuxième position ? Complétez le tableau.

	1	2	3	4	5	6	7	8
[t] puis [d]								
[d] puis [t]								

b) Écoutez de nouveau et répétez chaque mot.

13 C. Écoutez et complétez les mots. Ensuite, répétez chaque phrase.

1. Vous avez comman......é un café ou un ......hé ?
2. A...........en......ez-moi, je suis bien......ôt prê......e !
3. An......oine a peur de la soli......u......e.
4. Je ......rouve qu'il a ......ort, c'est ......out !
5. Je ......é......es......e ces a...........i......u......es !

EN RUE LIBRE

Le Manifeste

« Nous existons parce que c'est nécessaire,
Nous sommes nés il y a 2500 ans,
Les gens nous rencontrent souvent par hasard, parfois sans le savoir,
Nous sommes pour tous les yeux et toutes les oreilles,
Nous investissons toutes sortes de lieux : rues, friches, forêts,
campagnes, cours d'immeubles, villes, villages...
On nous dit de rue,
C'est notre scène, notre ring, notre choix,
Nous cultivons la rue...
Artistes, auteurs, programmateurs, techniciens... !
En ces jours,
où l'espace marchand prend toute la place,
où la peur est brandie pour nous faire penser bas et dresser nos œillères,
où les bornes, les panneaux, les barrières se multiplient,
où l'on est prié de circuler,
Nous revendiquons haut et fort qu'il y a quelque chose à voir,
à partager,
à rencontrer,
des centaines de fêtes et de rendez-vous, des milliers d'artistes,
des millions de spectateurs,
ce quelque chose que nous,
Artistes citoyens inscrits dans la cité nous nous employons à construire jour
après jour !
Nous revendiquons le droit à vivre de nos métiers
Nous croyons que l'art peut sauver le monde,
mais de préférence tout de suite...
Et qu'il doit s'épanouir...
En rue libre... ».

La Fédération des Arts de la Rue

Artiste sur des échasses.

ET VOUS ?

26 Que pensez-vous des arts de la rue ?
Aimez-vous les spectacles de rue ? Les graffitis sur les murs des villes ?
Êtes-vous d'accord avec le manifeste de la Fédération des Arts de la Rue ?
Échangez vos opinions.

24 Lisez *Le Manifeste* et choisissez la réponse qui convient.

1. *Un manifeste* est
   a. une proclamation écrite par un groupe qui souhaite exposer son programme.
   b. un document qui fait la publicité d'un produit.
   c. un texte qui donne des conseils ou des ordres.

2. Qui a écrit ce manifeste ?
   a. des comédiens de théâtre.
   b. des techniciens du cinéma.
   c. des artistes de rue.

3. Les personnes qui ont écrit le manifeste pensent que
   a. l'art est oublié et les gens pensent beaucoup plus à la consommation.
   b. les gens ont peur de ne pas bien comprendre l'art.
   c. il y a beaucoup trop d'artistes.

4. Ces personnes pensent aussi que
   a. il y a trop de fêtes et les gens ne peuvent plus se rencontrer.
   b. l'art doit revivre pour que le monde se porte mieux.
   c. la place de l'art n'est pas dans la rue.

25 Écoutez l'interview de Benoît Clain et répondez : *vrai, faux* ou *on ne sait pas.*

1. Benoît répond à une interview pour une chaîne de télévision culturelle.
2. Il a étudié le théâtre à Paris, au cours Florent.
3. Il faut beaucoup s'entraîner pour marcher facilement sur des échasses.
4. Les personnes de la compagnie créent elles-mêmes leurs costumes.
5. La compagnie a de nouveaux projets de spectacles pour l'année prochaine.

Envie d'ailleurs...

> C'est clair ?

1 Écoutez et répondez.

1. Dans quel pays Julien Boumard habite-t-il ?
2. Pourquoi a-t-il choisi de s'installer dans cette ville ?
3. Quels produits trouve-t-on dans la librairie de Julien Boumard ?
4. Pourquoi sa librairie est-elle différente des autres librairies ?
5. Que propose Julien Boumard sur son site internet ?

2 Écoutez à nouveau Julien Boumard et répondez.

1. *feuilleter un peu quelques livres* signifie
a. acheter quelques livres.
b. apporter quelques livres.
c. lire rapidement quelques livres.
2. *un endroit plus convivial* est
a. un endroit où on peut travailler.
b. un endroit agréable où on peut rencontrer des personnes.
c. un endroit où on peut acheter des produits qui ne sont pas chers.
3. *on a sympathisé* signifie
a. les clients sont un peu comme des amis.
b. les clients travaillent avec Julien Boumard dans son magasin.
c. les clients peuvent payer moins cher quand ils achètent des livres chez Julien Boumard.

> Zoom

3 Observez les phrases puis complétez les schémas avec les verbes *aller, retourner, venir, revenir*.

Je suis venu ici en 2001 pour travailler.
Et puis je suis retourné en France.

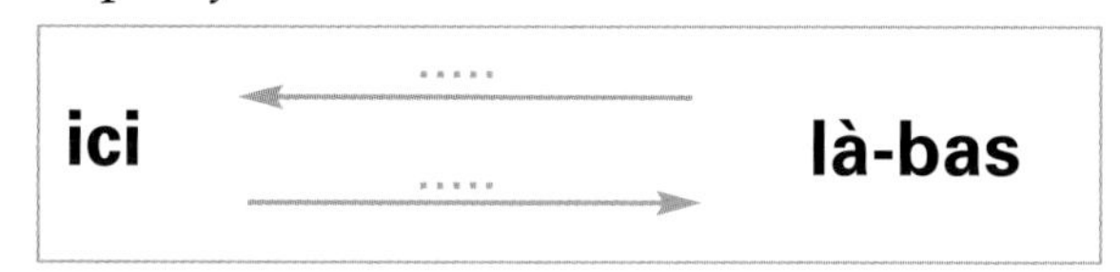

Après, je suis allé au Liban
Je revenais souvent ici.

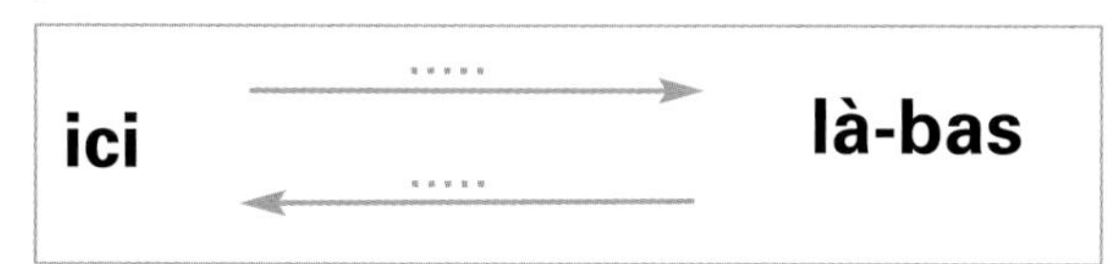

4 Choisissez le verbe qui convient.

1. Je pars à Paris demain, mais je (retourne – reviens) ici vendredi.
2. Maria est arrivée ici le 17 juin et elle (vient – retourne) au Mexique le 29.
3. Au mois de juillet, on est (allés – revenus) en vacances au Portugal. On est rentrés en France le 1er août.
4. Muriel habite en Irlande maintenant. Mais elle va (aller – venir) nous voir à Noël.

Justifier un choix

> *Comment on dit ?*

5 Observez les phrases et relevez les expressions qui introduisent la justification du choix.
Exemple : phrase 1 → *c'est pour ça que*
1. Et j'avais aussi des amis, c'est pour ça que je revenais souvent ici.
2. J'ai choisi Istanbul parce que c'est vraiment un grand centre culturel.
3. Ce petit coin, ça permet de prendre son temps, de feuilleter un peu quelques livres.
4. Un site sur Internet, c'est très utile, ça sert à faire connaître le magasin.
5. Le petit coin, au fond du magasin, c'est pour s'asseoir et feuilleter des livres.

6 Associez les éléments entre eux.
1. J'ai changé de travail
2. Maintenant, je gagne plus d'argent,
3. Le matin, je peux arriver au bureau entre 7h30 et 10h30,
4. On a une réunion par semaine,
5. Oui, on a tous un badge, avec notre nom et notre fonction

a. c'est pour ça que j'ai changé de travail.
b. c'est pour contrôler qui entre et qui sort de l'entreprise.
c. ça sert à savoir ce que font les autres.
d. ça permet d'organiser mon travail comme je veux.
e. parce que je ne gagnais pas assez d'argent.

16

7 Écoutez la question et donnez oralement une réponse. Utilisez l'expression proposée.
Exemple : — *Tu vas aller en Suisse ? (**c'est pour ça que**)*
— *Oui, on m'a donné une bourse pour étudier à Genève, **c'est pour ça** que je vais en Suisse.*
1. parce que
2. ça sert à
3. ça permet de
4. c'est pour ça que
5. c'est pour

Justifier un choix

On a mis un garde à l'entrée **parce qu'**on a eu des problèmes l'année dernière.

Il y aura beaucoup de voitures sur les routes à neuf heures, **c'est pour ça qu'**on part à deux heures du matin.

Tu vois, le bouton, là, **c'est pour** supprimer les messages.

Je préfère le courriel, **ça permet de** répondre quand on a le temps.

Les impôts, **ça sert à** payer les hôpitaux, les écoles, les bus... tous les services publics.

NI L'UN, NI L'AUTRE

8 Observez les phrases et répondez.

1. *Il permet aux personnes qui **n'**habitent **pas** à Istanbul d'acheter en ligne.*
2. *Ce **n'**est **pas** juste un magasin, **ni** juste une librairie, c'est un endroit plus convivial.*
3. *Il y a des choses que je peux faire ici et que je **ne** pourrais faire **ni** en France **ni** au Liban.*
4. *Elle est végétarienne et **ne** mange **ni** viande **ni** poisson.*
5. *Il **n'**a **pas** de passeport **ni** de carte d'identité.*

1. Sur quels éléments la négation porte-t-elle ? Complétez le tableau.

phrases	verbes	1er élément	2e élément
1	n'habitent pas	.....	.....
2	n'est pas	un magasin	une librairie
3	ne pourrais pas faire	.....	.....
4	ne mange pas	.....	.....
5	n'a pas	.....	.....

2. Dans la phrase 2, on utilise *ne... pas... ni...* . Peut-on enlever l'élément avec *ni* ?
3. Dans les phrases 3 et 4, on utilise *ne... ni... ni...* . Peut-on enlever le deuxième élément avec *ni* ?
4. Dans la phrase 3, remplacez *ne... ni... ni...* par *ne... pas... ni...* . Que constatez-vous ?
5. Comparez les phrases 4 et 5. Que constatez-vous ?

9 Complétez les phrases avec *pas* ou *ni*.

1. Il faut payer en espèces, nous n'acceptons ..... les cartes, ... les chèques.
2. Non, je n'ai ..... rencontré François, ... Valérie.
3. Vous n'avez ..... écrit au directeur ?
4. On n'a ..... visité le château, ... la cathédrale.
5. Il ne m'a donné ..... son adresse ..... son numéro de téléphone.

10 → Par groupes, expliquez quelle autre langue étrangère vous voudriez apprendre et justifiez votre choix.

11 → Vous avez décidé, avec des amis, de partir en train pour passer le week-end dans une ville. Vous leur écrivez, vous avez changé d'avis : vous voulez aller dans une autre ville et vous voulez y aller en voiture.

La négation ne... pas... ni..., ne... ni... ni...

Quand la négation porte sur plusieurs éléments, on utilise ne... pas... ni... *ou* ne... ni... ni...

Avec **ne... pas... ni...** *l'élément qui suit* ni *vient en plus et peut être supprimé.*
Le technicien est venu mais il **n'**a **pas** pu réparer la photocopieuse, **ni** l'imprimante.

Avec **ne... ni... ni...** *les deux éléments qui suivent* ni *ont la même importance.*
On reste en France parce qu'on **n'**a **ni** le temps **ni** l'argent pour un voyage à l'étranger.

Exprimer son intention (2)

25, rue de la Croix Blanche
BP 1047
75215 Paris CEDEX 07

Paris, le 24 septembre 2009

Mme Nathalie Chauvet
Immeuble Haussman
14, Bd de la Nation
76000 Rouen

Naïma,
lis ça
je t'en parlerai
ce soir
Nathalie

Madame,

J'accuse bonne réception de votre lettre et je vous en remercie.
La BCF n'a qu'une agence en Pologne (à Varsovie) et elle a l'intention de créer trois nouvelles agences à Cracovie, Poznan et Gdansk.
Nous avons pour objectif d'ouvrir ces agences au mois de janvier prochain et nous recherchons des personnes avec trois ans d'expérience minimum afin que nos agences puissent fonctionner rapidement.
Vos connaissances en polonais et vos compétences professionnelles seront pour nous un avantage.
Je vous fais parvenir ci-joint un dossier. Vous voudrez bien nous le retourner dans les prochains jours.
Dès retour de votre dossier, nous vous contacterons pour convenir d'un rendez-vous.

Veuillez agréer, Madame, l'expression de nos salutations distinguées.

Alain Geoffriaud

Alain Geoffriaud
Directeur des ressources humaines

> *C'est clair ?*

12 Lisez le document et répondez : *vrai, faux* ou *on ne sait pas*.

1. Alain Geoffriaud a envoyé la lettre à Naïma.
2. Alain Geoffriaud est un ami de Naïma.
3. Nathalie a envoyé une lettre à la société BCF.
4. La BCF n'a pas d'agence en Pologne.
5. Alain Geoffriaud offre des emplois en Pologne.
6. Nathalie doit remplir un dossier.
7. Nathalie va rencontrer une personne de la société BCF.

> *Comment on dit ?*

13 Lisez et répondez.

La BCF ***a l'intention de*** *créer trois nouvelles agences à Cracovie, Poznan et Gdansk.*
Nous ***avons pour objectif*** *d'ouvrir ces agences au mois de janvier prochain.*

Les expressions *avoir l'intention de* et *avoir pour objectif de* permettent
a. d'expliquer pourquoi on fait quelque chose.
b. d'expliquer ce qu'on va faire.
c. d'expliquer ce qu'on pense.
d. d'expliquer ce qu'on doit faire.

14 Écoutez et complétez le tableau : indiquez le numéro de la phrase où vous entendez chaque expression et indiquez le verbe qui suit l'expression.

	phrase	verbe
avoir l'intention de		
avoir pour objectif de		
envisager de		
prévoir de		

Exprimer son intention (2)

Avec un verbe à l'infinitif :
afin de, pour, avoir l'intention de, avoir pour objectif de, envisager de, prévoir de.
On envisage d'acheter une maison au Maroc pour vivre au soleil quand on sera vieux.

Avec un verbe au subjonctif :
afin que, pour que.
Nous allons rencontrer le directeur afin qu'il trouve une solution à ce problème.

15 → Nathalie rencontre Naïma et lui explique ce qu'elle a l'intention de faire. Par deux, imaginez la situation et jouez le dialogue.

JE N'AIME QUE TOI

16 Observez la phrase et répondez.

La BCF n'a qu'une agence en Pologne (à Varsovie) et elle a l'intention de créer trois nouvelles agences à Cracovie, Poznan et Gdansk.

1. Dans cette phrase, peut-on remplacer *ne... que* par *ne... pas* ?
2. Quelle est la différence entre *ne... que* et *ne... pas* ?

17 Dans chaque dialogue, transformez la réponse. Ajoutez *ne... que*.

1. — C'est 50 euros. Tu as assez d'argent ?
   — Non, j'ai 20 euros !
2. — Qu'est-ce que tu voudras pour le petit-déjeuner : croissant, yaourt… ?
   — Non, non, je prends un café.
3. — Vous pouvez venir mardi ?
   — Mardi, non : je suis libre lundi.
4. — Vous parlez plusieurs langues ?
   — Euh… Je parle le français et le polonais.

La restriction : ne... que

La construction avec **ne... pas** *indique qu'une chose n'existe pas ou que quelque chose n'est pas vrai.*
La construction avec **ne... que** *indique qu'une chose existe, mais qu'elle existe en quantité limitée.*
Faites vite, je **n'**ai **que** cinq minutes avant le départ du train.
Il **ne** reste **qu'**une place pour le concert de Tiken Jah Fakoly.

TU ME LE DONNES ?

18 Observez les phrases et retrouvez, dans le document page 34, ce que remplacent les pronoms.

1. Je t'en parlerai ce soir. — *t'* = ... — *en* = ...
2. Je vous en remercie. — *vous* = ... — *en* = ...
3. Vous voudrez bien nous le retourner. — *nous* = ... — *le* = ...

19 Dans le tableau, retrouvez le premier pronom de chaque phrase et complétez ce tableau avec le deuxième pronom.

1. Je t'en parlerai ce soir.
2. Vous voudrez bien nous le retourner.
3. Non, je ne sais pas. Je vais le lui demander.
4. Bah, si, je lui en ai donné deux. Il ne fallait pas ?
5. Vous allez à Londres ? Je peux vous y accompagner ?
6. Valérie a accepté ce travail et je l'en remercie vivement.

me	.....				
te	.....	le	.....	lui	.....
se	.....	la	.....	leur	.....
nous	*le*	les	.....		
vous	.....				

Les doubles pronoms

sujet	*me* *te* *se* *nous* *vous*	*le* *la* *les* *en* *y*	*verbe*

Elle **me l'**a donné ce matin.
Je voulais **vous en** parler.

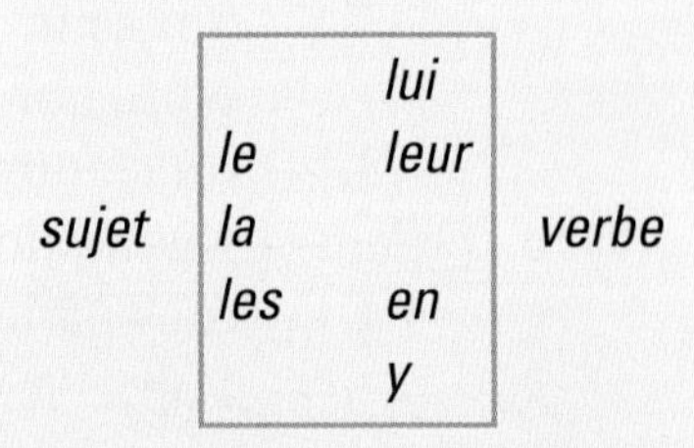

Tu peux **le lui** dire toi-même ?

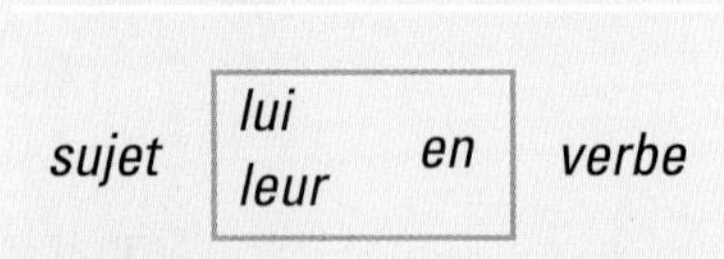

Je vais **leur en** apporter un.

20 Remplacez les mots soulignés par un pronom.

1. — Tu sais que Mathias a de gros problèmes dans son travail ?
   — Non ! Il ne m'a pas parlé de ses gros problèmes !
2. — On m'a dit que vous aviez une bonne nouvelle pour moi. Qu'est-ce que c'est ?
   — Attendez, je vais laisser le directeur vous annoncer cette bonne nouvelle.
3. — Vous cherchez un restaurant ?
   — Oui, vous pourriez m'indiquer un restaurant ?
4. — Regarde, Sophie m'a donné un joli livre sur Picasso.
   — Elle exagère ! C'est moi qui avais offert le joli livre sur Picasso à Sophie !
5. — Si tu vas à Londres, tu pourrais acheter quelques livres pour ma fille ?
   — Oui, combien tu veux que je rapporte de livres à ta fille ?
6. — Tu peux prêter un peu d'argent à Bruno ?
   — Encore ! J'ai déjà prêté de l'argent à Bruno le mois dernier.

→DE VOUS À NOUS

Vous décidez de correspondre avec une université d'un pays francophone. Choisissez, par groupes, un pays. Expliquez ce que vous avez l'intention de faire avec l'université choisie (échanges de documents écrits ou vidéo, visioconférence, etc.) et comment vous allez organiser un voyage (pour un étudiant ou pour plusieurs) dans le pays choisi. Écrivez votre projet par groupes. Présentez-le à toute la classe et choisissez le projet que vous préférez.

Des sons et des lettres

[f] ou [v] ?

18 A. Écoutez et répétez.

1. faire – vert
2. fou – vous
3. fendre – vendre
4. refus – revu
5. référence – révérence
6. neuf – neuve
7. actif – active

19 B. Écoutez et indiquez si vous entendez [f] ou [v].

	1	2	3	4	5	6	7	8
[f]								
[v]								

C. Lisez les phrases.

1. Vous avez fait des photos ?
2. La femme de mon voisin vient vendredi.
3. Les enfants vont voir le phare.
4. Je voudrais un fromage de vache frais.
5. On va au festival du film fantastique d'Avoriaz ?

20 D. Écoutez et complétez avec « f » ou « v ».

1. .....ous .....oulez .....aire .....os .....alises ?
2. Il .....aut tout .....endre a.....ant .....endredi.
3. Qui .....ole un œu....., ...ole un bœu..... .
4. Ce sont des .....illes acti.....es et .....olontaires.
5. Le .....ent est .....ort et il .....ait .....raiment .....roid.

LOIN DE LA FRANCE

Canada

Dubaï, Émirats arabes unis

Japon

De nombreux Français choisissent de partir vivre hors de France, pour quelques années ou pour toujours. De la même manière, certains mots français partent s'installer dans d'autres langues et vivre avec bonheur dans ce nouvel environnement.

1 Les Français qui vivent à l'étranger

Afrique dont	**219 667**
Algérie	36 782
Maroc	34 097
Madagascar	18 962
Sénégal	16 966
Amérique dont	**253 898**
États-Unis d'Amérique	111 875
Canada	63 732
Brésil	16 467
Mexique	14 315
Asie dont	**175 764**
Israël	49 137
Chine	18 765
Liban	16 937
Inde	8 265
Japon	7 735
Europe dont	**666 221**
Suisse	132 784
Royaume-Uni	107 914
Allemagne	99 288
Belgique	81 608
Espagne	69 290
Océanie dont	**18 884**
Australie	14 442
Nouvelle-Zélande	2 883

Français inscrits dans les Consulats de France à l'étranger, chiffres du gouvernement français, 2007. Source : www.diplomatie.gouv.fr

21 Écoutez l'enregistrement, lisez le document 1, puis répondez.

1. Dans quels pays Mathilde Lemaistre a-t-elle habité ?
2. Quelle est la nationalité de son mari ?
3. D'après Mathilde Lemaistre, ses enfants aiment-ils vivre au Congo ?
4. Qu'explique-t-elle au sujet de la vie « au temps des colonies » ?
5. Le nombre de Français qui vivent au Congo est-il important par rapport aux autres pays ?
6. Dans quels pays étrangers les Français vont-ils plus facilement vivre ? Comment pouvez-vous expliquer ce choix ?

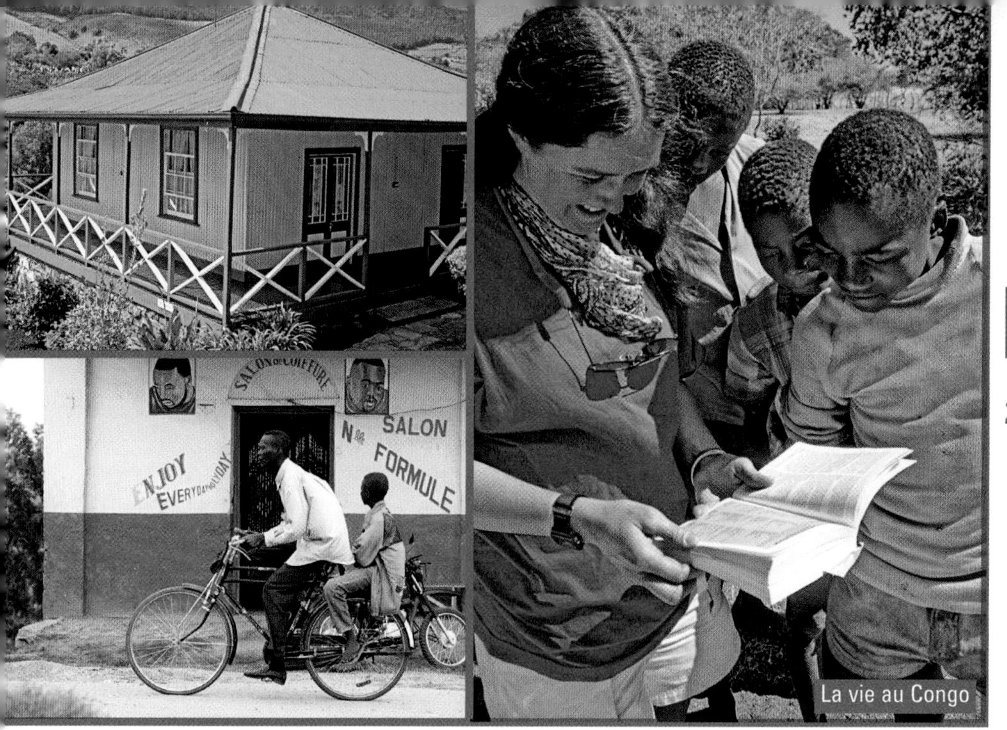

La vie au Congo

ET VOUS ?

23 Les personnes de votre pays partent-elles facilement à l'étranger ? Vers quels pays ? Des éléments culturels de votre pays (produits d'alimentation, œuvres littéraires, vêtements, etc.) sont-ils présents dans les pays francophones ?

2 Les mots français qui vivent à l'étranger

allemand	der Champignon	*un champignon de Paris*
anglais	rendez-vous	*un rendez-vous*
arabe	فراولة	*une fraise*
bulgare	ретифур	*un petit-four (une pâtisserie)*
chinois	沙拉	*une salade*
danois	chauffør	*un chauffeur*
espagnol	beige	*beige*
japonais	オートクチュール	*la haute-couture*
portugais	bâton	*un rouge à lèvres*
néerlandais	avontuur	*une aventure*
russe	Велосипед	*un vélocipède (un vélo)*
turc	klaviye	*un clavier*

22 Lisez le document 2 et répondez.
Lesquelles de ces langues connaissez-vous ?
Connaissez-vous d'autres mots d'origine française dans ces langues ou dans d'autres langues ?
Si votre langue maternelle n'est pas dans la liste, connaissez-vous des mots ou des expressions de votre langue qui sont d'origine française ?

Autoévaluation 1

JE PEUX APPROUVER ET EXPRIMER L'INDIFFÉRENCE

1 a) Complétez les dialogues. Exprimez l'approbation de manières différentes.

1. — Moi, je pense qu'on parle trop des artistes dans la presse.
   — .....
2. — Pour Pierre, voyager à l'étranger aujourd'hui, c'est un luxe. Et pour toi ?
   — .....

b) Complétez les dialogues. Exprimez la désapprobation de manières différentes.

1. — Non, Simon a seize ans, il n'a pas l'âge d'aller en discothèque le samedi soir.
   — .....
2. — C'est vraiment trop difficile le français, surtout la phonétique.
   — .....

1

Comptez 1 point par réponse correcte.
Vous avez...
– 6 points : félicitations !
– moins de 6 points : revoyez la page 12 de votre livre et les exercices de votre cahier.

c) Cochez les deux phrases où on exprime l'indifférence.

1. ☐ Patricia ne vient pas dîner... Écoute, je m'en fiche ! Ce n'est pas mon problème.
2. ☐ Je suis d'accord avec toi, il y a trop de vélos sur les trottoirs.
3. ☐ Non, je ne sais pas s'il va m'acheter un cadeau pour mon anniversaire.
4. ☐ Vous ne pouvez pas payer l'addition ? Ça m'est égal ! Expliquez ça à la police.

JE PEUX EXPRIMER LA CERTITUDE ET L'INCERTITUDE

2 Construisez des phrases avec les éléments donnés. Puis cochez la case qui convient.

1. je – ne pas être certain que – Paul – venir à notre fête.
   ☐ certitude ☐ incertitude
2. elles – ne pas répondre – je – ne pas être sûr que – elles – avoir leur téléphone.
   ☐ certitude ☐ incertitude
3. nous – être certains de – avoir fermé la porte à clé.
   ☐ certitude ☐ incertitude

2

Comptez 2 points par réponse correcte.
Vous avez...
– 12 points : félicitations !
– moins de 12 points : revoyez les pages 14 et 15 de votre livre et les exercices de votre cahier.

JE PEUX EXPRIMER MON POINT DE VUE

3 Quelles sont les cinq phrases où on exprime un point de vue ?

1. À mon avis, il faut prendre un parapluie, il va pleuvoir.
2. Que penses-tu de la dernière exposition à Beaubourg ?
3. Je crois que c'est faux.
4. Selon lui, dans un an, il y aura mille habitants de plus.
5. Pour moi, les problèmes de pollution n'existent pas.
6. Je regrette madame, vous ne pouvez pas fumer ici.
7. Je trouve que les couleurs de ce tableau sont bien tristes.

3

Comptez 1 point par réponse correcte.
Vous avez...
– 5 points : félicitations !
– moins de 5 points : revoyez la page 22 de votre livre et les exercices de votre cahier.

JE PEUX PARLER AU PASSÉ

4 Complétez le texte avec le passé composé ou l'imparfait.

Au XXe siècle, Yves Saint-Laurent (être) ..... un couturier de talent. En 1955, il (entrer) ..... chez Dior. Il (travailler) ..... comme assistant modéliste quand, en 1957, il (prendre) ..... la direction de Dior. Il (avoir) ..... 21 ans seulement. En 1958, sa collection « trapèze » (connaître) ..... un franc succès. Saint-Laurent (décider) ..... ensuite de quitter Dior et il (créer) ..... sa société en 1961. Il (aimer) ..... le théâtre et le cinéma. En 2002, il (prendre) ..... sa retraite, mais ses amis du spectacle (aller) ..... souvent le voir et lui (demander) ..... conseil. Il (mourir) ..... le 1er juin 2008 à Paris. Un grand nom de la mode (disparaître) ..... .

4

Comptez 0,5 point par réponse correcte.
Vous avez...
– 7 points : félicitations !
– moins de 7 points : revoyez la page 16 de votre livre et les exercices de votre cahier.

JE PEUX EXPRIMER MON INTENTION

5 Entourez la réponse qui convient pour exprimer une intention.

1. Le Premier ministre (a envie de – a pour objectif de – a besoin de) faire baisser le chômage.
2. Nous avons créé un site internet (afin que – afin de – pour) les étudiants puissent faire des exercices chez eux.
3. (C'est gagné – C'est vrai – C'est décidé), demain, j'arrête de fumer.
4. En 2023, nous (prévoyons – pensons – sommes certains) d'aller sur la planète Mars.
5. Travaille cet été (afin que – pour que – pour) payer ton permis de conduire !

5

Comptez 1 point par réponse correcte.
Vous avez...
– 5 points : félicitations !
– moins de 5 points : revoyez les pages 24, 25, 34 et 35 de votre livre et les exercices de votre cahier.

JE PEUX JUSTIFIER UN CHOIX

6 Entourez la réponse qui convient.

1. Je ne pars pas en vacances cet été (ça permet de – parce que – c'est pour ça) je veux économiser un peu d'argent.
2. J'ai rendez-vous chaque lundi avec le directeur, (parce que – ça permet de – c'est pour ça) faire des bilans réguliers.
3. Nous voulions changer de vie, (parce que – ça sert à – c'est pour ça) que nous sommes allés vivre en Afrique.
4. Sur ton téléphone, la touche étoile, (ça sert à – parce que – c'est pour ça) effacer un message.
5. Apprendre une langue étrangère, (ça permet de – c'est pour ça – parce que) trouver un bon travail dans une grande institution internationale.

6

Comptez 1 point par réponse correcte.
Vous avez...
– 5 points : félicitations !
– moins de 5 points : revoyez la page 32 de votre livre et les exercices de votre cahier.

Résultats : ..... points sur 40 points = ... %

PARTIE 1 COMPRÉHENSION DE L'ORAL

22 EXERCICE 1

Écoutez le micro-trottoir et répondez.

1. Quel est le sujet du micro-trottoir ?
   La construction de tours
   ☐ à la Défense.
   ☐ dans le centre ville de Paris.
   ☐ autour de Paris.

2. Qui a décidé la construction de ces tours ?

3. Quelles sont les opinions des personnes interrogées ? Complétez le tableau.

	approbation	désapprobation	indifférence
intellectuels			
1re personne			
2e personne			
3e personne			

4. Parmi les propositions, retrouvez pourquoi certaines personnes ne sont pas d'accord avec la construction des tours.
   ☐ Paris sera moins belle.
   ☐ Paris est déjà moderne.
   ☐ Il n'y a plus de place.
   ☐ Il y a assez de tours.

23 EXERCICE 2

Écoutez et répondez.

1. Sur quelle touche Audrey doit-elle taper pour envoyer une page internet ?
   ☐ ★ ☐ # ☐ @

2. Audrey veut célébrer ses 25 ans.
   ☐ vrai ☐ faux

3. Audrey est sûre de la date.
   ☐ vrai ☐ faux

4. Quels sont les avantages de la maison de Pierre ?

5. Audrey appelle avec son téléphone.
   ☐ vrai ☐ faux

PARTIE 2 COMPRÉHENSION DES ÉCRITS

EXERCICE 1

Lisez l'article et répondez.

RENTRER POUR MIEUX REPARTIR

Après quatorze ans d'expatriation, la famille Sudan rentre en France, pour se réacclimater et penser à de futurs départs. Mais l'atterrissage est-il aussi facile qu'on l'imagine ? Retour au pays...

Au printemps dernier, la famille (et maintenant ses quatre enfants) s'installait donc en France après quatorze années passées à l'étranger ! « Ça correspondait à un moment où on avait envie de rentrer pour se réacclimater », explique le jeune homme. Et surtout, Olivier Sudan venait de décrocher un poste de choix chez Schneider Electric, responsable d'une ligne de produits, une entité complète à développer avec des équipes sur trois continents. On ne laisse pas passer ce genre d'opportunité ! « Ça a surtout été dur au niveau de l'espace physique, explique l'ingénieur. À Milan, on avait une maison avec jardin. À Paris, on vit dans un appartement au Chesnay. » Pour le reste, il assure que l'atterrissage s'est bien passé. « Certes, les enfants ont laissé leurs copains en Italie, mais ils se sont bien acclimatés ici. Et puis ils n'ont jamais vécu en France, donc ils prennent cela comme un nouveau pays ! » C'est d'ailleurs après avoir trouvé l'école (un établissement international) qu'Olivier a cherché l'appartement, « c'était comme un point de ralliement, on voulait être sûrs que les enfants seraient scolarisés ensemble. » Il a pris ses fonctions en France en mai, et profitait des ses allers-retours pour prospecter, en attendant le déménagement du reste de la famille.

1. Combien de temps la famille Sudan a-t-elle vécu à l'étranger ?
2. Pourquoi est-elle rentrée en France ?
   ☐ parce qu'Olivier en avait assez de l'étranger.
   ☐ parce qu'Olivier avait le mal du pays.
   ☐ parce qu'Olivier a trouvé un bon travail.
3. Qu'est-ce qui est le plus difficile pour eux maintenant ?
4. Qu'est ce qui était indispensable pour les enfants à Paris ?
5. Globalement, leur vie est-elle positive ?
   ☐ oui ☐ non

EXERCICE 2

Lisez le texte et répondez : *vrai* ou *faux*.

Le premier jour du reste de ta vie

Le premier jour du reste de ta vie *raconte l'histoire d'une famille des années 1970 à nos jours. Marie-Jeanne et Robert Duval ont trois enfants : Albert, Fleur et Raphaël.*

Le portrait de leur famille est présenté sur une douzaine d'années, à travers cinq journées particulières, cinq jours décisifs dans la vie d'une famille de cinq personnes, cinq jours plus importants que d'autres où plus rien ne sera jamais pareil le lendemain.

Avis des spectateurs

J'ai adoré ! Ne faites pas attention au titre, ce n'est pas un film dramatique pur. C'est drôle et triste à la fois. Je pense que les acteurs sont vraiment excellents. On arrive à s'identifier à ces personnages car ils sont vrais. On croit regarder sa vie. Idéal pour les nostalgiques !

Marianne G. (62)

1. Le film parle de certains membres d'une famille.
2. Le film raconte toute la vie d'une famille.
3. La spectatrice a bien aimé le film.
4. Le film est une comédie-dramatique.
5. Pour la spectatrice, le film est très réaliste.

PARTIE 3 **PRODUCTION ÉCRITE**

EXERCICE 1

Vous avez décidé de partir vivre à l'étranger pour travailler ou suivre des études supérieures. Vous écrivez à un ami pour lui annoncer la nouvelle. Dans votre lettre, vous expliquez ce que vous avez l'intention de faire, quel pays vous avez choisi et pourquoi. Vous exprimez certains doutes et vous demandez à votre ami son opinion.

EXERCICE 2

Sur le site internet LeMonde.fr, vous venez d'apprendre que l'Américain Richard Garriott (co-fondateur de Google) a dépensé 35 millions de dollars pour passer douze jours dans l'espace. Un internaute a réagi : « *Je trouve que ce n'est pas normal. Quand on a beaucoup d'argent, on doit plutôt aider ceux qui n'en ont pas. C'est inutile.* » Vous répondez à cet internaute. Vous donnez votre point de vue, vous exprimez votre approbation ou votre désapprobation.

PARTIE 4 **PRODUCTION ORALE**

ENTRETIEN DIRIGÉ

Répondez aux questions de votre professeur.

MONOLOGUE SUIVI

Vous racontez vos dernières vacances, ce que vous avez fait, ce que vous avez aimé, ce que vous n'avez pas aimé, ce qui vous a surpris et vous expliquez pourquoi. Votre professeur vous pose des questions complémentaires.

EXERCICE EN INTERACTION

Vous travaillez dans un bar pour payer vos études, mais vous souhaitez arrêter de travailler pendant quelques mois pour préparer vos examens. Vous expliquez au patron du bar ce que vous avez l'intention de faire et vous vous justifiez. Votre patron désapprouve. Votre professeur joue le rôle du patron.

Ayin Beothy, Sans titre, 2006

module**2** Parler de ses sentiments et de ses émotions

------> niveau A2

unité 4 Voilà l'été !

POUR → **Dire que j'aime, que je préfère**

J'APPRENDS
- *ça me plaît bien, j'aime mieux, je préfère...*
- la nominalisation
- la comparaison : *plus... que, moins de...*

→ **Exprimer ma joie et ma tristesse**

- *c'est génial ! Je suis malheureux...*
- l'accord du participe passé

TÂCHE FINALE
Nous organisons un séjour linguistique en France et nous préparons un projet correspondant à nos goûts.

unité 5 Terre inconnue

POUR → **Exprimer ma peur et mon inquiétude**

J'APPRENDS
- *j'ai peur, je suis inquiet...*

→ **Rassurer quelqu'un**

- *ne t'en fais pas, ça va aller*
- le plus-que-parfait

→ **Exprimer ma surprise**

- *ah ! bon ? ça alors !*

TÂCHE FINALE
Je dois partir dans un pays francophone pour une longue période. Je m'inquiète un peu, et mes amis me rassurent. Je parle de ma situation sur mon blogue.

unité 6 Vivement dimanche !

POUR → **Exprimer ma colère**

J'APPRENDS
- *c'est intolérable ! tu exagères !*
- *en* et *y*, pronoms compléments

→ **Exprimer ma déception**

- *je regrette, c'est dommage...*
- le subjonctif (2)

TÂCHE FINALE
Nous évaluons nos conditions d'étude en classe, nous discutons de ce que nous aimerions améliorer. Nous écrivons au responsable des cours pour qu'il puisse apporter les modifications nécessaires.

Voilà l'été !

> C'est clair ?

(24) **1 a) Écoutez le sommaire du journal et retrouvez l'ordre des informations. Donnez un numéro à chaque information.**

Essence moins chère : n°...
Tempête tropicale : n°...
Départs en vacances : n°...
Le meilleur nageur du monde : n°...
Réservations d'hôtels : n°...
Achat d'une villa : n°...

b) Associez chaque titre ci-dessus à une photo de la page 46.

2 Voici les rubriques généralement utilisées pour classer les nouvelles. Associez chaque photo à une rubrique.

Société
Économie
Immobilier
Monde
Sports
Environnement
Éducation
Média

(25) **3 Écoutez le reportage du journal et répondez.**

1. Où se trouve Olivier Jacquot ?
2. Où va la famille interviewée ?
3. Qu'est-ce que les parents aiment faire ?
4. Qu'est-ce que les enfants aiment faire ?

> Zoom

(26) **4 Retrouvez les noms qui correspondent à ces verbes puis vérifiez vos réponses avec l'enregistrement.**

Circuler → .....
Réserver → .....
Expliquer → .....
Enquêter → .....
Passer → .....
Nager → .....
Commencer → .....
Partir → .....
Visiter → .....

5 Vous êtes journaliste. On vous demande d'écrire le sommaire du journal à partir des informations ci-dessous. Aidez-vous de l'exemple.

Exemple : *Le colonel Kadhafi a visité le Louvre aujourd'hui.*
→ *Visite du Louvre par le colonel Kadhafi.*

1. Le ministère de l'Éducation nationale prépare une réforme pour la rentrée.
2. Les dates des vacances scolaires changent l'année prochaine.
3. L'Union européenne modifie sa politique agricole.
4. La mairie de Rouen a restauré l'église Saint-Maclou : deux ans de travaux.
5. La police a contrôlé 32 camions à la frontière espagnole : 4 tonnes de cannabis saisies.

La nominalisation

Les noms peuvent se former à partir de verbes. Certaines transformations sont simples :
rechercher → une recherche ; arriver → une arrivée, etc.
Attention : partir → un départ ; acheter → un achat, etc.

Pour d'autres, on ajoute par exemple :
-age : voyager → un voyage ; passer → un passage, etc.
Ces noms sont masculins.
-ment : changer → un changement ; commencer → un commencement, etc.
Ces noms sont masculins.
-ation : réserver → une réservation ; confirmer → une confirmation, etc.
Ces noms sont féminins.

Dire qu'on aime, qu'on préfère

> *Comment on dit ?*

26 **6 Écoutez le reportage, dites de quoi les personnes parlent, puis retrouvez les expressions qu'elles utilisent et ce qu'elles expriment.**

expressions	quoi ?	aime ♥	aime ♥♥	préfère
« on aime beaucoup »	la région		X	
« on aime bien »	Grimaud	X		
« les enfants préfèrent »	la mer			X
« ça nous plaît »	la plage	X		
« on aime mieux »	les châteaux au Provence			X
« on préfère »	découvrir la région			X

Dire qu'on aime, qu'on préfère

Moi, **ça me plaît bien**, les vacances à la montagne.
J'aime beaucoup la veste verte, mais **je préfère** la rouge.
J'aime bien la campagne, mais **j'aime mieux** la mer, c'est plus sympa.
Je n'aime pas les téléfilms.
Je préfère les documentaires, c'est plus intéressant.

7 → Et vous ? Où préférez-vous aller pendant les vacances ? À la mer, à la montagne, à la campagne ? Des vacances sportives ou des vacances détente ? À l'hôtel, au camping ou dans une maison ? Vous voyagez comment : en voiture, en train, en avion ? Discutez.

C'EST LE MEILLEUR !

26 **8 a) Écoutez à nouveau le journal radio et complétez le tableau.**

	avec un adjectif (*beau*) ou un adverbe (*lentement*)	avec un nom	avec un verbe
+	*plus* + adjectif ou adverbe (+ *que*) *plus beau que* exemple :	*plus de* (*d'*) + nom *plus d'argent que* exemple :	verbe + *plus que* *il travaille plus que toi* exemple : .....
–	.... exemple :	.... exemple :	.... exemple : .....
=	.... exemple :	.... exemple :	verbe + *autant* (+ *que*) exemple : .....

9 Observez et répondez.

Le niveau de réservation des hôtels est meilleur que l'année dernière.
Elle accueille mieux les touristes.

1. *Meilleur* correspond à quel adjectif ?
2. *Mieux* correspond à quel adverbe ?

10 Complétez les phrases avec *mieux* ou *meilleur*.

1. Ma sœur skie ..... que mon frère, mais il est ..... en escalade.
2. Oui, je vais ....., mais j'ai vraiment eu peur.
3. Je trouve que Justine Lévy a une belle écriture, mais Muriel Barbery écrit ..... , elle a un ..... style.
4. On apprend ..... le français quand on le pratique tous les jours.

11 Lisez ces trois fiches pays, puis complétez le texte avec les comparatifs qui conviennent.

	Haïti	Belgique	Niger
Chef de l'État	René Préval	Albert II	Mamadou Tandja
Superficie	28 000 km^2	31 000 km^2	1 268 000 km^2
Population (hab.)	9 millions	10,6 millions	14,2 millions
Espérance de vie	58 ans	79 ans	56 ans
Croissance (2006)	2,3 %	3,2 %	3,4%
Monnaie	gourde	euro	franc CFA

Trois continents, trois pays francophones, trois réalités différentes : le Niger est ..... peuplé que les deux autres pays et il est ..... grand. Mais on vit ..... vieux au Niger qu'en Belgique où l'espérance de vie est ..... élevée. On vit ..... en Belgique où la médecine est de ..... qualité. Le Niger a une croissance ..... importante que la Belgique et Haïti, parce qu'il a des matières premières. La croissance d'Haïti est ..... rapide.

Niger

12 Observez les phrases, trouvez les contraires des superlatifs puis répondez.

Exemple : *Le pays le plus touristique du monde.* ≠ *Le pays le moins touristique du monde.*

L'une des villas les plus chères du monde. ≠ .....
Le meilleur nageur. ≠ .....
La tempête la moins mortelle des trois. ≠ .....
Il a nagé le plus vite. ≠ .....
Le plus jeune étudiant de la classe. ≠ .....

1. Utilise-t-on le superlatif pour exprimer le degré positif ou négatif extrême d'une qualité ?

2. Comment forme-t-on le superlatif ? Quelles sont les combinaisons possibles ? Aidez-vous des éléments suivants : *plus, moins, meilleur, mieux, adverbe, adjectif, nom, le, la, les, des, du* et pour chaque combinaison, créez un exemple.
Exemple : **nom + la plus + adjectif + du + nom** *:*
La ville la plus romantique du monde.

13 À l'aide de trois superlatifs, définissez chacun des trois pays de l'activité 11 ainsi que le vôtre.

Exemple : *Le Niger est le pays le plus peuplé.*

Comparer

On utilise souvent les comparatifs et les superlatifs pour exprimer un jugement de valeur.

Les comparatifs

verbe + plus / autant / moins
Je mange moins qu'avant.
plus de / autant de / moins de + *nom*
Cette voiture consomme autant d'essence, mais elle a plus d'options.
moins / aussi / plus + *adjectif ou adverbe*
Il est aussi sympa que son frère.
Attention :
moins bon < aussi bon < meilleur
moins mauvais < aussi mauvais < plus mauvais < pire
moins bien < aussi bien < mieux

Les superlatifs

Béa est la moins grande des deux.
C'est Marc qui danse le mieux.
C'est le meilleur.
C'est le plus mauvais chanteur.
C'est le pire chanteur de la chorale.
Attention :
Adjectifs courts et courants (grand, petit, vieux, jeune, joli, etc.) :
J'habite le quartier le plus joli de la ville. *ou* J'habite le plus joli quartier de la ville.

Exprimer la joie et la tristesse

Dominique,

La lettre que tu m'as écrite et que tu as glissée sous ma porte hier soir est très belle, mais la décision que j'ai prise (te quitter) est définitive. Moi aussi je suis triste que notre relation se termine. Je suis malheureuse, j'en ai assez de tout ça... Les moments que nous avons vécus ensemble sont des souvenirs inoubliables, des moments de joie, de bonheur, d'amour et de tristesse aussi. Je ne les ai pas oubliés. Je ne les oublierai jamais. Toi non plus, je pense. Mais nous sommes trop différents. Nos cultures, notre façon de vivre nous séparent. Et je ne suis pas prête pour une vie de couple.

Je préfère vivre seule, garder mon indépendance pour le moment. Félicitations pour ton Master des beaux-arts ! Je suis heureuse pour toi. Bravo ! Bonne chance pour ta candidature à la Villa Médicis à Rome.

Dominique, s'il te plaît, arrête de m'écrire, c'est mieux pour nous deux. Tu n'es plus mon chum et je ne suis plus ta blonde, comme on dit chez toi. Tournons la page.

Amicalement,

Nathalie

> *C'est clair ?*

14 Lisez la lettre et répondez.

1. Qui a écrit la lettre ? À qui ?
2. Qu'est-ce qui s'est passé entre Nathalie et Dominique ?
3. Comment Nathalie explique-t-elle ce qui s'est passé ?
4. Que veut dire *chum* et *blonde* ici ?
5. Qu'est-ce que Nathalie demande à Dominique ?

> *Comment on dit?*

15 Dans sa lettre, Nathalie exprime sa tristesse (la séparation) et sa joie (le master de Dominique). Relevez les expressions qu'elle utilise pour les exprimer.

Joie : ..... ; ..... ; .....
Tristesse : ..... ; ..... ; .....

27

16 a) Écoutez les personnes et dites si elles expriment la joie ou la tristesse. Aidez-vous de l'intonation.

b) Dans quels dialogues entendez-vous ces expressions ?

C'est extraordinaire ! : n° .....
C'est fantastique ! : n° .....
Nous avons le plaisir de : n° .....
C'est génial ! : n° .....
C'est magnifique ! : n° .....
Je suis vraiment contente. : n° .....
J'en ai marre. : n° .....

17 → Par deux, choisissez une photo et créez un court dialogue. Puis, jouez-le.

18 → Dominique répond à la lettre de Nathalie. Il exprime sa tristesse (leur séparation) et sa joie de partir à Rome. Aidez-le à faire le brouillon de sa lettre.

Exprimer la joie et la tristesse

La joie

C'est génial / fantastique / extraordinaire / magnifique / super, etc. que tu aies une bourse pour tes études.
Je suis heureux que tu viennes à ma fête.
Nous avons le plaisir de vous annoncer la naissance de Julie.
Je suis vraiment content de vous voir enfin.
Je suis vraiment contente que vous veniez dimanche.

La tristesse

J'en ai assez / marre de recevoir plein de publicités.
J'en ai assez / marre que tu me téléphones.
Je suis triste de partir.
Je suis triste que tu me quittes.
Je suis malheureuse.

TOI NON PLUS ? LUI AUSSI !

19 Observez les phrases et répondez aux questions.

Moi aussi je suis triste que notre relation se termine.

Cette phrase signifie
- ☐ Tu es triste et je suis triste.
- ☐ Tu es triste et je ne suis pas triste.

Les moments que nous avons vécus ensemble sont des souvenirs inoubliables [...] Je ne les oublierai jamais. Toi non plus, je pense.

Cette phrase signifie
- ☐ Je pense que tu ne les oublieras pas.
- ☐ Je pense que tu les oublieras.

20 Complétez les dialogues avec *aussi* ou *non plus*.

1. — Je ne mange pas entre les repas, ça me fait grossir.
   — Moi ..... je ne mange pas entre les repas.
2. — Pendant les vacances, j'aime bien faire du sport et visiter des châteaux.
   — Nous ....., on fait les deux, sport et culture.
3. — Je ne vais pas sur la Côte d'Azur l'été, il y a trop de monde.
   — Moi ....., je n'aime pas la foule.
4. — Nos amis sont allés en Nouvelle-Calédonie.
   — Moi ....., j'ai passé quelques jours là-bas !

Aussi, non plus

Aussi *permet de reprendre une idée donnée à la forme affirmative :*

— Je suis triste que tu partes dix jours.
— Moi aussi je suis triste, je te téléphonerai.

Non plus *permet de reprendre une idée donnée à la forme négative :*

— Je n'aime pas prendre l'avion tout seul.
— Moi non plus, je n'aime pas ça.

JE L'AI VUE !

21 Observez les phrases extraites de la lettre de Nathalie, puis répondez.

a. *La lettre que tu m'as écrite et que tu as glissée sous ma porte ...*
b. ... *la décision que j'ai prise ...*
c. *Les moments que nous avons vécus ensemble ...*
d. *Je ne les ai pas oubliés ...*

1. Dans les phrases a, b et c, que remplace le pronom *que* ?
2. Dans la phrase d, que remplace le pronom *les* ?
3. Dans les phrases, les pronoms *que* et *les* sont les compléments de quels verbes ? Sont-ils placés devant ou derrière les verbes ?
4. Récrivez les trois premières phrases sans les pronoms.

Exemple : *La lettre que tu m'as écrite.* → *Tu m'as écrit une lettre.*

5. Comparez vos phrases et celles de la lettre de Nathalie. Que remarquez-vous ?

22 Complétez ce texte. Écrivez le verbe entre parenthèses au passé composé.

Mon très cher frère,

J'ai besoin d'argent. Alors, oui, j'ai décidé de tout vendre : les tapis que j'..... (acheter) en Turquie, les boucles d'oreilles en diamant que maman m'..... (offrir), tous les livres que j'..... (lire), les sculptures que tu ..... (rapporter) d'Afrique, les vieux disques que j'..... (garder) trop longtemps, les meubles anciens que j'..... (stocker) chez toi. Tout. C'est très triste, je sais, mais il n'y a pas d'autre solution.

Je t'embrasse *Ta petite sœur*

23 Complétez les dialogues avec le participe passé qui convient, puis jouez-les.

1. — Elles sont magnifiques, ces céramiques.
   — C'est ma grand-mère qui les a (faire) ..... quand elle habitait à Vallauris. Elle a connu Picasso.
   — C'est lui qui les a (créer) ..... ?
   — Euh… non, malheureusement.
2. — Bon, je crois qu'on est perdus. Tu peux sortir les cartes ? Je les ai (mettre) ..... dans mon sac à dos.
   — Je ne les trouve pas. Tu es sûr, tu les as (prendre) ..... ?
   — Oh zut, je les ai (oublier) ..... !

L'accord du participe passé

Au passé composé, quand le complément direct du verbe est placé devant le verbe, le participe passé s'accorde avec ce complément.

Avec l', les, me, te, nous, vous :
Cette photo, je **l'**ai pris**e** à Pondichéry, quand je suis allé en Inde.
Marie et Didier **nous** ont invité**s** à Lyon.

Avec que :
Les vacances **que** nous avons passé**es** en Grèce sont les plus belles de ma vie.

Avec quels, quelle, quelles :
Quelle route avez-vous pris**e** pour descendre dans le Sud ?

Apprenez le français dans une ferme biologique

IPPF de St Pierre près de Pau
(Pyrénées orientales)

Public : 18 à 35 ans

Niveaux : tous niveaux + cours spécialisés au choix (grammaire, phonétique, conversation)

Durée du séjour : de 2 à 4 semaines (2 semaines minimum)

Nombre d'heures de cours par jour : 4 heures en groupe de 12 personnes maximum

Hébergement et restauration : chambres de 2 personnes avec salle de bains, télévision, WIFI, cafétéria

Activités et loisirs : participation à la vie de la ferme, randonnées, escalade, canoë, découverte de la région

Tarifs : 675 € par semaine tout compris

tâche finale

→À LA CARTE !

Votre groupe a décidé d'organiser un séjour linguistique en France. Vous avez reçu la brochure de cette école. Le programme ne vous plaît pas totalement.
Vous souhaiteriez peut-être plus d'activités, ou des activités différentes, ou bien moins de cours.
À l'oral, mettez au point votre projet. Puis, écrivez une lettre à l'école avec une autre proposition de séjour et demandez le prix.

Des sons et des lettres

[s] (sale) ou [ʃ] (châle) ?

(28) **A. Écoutez et dites si vous entendez [s] ou [ʃ].**

	1	2	3	4	5	6	7	8
[s]								
[ʃ]								

(29) **B. Écoutez et répétez.**
1. un Russe – une ruche
2. sans – chant
3. mon fils – ma fiche
4. face – fâche
5. la mouche – la mousse
6. rosse – roche
7. harassé – arraché

(30) **C. Écoutez ces phrases. Soulignez le son [s] et entourez le son [ʃ], puis répétez.**
1. Je cherche mes sous pour acheter des souvenirs.
2. Samedi, soleil et chaleur dans le Sud, grosses averses dans l'Ouest et ciel chargé à l'Est.
3. Laissez-vous séduire par Charleville, la cité d'Arthur Rimbaud.
4. Ma sœur a acheté un superbe chalet en Suisse, mais c'est cher.

VACANCES : TENDANCES

Échanger une maison en Norvège contre...

un appartement à New York ou

une maison dans le sud de la France

Bienvenue chez nous !

Échanger son appartement contre une maison à l'étranger : la meilleure façon de voyager moins cher. Les Français sont plus nombreux chaque année à tenter l'expérience, un mouvement né aux États-Unis.

« Au début, quand je discutais de cette idée avec des Français, on me regardait avec de grands yeux : " Quoi ? Quelqu'un que je ne connais pas va dormir dans mon lit ? Ah non... certainement pas... " » explique la responsable d'une agence spécialisée. Mais les mentalités changent. Les Français qui ont tenté l'expérience sont enchantés.

Aujourd'hui, ils sont de plus en plus nombreux à se connecter sur Internet pour trouver la maison de leurs rêves... et laisser des inconnus habiter dans leur logement. Ce type de séjour est moins cher, il n'y a que le billet à acheter. Mais le plus important pour les vacanciers, c'est de découvrir le pays de l'intérieur. Bien sûr, vous pouvez enlever tous vos objets de valeur, mais d'après une agence interrogée, sur 35 000 échanges, il n'y a eu aucun vol ou problème de vandalisme. Tout fonctionne sur la confiance.

Quelques sites internet pour vous aider à trouver : www.trocmaison.com, www.homelink.fr, www.intervac.fr

Alors, vous rêvez d'une maison sur la plage en Afrique ou d'un appartement à Paris (la France est le pays le plus demandé) ? Échangez votre maison !

Viens dormir sur mon canapé

44 314 membres (70 % ont moins de trente ans) de la communauté des « couch-surfers » (38 000 Français) dans 224 pays proposent et demandent l'hospitalité via leur canapé. Attention, c'est moins cher que l'hôtel, mais l'objectif est de « rapprocher les personnes et les cultures ». L'hôte doit être curieux, ouvert, donner les bons plans pour découvrir sa ville, etc. C'est bien d'apporter un petit cadeau et de participer à la vie de la maison. Un bon moyen de faire des rencontres !

Séjours à l'étranger (en millions) concernant les personnes de 15 ans ou plus vivant en France

Été (période du 01/04 au 30/09)	
Hôtel et pension de famille	10,5 %
Camping	12,0 %
Location	9,6 %
Gîte, chambre d'hôte	3,9 %
Résidence de tourisme	2,2 %
Autre	7,8 %
Total hébergement marchand	**46,0 %**
Résidence secondaire	15,5 %
Famille ou amis	38,5 %
Total hébergement non marchand	**54,0 %**

ET VOUS ?

28 Le système d'échange de maison existe-t-il dans votre pays ? Que pensez-vous de ce type de vacances ? Quels sont les avantages et les inconvénients à votre avis ? Où aimeriez-vous aller ? Préféreriez-vous le principe du « canapé » ? Quelle est la meilleure formule ? Discutez.

24 Lisez les statistiques sur les séjours des Français à l'étranger. Quelles informations est-ce que vous obtenez sur les vacances des Français ? Est-ce la même chose dans votre pays ?

25 Lisez l'article *Bienvenue chez nous !* et répondez : *vrai* ou *faux*. Rétablissez la vérité si c'est faux.

1. Ce genre de vacances permet de louer une maison moins cher.
2. Le phénomène a commencé en France.
3. Les Français ont tout de suite aimé ce genre de vacances.
4. Ce type de vacances présente peu de risques.
5. Le seul avantage, c'est de payer moins pour ses vacances.

26 Écoutez les témoignages de personnes qui ont échangé leur maison pendant les vacances et complétez le tableau.

	où est-elle allée ?	opinion positive	opinion négative	pourquoi ?
personne 1				
personne 2				
personne 3				

27 Lisez le texte *Viens dormir sur mon canapé* et répondez.

1. Quel est le principe de ce genre de séjour ?
2. Quels sont les avantages ?
3. Quels peuvent être les inconvénients, à votre avis ?
4. D'après vous, est-ce que cela peut « rapprocher les personnes et les cultures » ?

Terre inconnue

Je suis heureux. Aux côtés de mon frère. Je quitte mon pays. Nous marchons sur les pierres chaudes comme des chèvres sauvages. Agiles et discrets. J'aurais trouvé frustrant de passer la frontière en voiture. C'est mieux ainsi. Je veux 5 sentir l'effort dans mes muscles. Je veux éprouver ce départ, dans la fatigue.

C'est lorsque nous sommes arrivés au pied d'une colline que l'homme s'est retourné vers nous. Nous avions marché plus d'une heure. Et il a dit :

10 — Nous sommes en Libye.

[...]

La frontière est là. Sans aucun signe distinctif. Là. Au milieu des pierres et des arbres chétifs. Pas même une marque au sol ou une pancarte. Je n'aurais jamais pensé que l'on puisse 15 passer d'un pays à l'autre ainsi, sans barbelé à franchir, sans cris policiers et course poursuite. Je prends mon frère dans les bras et je l'étreins. Nous restons ainsi longtemps. Je sens qu'il pleure. Je l'entends murmurer : « C'est si facile » et il y a dans sa voix comme une pointe étrange de rage. Je comprends. 20 La facilité est vertigineuse. Nous aurions dû faire cela avant. Si la frontière laisse passer les hommes aussi facilement que le vent, pourquoi avons-nous tant attendu ? Je regarde autour de moi. Je me sens fort et inépuisable.

À l'instant où j'allais me baisser pour baiser la rocaille à 25 mes pieds, Jamal m'a serré le bras, avec force. Je l'ai regardé. J'ai vu tout de suite que quelque chose n'allait pas. Il avait les traits tirés et les yeux durs malgré les larmes qui avaient coulé.

— Il faut que je te parle, a-t-il dit.

30 Et j'ai eu peur, d'emblée.

LAURENT GAUDÉ, *Eldorado* (Actes Sud, 2006)

Laurent Gaudé

Eldorado

roman

ACTES SUD

> *C'est clair ?*

1 Lisez cet extrait de roman et choisissez la réponse qui convient.

1. L'histoire de ce roman se passe
a. en Europe.
b. en Amérique.
c. en Afrique.

2. C'est l'histoire
a. d'un départ vers un autre pays.
b. d'une longue randonnée.
c. d'une promenade en famille.

3. L'homme qui raconte marche avec
a. son frère et un guide.
b. sa famille et un guide.
c. sa femme et deux hommes.

4. Quand ils arrivent à la frontière, l'homme qui raconte est
a. plutôt triste.
b. heureux et un peu triste.
c. heureux et plein d'espoir.

2 Parmi ces trois propositions, choisissez l'exact résumé de l'histoire.

a. Quitter leur pays… un vieux rêve que vont tenter de réaliser deux amis, Soleiman et Jamal. La marche est longue, très longue… L'espoir est grand, mais peu avant la frontière avec la Libye, Jamal est pris par la peur et les pleurs.

b. Au Soudan, deux frères partent pour le dangereux voyage vers le continent de leur rêve, l'Europe. Au prix de leurs illusions, et même de leur vie, Jamal et Soleiman se mettent en route vers la terre où ils pensent trouver le bonheur.

c. « L'espérance peut traverser toutes les frontières » semble être la phrase clé de ces deux frères libyens qui décident de quitter leurs terres en voiture pour gagner l'Europe. Forts d'une incroyable volonté, ils tentent tout pour atteindre leur but, au risque de sacrifier leur vie.

> *Zoom*

3 Relisez le texte et trouvez le contraire de chaque adjectif. Associez.

1. sauvage
2. agile
3. discret
4. frustrant
5. chétif
6. fort
7. inépuisable

a. bruyant
b. fort (robuste)
c. familier
d. limité
e. lourd (et lent)
f. satisfaisant
g. faible

4 Complétez chaque phrase avec un mot de la colonne de gauche de l'activité 3.

1. Les deux frères ne se ressemblent pas : Marc est grand et fort, Ludovic est petit et assez ..... .
2. Je n'ai pas réussi à arriver jusqu'au sommet du Kilimandjaro ; c'est très ..... !
3. Je t'ai entendu cette nuit quand tu es rentré ; tu n'es pas ....., Romain !
4. Non, on ne veut pas avoir d'animal à la maison, on n'aime que les animaux ..... .
5. Il a les qualités nécessaires pour l'escalade : il est fort et très ..... .

Exprimer sa peur, rassurer

> *Comment on dit ?*

5 a) Parmi ces expressions, retrouvez les quatre qui expriment la peur ou l'inquiétude.

Ça m'inquiète.
J'ai un peu peur.
C'est insupportable !
Je ne suis pas rassuré.
J'en ai assez.
Ça ne me plaît pas.
Je m'en moque.
Ouh… ça m'angoisse !
Ça me gêne.

b) Dans l'extrait du roman *Eldorado*, page 56, relevez une façon d'exprimer la peur.

32

6 Écoutez et retrouvez les dialogues où les personnes expriment la peur ou l'inquiétude. Notez ensuite comment chaque personne exprime cette peur.

Exemple : dialogue 2 → *je suis inquiète*

7 Lisez les dialogues et choisissez l'expression qui convient pour rassurer la personne qui a peur.

1. — Je dois voyager seule en avion pendant 20 heures, ça m'angoisse un peu...
   — (Absolument ! – C'est faux – Ça va aller), emporte des livres et puis, tu dormiras !
2. — Oh là là, il est tombé, le pauvre, il doit avoir mal !
   — (Ce n'est rien – Tu as raison – C'est nul), regarde, il est déjà debout !
3. — Ma fille doit être arrivée au Canada mais je suis inquiète, elle ne m'a pas encore appelée.
   — (Quelle horreur ! – Ça me gêne – Ne t'en fais pas), elle a certainement plein de choses à faire.
4. — J'ai peur que vous ne reveniez plus manger à la maison, ma viande était trop cuite...
   — Oh ! Mais (ça ne nous a pas plu – ce n'est pas grave – ça marche !) c'était très bon et on a passé une excellente soirée.
5. — J'espère que ça va bien se passer pour les examens de Théa.
   — Tu verras, (tout ira bien ! – c'est dommage ! – ce n'est pas normal !)

8 → Choisissez une situation et écrivez un dialogue.

Exprimer sa peur, son inquiétude

Il a (très, vraiment) peur des chiens.
J'ai peur qu'il pleuve demain.
Je ne suis pas rassurée.
Je n'ai pas fini mon travail, ça m'angoisse...
Mon mari n'est pas rentré, je suis inquiète.

Rassurer

Ça va aller. / Ça ira.
Ce n'est rien.
Ne vous inquiétez pas.
Ne t'en fais pas.
Ce n'est pas grave.

ELLE ÉTAIT PARTIE...

9 Observez les phrases et classez chaque verbe dans le tableau.
C'est lorsque nous sommes arrivés au pied d'une colline que l'homme s'est retourné vers nous. Nous avions marché plus d'une heure. Jamal m'a serré le bras, avec force. Je l'ai regardé. J'ai vu tout de suite que quelque chose n'allait pas. Il avait les traits tirés et les yeux durs malgré les larmes qui avaient coulé. Et j'ai eu peur, d'emblée.

passé composé	imparfait	plus-que-parfait
.....	.....	*avions marché* - .....

10 a) Trouvez la réponse qui convient.
Le plus-que-parfait décrit
a. une action passée qui n'est pas finie.
b. une action passée qui se passe avant une autre action passée.
c. une action passée qui se passe après une autre action passée.

b) Observez les phrases, repérez les formes au plus-que-parfait et complétez.
C'est lorsque nous sommes arrivés au pied d'une colline que l'homme s'est retourné vers nous. Nous avions marché plus d'une heure. Ce matin là, nous étions partis très tôt, avant que le jour se lève. Il avait les traits tirés et les yeux durs malgré les larmes qui avaient coulé.

Le plus-que-parfait se forme avec *être* ou ..... à ..... + le ..... du verbe.

11 Mettez les verbes entre parenthèses au plus-que-parfait.
1. Tu savais que Lucie (naître) ..... au Gabon ?
2. Paul était fatigué parce qu'il (travailler) ..... toute la nuit.
3. Ils ont regardé les photos qu'on (prendre) ..... au Mont Ventoux.
4. Je pensais qu'elles (partir) ..... la semaine dernière.

12 → Regardez cette situation et continuez le récit de Didier.

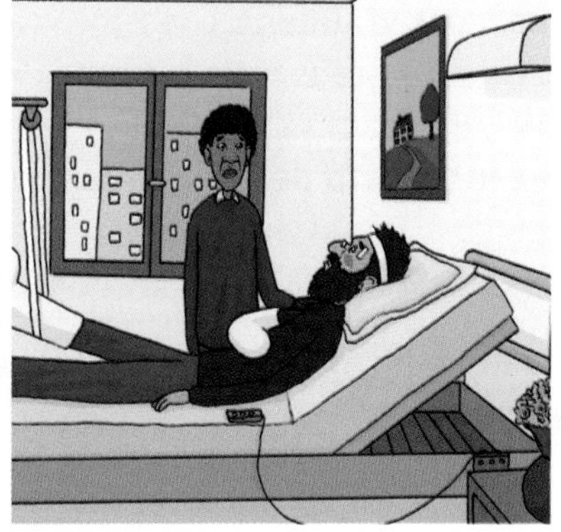

Il faisait froid pour la saison, mais tout le monde était bien couvert. On était heureux de pouvoir faire ce sommet. On était partis tôt, vers 5 heures du matin, ...

Le plus-que-parfait

Le plus-que-parfait décrit une action antérieure à une autre dans le passé.
Pierre n'était plus à la maison, mais elle ne savait pas où il **était parti**.

Formation : être *ou* avoir *à l'imparfait + participe passé du verbe.*
Ils **s'étaient couchés** tard.
On n'**avait** rien **vu**.

Exprimer sa surprise

> *C'est clair ?*

(33) **13 Écoutez et répondez : *vrai, faux* ou *on ne sait pas*.**

1. C'est un dialogue entre Nathalie et la concierge de l'immeuble.
2. Madame Legay ne veut pas prendre de médicaments.
3. Madame Legay demande des nouvelles de Dominique.
4. Madame Legay pense que Dominique et Nathalie ont raison de se séparer.
5. Naïma est un peu en retard pour aller au travail.

> *Comment on dit ?*

14 Retrouvez ci-dessous les quatre phrases du dialogue où les personnes sont surprises. Retrouvez ensuite les groupes de mots qui expriment la surprise.

1. Oh ! Toujours des soucis avec ma jambe.
2. Ah ! bon ? Je ne savais pas que vous aviez des problèmes.
3. Ce n'est pas possible !
4. Éh si. Ça fait des années que je prends des médicaments tous les jours, mais...
5. Ah ? Euh... Je ne sais pas vraiment...
6. Oh non ! Je sais ! Ça ne va plus avec la petite dame du troisième. C'est ça, hein !

(34) **15 Écoutez et notez le numéro des dialogues qui indiquent la surprise.**

16 → Par groupes de deux, préparez des dialogues et jouez les scènes.

1. Votre directeur vous annonce que vous ne travaillerez pas toute la semaine prochaine. Il vous donne cinq jours de vacances pour vous remercier d'être un excellent employé.
2. Votre ami vous annonce qu'il a besoin de partir seul en vacances pendant quelques jours.

Exprimer sa surprise

Oh ! Je ne savais pas...
Ah ! bon ?
Oh non !
Ce n'est pas possible !
C'est incroyable !
Ça alors !
Ce n'est pas vrai !

IL Y A LONGTEMPS...

17 Lisez les phrases et répondez.

1. Je souffre de cette jambe **depuis** vingt ans.
2. Ils ne se voient plus **depuis** le 4 septembre.
3. Je n'ai pas vu Dominique **depuis** quelques jours.
4. **Ça fait** des années **que** je prends des médicaments.
5. Bah, **il** n'**y a** pas très longtemps **qu**'ils se fréquentent, si ?
6. **Il y a** six mois qu'il est parti.
7. **Il y a** trois ans, elle a rencontré son Juan.
8. Vous imaginez, ils se sont aimés **pendant** deux ans, hein...

1. On utilise...

depuis •
ça fait... que •
il y a... que •
il y a •
pendant •

• pour indiquer le début d'une action qui continue.
• pour indiquer une durée qui continue.
• pour indiquer un moment précis par rapport à maintenant.
• pour indiquer une durée terminée.

2. On utilise...

depuis • • avec une date ou une heure précises (lundi, le 12 juin, 9 heures...).
il y a • • avec une durée (une semaine, deux mois, 10 minutes...).

3. Avec...

depuis, on utilise • • le présent
il y a, on utilise • • le passé composé
il y a... que et *ça fait... que*, on utilise • • le présent ou le passé composé

18 Complétez les phrases avec *depuis* ou *il y a*.

1. Elle habite dans la même maison ..... sa naissance.
2. Madame Legay travaille dans l'immeuble ..... 29 ans.
3. ..... des années que je n'ai pas pris le train.
4. Juan a quitté Lola ..... six mois.
5. ..... le 12 avril 2008, il court chaque matin pendant 45 minutes.
6. Il ne m'a pas téléphoné ..... le 1er janvier.

19 Associez un élément de chaque colonne pour construire sept phrases.

1. Louis ? Il y a trois ans
2. Ils ne se sont pas parlé
3. J'ai gagné au loto
4. Depuis ce matin,
5. Ça fait une semaine
6. Sarah a des jumeaux
7. Il y avait longtemps

a. que je n'ai pas fait de sport.
b. j'essaie de joindre Lucie au téléphone.
c. depuis leur dispute de Noël dernier.
d. que je n'étais pas revenu dans mon pays…
e. il y a trois mois.
f. depuis septembre 2006.
g. qu'il a déménagé à Paris.

20 Complétez les phrases avec les éléments qui conviennent.

1. — ..... trois mois, nous avons changé de directeur.
   — Monsieur Pineau dirigeait la société ..... que tu y travaillais ?
   — Oui, ... 1996.
2. — Mais qu'est-ce qu'il fait ? Je l'attends ..... une heure !
   — Tu exagères, ... ne .... pas une heure que tu es là.
3. — ..... quand est-ce que tu travailles ici ?
   — Je ne sais plus, ... dix ans que j'habite à Montpellier, donc je travaille ici ..... neuf ans, environ.
4. — Ah ! bon ? Anne n'est plus mariée avec Christophe ?
   — Non, elle l'a quitté ..... longtemps et elle est remariée ..... un ou deux ans.
5. — Hier, j'ai attendu Laurie ..... une heure dans ce café, mais elle n'est pas venue.
   — Ah ! Elle m'a dit qu'elle ne t'avait pas vu ..... très longtemps et qu'elle était contente de pouvoir prendre un café avec toi...
   — Elle a dû oublier.

21 → Imaginez la suite du dialogue entre ces deux personnes.

Pour indiquer une durée

pendant *indique la durée complète d'une action.*
Elle va se reposer pendant quelques jours / ses vacances.

depuis, il y a ... que, ça fait ... que *marquent le début d'une action qui continue.*
Je t'attends depuis une heure !
Il n'a pas mangé depuis hier.
Il y a dix minutes qu'il est parti.
Ça fait dix ans que tu habites ici ?

il y a *exprime une action terminée.*
Son avion a décollé il y a vingt minutes.

tâche finale

→ LE GRAND DÉPART

Vous devez partir dans un pays francophone pour étudier ou pour travailler. Vous annoncez cette nouvelle aux étudiants de votre groupe qui sont surpris. Vous leur parlez de vos inquiétudes au sujet de votre vie future : logement, nourriture, horaires, etc. Ils vous répondent et tentent de vous rassurer. Ensuite, exposez votre situation et exprimez vos inquiétudes sur votre blogue.

Des sons et des lettres

[i], [y] ou [u] ?

35 **A. Écoutez et choisissez [i] ou [y].**

	1	2	3	4	5
[i] (*il*)					
[y] (*tu*)					

36 **B. Écoutez et choisissez [y] ou [u].**

	1	2	3	4	5
[y] (*tu*)					
[u] (*vous*)					

37 **C. Écoutez, cochez le mot que vous entendez, puis répétez.**

1. ☐ mie ☐ mue ☐ moue
2. ☐ cire ☐ sûr ☐ sourd
3. ☐ tari ☐ ta rue ☐ ta roue
4. ☐ pis ☐ pue ☐ pou
5. ☐ gît ☐ jus ☐ joue
6. ☐ la mire ☐ la mûre ☐ l'amour

38 **D. Écoutez et complétez.**

1. T..... viens d.....ner mard..... soir ?
2. Vous p.....vez leur écr.....re, c'est s.....r ?
3. Vous allez .....en .....t ?
4. Il hab.....te dans quel pa.....s, ton am..... ?
5. Sa.....d est pet.....t, m.....sclé et sport.....f.
6. Ah ! c'est beau, l'..... !

FARID BOUDJELLAL

JAMBON-BEUR

LES COUPLES MIXTES

SOLEIL B

PAROLES
SANS PAPIERS

DELCOURT

C

VIVRE AILLEURS

22 a) Regardez cet extrait de BD et les trois couvertures (A, B, C). Trouvez de quelle BD vient cet extrait.

b) Lisez les trois résumés et associez un résumé à chaque BD.

1. C'est avec humour et une grande sensibilité que l'auteur décrit les difficultés rencontrées dans les familles où l'un des parents vient d'Afrique du Nord et l'autre est français. Il raconte les conflits entre les familles et le problème de l'identité de l'enfant issu de cette union.
2. Gawa vient de Gnasville, ville imaginaire du continent africain sur la côte atlantique. Il est dans la dernière ville marocaine, face à la mer, il a le regard sombre. Réussira-t-il à traverser ces quatorze kilomètres de mer pour atteindre l'Europe ? La BD ne le dit pas, mais nous fait vivre le dur quotidien de Gawa, ses études, les brutalités policières, sa course pour obtenir des papiers légaux...
3. Neuf auteurs mettent en images neuf témoignages différents et montrent les difficultés extrêmes que rencontrent, le plus souvent, les immigrés. Ce collectif dresse un panorama des situations existantes : errance africaine, esclavage ordinaire, survivre sans papiers, pourquoi venir en France... Un bel ouvrage, criant de vérités.

1. Inna de Kiev

3. Enrique de Santiago du Chili

2. Augustin de Yaoundé

(39) **23 Observez les photos 1, 2 et 3. Écoutez les trois étudiants et rendez à chacun ses opinions.**

	Inna	Augustin	Enrique
1. Je me sens bien en Europe même si je suis étranger.			
2. D'un pays à l'autre, les Européens ne se ressemblent pas.			
3. J'aime découvrir les autres et leurs différences.			
4. La France est un pays d'ouverture, mais beaucoup de choses doivent encore changer.			
5. Les Africains de France ont quelques difficultés quotidiennes.			
6. Le plus dur pour vivre en Europe, c'est la question des papiers.			
7. Être français, d'accord, mais être européen, c'est mieux !			

ET VOUS ?

24 Aimeriez-vous vivre dans un autre pays ? Pourquoi ? Quel continent ou pays choisiriez-vous ? Pourquoi ?

Vivement dimanche !

On reparle de l'ouverture des magasins le dimanche

> C'est clair ?

40

1 Écoutez et répondez.

1. Qui sont les deux personnes ?
   Fabien Brisset : .....
   Constance Jaulin : .....
2. Quel est le problème présenté par Constance Jaulin ?
3. Qu'est-ce qui pourrait arriver aux petits commerces ?
4. Quelles sont les conséquences sociales de ce problème ?

40

2 Écoutez à nouveau et répondez.

1. *vous avez défilé dans la rue* signifie
a. vous avez marché en groupes, d'une manière organisée.
b. vous avez crié des messages d'information.
c. vous avez arrêté la circulation des voitures.
2. *des emplois à temps partiel* sont
a. des emplois où on travaille, par exemple, 10 heures par semaine.
b. des emplois où on travaille, par exemple, 60 heures par semaine.
c. des emplois qui sont réservés aux personnes de moins de 25 ans.
3. *ils n'ont pas, tout à coup, plus d'argent* signifie
a. les clients ne dépensent pas plus d'argent.
b. les clients ne trouvent pas l'argent qu'ils n'avaient pas une minute plus tôt.
c. les clients ne veulent pas payer plus cher.

> Zoom

3 Complétez le tableau.

l'activité	le verbe	les personnes	
.....	.....	un employeur	.....
.....	.....	un travailleur	
.....	.....	un manifestant	
.....	.....	un consommateur	

4 a) Lisez et répondez.

Vous avez défilé dans les rues aujourd'hui avec plusieurs dizaines de commerçants du centre ville.
Elle en supprime des centaines dans le petit commerce.

Une *dizaine* est
a. un groupe de deux ou environ deux.
b. un groupe de dix ou environ dix.
c. un groupe de cent ou environ cent.

Une *centaine* est
a. un groupe de cinq ou environ cinq.
b. un groupe de dix ou environ dix.
c. un groupe de cent ou environ cent.

b) Transformez les phrases : remplacez le mot en gras comme dans l'exemple.

Exemple : *J'ai envoyé* ***vingt*** *invitations.* → *J'ai envoyé* ***une vingtaine d'****invitations.*
1. Tu peux acheter **douze** œufs ?
2. Elle va revenir dans **quinze** jours.
3. Nous sommes **trente** dans la classe.
4. Ça coûte **cinquante** euros.
5. Il y avait **soixante** personnes.

Une douzaine, une centaine

Plusieurs dizaines de personnes.
Il y en a une trentaine.
Des centaines d'euros.

Exprimer sa colère

> *Comment on dit ?*

41 **5 Écoutez Constance Jaulin. Quelles sont les quatre expressions qu'elle utilise pour exprimer son mécontentement ?**

☐ C'est inacceptable !
☐ C'est intolérable !
☐ Ce n'est pas normal !
☐ C'est lamentable !
☐ Je ne suis pas d'accord !
☐ Tu exagères !
☐ On ne peut pas accepter ça !
☐ On ne peut pas tolérer ça !

42 **6 Écoutez et complétez. Indiquez, pour chaque dialogue, le sujet de la conversation et l'expression utilisée pour exprimer sa colère.**

expression utilisée	dialogue n°	sujet
C'est lamentable !	...	...
C'est scandaleux !	...	...
Je ne peux pas tolérer ça !	...	...
Je trouve ça lamentable !	...	...
Vous exagérez !	...	...

7 → Choisissez un dessin puis, par deux, imaginez et jouez un dialogue.

8 → Le restaurant de votre établissement devient de moins en mois agréable : c'est cher, la nourriture n'est pas très variée, il faut attendre longtemps pour être servi. Vous écrivez un courriel à votre directeur pour lui exprimer votre mécontentement.

Exprimer sa colère et son mécontentement

Ce n'est pas normal !
C'est inacceptable !
On ne peut pas accepter ça !
C'est intolérable !
On ne peut pas tolérer ça !
C'est scandaleux !
C'est lamentable !
Je trouve ça lamentable !
Tu exagères !

J'Y PENSE...

9 Observez et répondez.

L'ouverture du dimanche peut créer essentiellement des emplois à temps partiel, des emplois du week-end. Elle ***en*** *crée peu et* ***en*** *supprime des centaines dans le petit commerce.*
*Les clients vont dans les grandes surfaces et ils n'****en*** *sortent plus.*

1. Que remplace le pronom *en* dans les phrases ?
2. Quels sont les verbes qui, comme *sortir*, peuvent être utilisés avec le pronom en qui indique un lieu ?

☐ aller	☐ rester
☐ venir	☐ descendre
☐ arriver	☐ monter
☐ partir	☐ entrer

3. Avec quel pronom les autres verbes peuvent-ils être utilisés ?

10 Observez et répondez.

Parce que l'ouverture du dimanche n'augmente pas la consommation, si l'on y réfléchit bien.

1. Dans cette phrase, à quoi peut-on réfléchir ?
2. Pourquoi utilise-t-on ici le pronom *y* et pas un autre pronom ?

11 Dans les dialogues, remplacez les mots en gras par *y* ou *en*.

1. — J'aimerais changer vos horaires : je voudrais que vous veniez travailler tous les dimanches de 8 heures à 16 heures.
   — Vous voulez ma réponse maintenant ou je peux réfléchir **à ce changement d'horaires** ?
2. — Excusez-moi, c'est bien le train de Paris ? Il va à Paris ?
   — Ah, non, non, il arrive **de Paris.**
3. — Tu as envoyé un message au service informatique ?
   — Oh, non ! Je n'ai pas pensé **à envoyer un message au service informatique.**
4. — C'était bien le restaurant, hier ?
   — Oh, long ! On est arrivés au resto à huit heures et on est partis **du resto** vers une heure du matin.
5. — Il faut bien surveiller les chiffres, là. Si ça monte à 100, il faut réduire la vitesse.
   — Oui, d'accord, je vais faire attention **au fait que ça peut monter à 100.**

Les pronoms *en* et *y* (1)

Ils remplacent un lieu :
Je vais à l'école. → J'**y** vais.
J'arrive de la banque. → J'**en** arrive.

Ils remplacent d'autres compléments construits avec à *ou* de *:*
On va créer une dizaine d'emplois.
→ On va **en** créer une dizaine.
On a pensé à partir vivre dans une autre ville. → On **y** a pensé.

Exprimer sa déception

Le 17 mai

Chers voisins,

Cette année, comme les autres années, la fête des voisins est prévue en France le dernier mardi du mois de mai. Comme les années précédentes, nous regrettons que cette fête ait lieu un mardi et nous sommes heureux de vous inviter à participer à la fête des voisins dans notre immeuble, le premier samedi du mois de juin, comme au Québec.
Il faut bien évidemment que nous organisions cette fête. Le « comité d'organisation » se réunira ce dimanche 24 mai, à 18 heures (chez Naïma Abaza), vous serez les bienvenus si vous souhaitez vous joindre à ce comité.
Nous avons grand espoir que vous puissiez tous être présents à la fête le 6 juin prochain et nous vous prions de répondre à cette invitation au plus tard le 28 mai.

Cordialement,
Naïma Abaza et Nathalie Chauvet

> *C'est clair ?*

12 Lisez l'invitation et répondez : *vrai, faux* ou *on ne sait pas.*

1. Il y a une fête des voisins chaque année en France.
2. Chaque année, ce sont Naïma et Nathalie qui organisent la fête des voisins dans leur immeuble.
3. Pour Naïma et Nathalie, le mardi n'est pas un bon jour pour faire une fête des voisins.
4. Cette année, pour la fête des voisins en France, on mangera des plats québécois.
5. Dans l'immeuble de Naïma et Nathalie, la fête est le dimanche 24 mai.
6. Pour participer à la fête, il faut aussi participer au « comité d'organisation ».

> *Comment on dit ?*

13 Relisez l'invitation et répondez.

1. Quelle phrase permet à Naïma et Nathalie d'exprimer leurs regrets ?
2. Comment cette phrase est-elle construite ?

14 Lisez et indiquez les phrases qui expriment des déceptions.

1. Je suis content que tu aies pu venir nous voir.
2. C'est dommage qu'Éléonore ne soit pas là.
3. Je suis déçu qu'elle ne veuille pas participer.
4. Je n'ai pas fini mon travail, ça m'angoisse…
5. Nous avons le plaisir de vous annoncer la naissance de Clément.
6. Il n'y a qu'une vingtaine de personnes, je ne m'attendais pas à ça !
7. Ma candidature n'a pas été retenue, je suis déçue.

15 Associez les éléments.

1. Elle est très déçue de
2. Non, je n'ai pas de travail à vous offrir,
3. Ah, bon, Hugo n'est pas là ?
4. Je regrette beaucoup, monsieur, que
5. On est déçu que

a. je le regrette beaucoup.
b. ne pas avoir trouvé d'appartement en ville.
c. Oh ! je suis déçu.
d. tu ne puisses pas être là le 6 juin.
e. vous ayez pris cette décision.

Exprimer sa déception

Je regrette que vous ne puissiez pas venir.
C'est dommage qu'il soit absent.
Il est absent, c'est dommage.
Je suis déçu qu'elle ne comprenne pas.
Elle ne comprend pas, je suis déçu.
Ce n'est pas de très bonne qualité, je ne m'attendais pas à ça !

DOMMAGE QU'ELLE PARTE !

16 Lisez et comparez les phrases 1 et 2 aux phrases a et b. Comment sont-elles construites ?

1. *Nous sommes heureux de vous inviter à participer à la fête des voisins.*
2. *Nous avons grand espoir que vous puissiez tous être présents à la fête le 6 juin prochain.*

a. Nous sommes heureux que vous puissiez travailler pour nous.
b. Nous avons grand espoir de vous revoir prochainement.

17 Choisissez l'élément qui convient.

1. Je suis déçu que
   - ☐ monsieur Fouin n'est pas là aujourd'hui.
   - ☐ monsieur Fouin ne soit pas là aujourd'hui.
2. Le directeur croit que
   - ☐ je fasse une erreur.
   - ☐ j'ai fait une erreur.
3. Elle est très heureuse que
   - ☐ vous l'avez aidée à trouver un travail.
   - ☐ vous l'ayez aidée à trouver un travail.
4. Je pense que
   - ☐ Léa a des problèmes avec ses collègues.
   - ☐ Léa ait des problèmes avec ses collègues.
5. On regrette beaucoup que
   - ☐ vous ne pouvez pas accepter notre offre.
   - ☐ vous ne puissiez pas accepter notre offre.

18 Écoutez et dites si le deuxième verbe est à l'indicatif ou au subjonctif.

(Piste 43)

	1	2	3	4	5	6	7
indicatif							
subjonctif							

19 Écrivez le verbe entre parenthèses à l'indicatif ou au subjonctif.

1. Je ne suis pas sûr que tu la (connaître) ..... .
2. C'est vraiment dommage qu'il (ne pas avoir envie de) ..... continuer ses études.
3. Je voudrais que tu (faire) ..... un rapport de tes activités.
4. Vous croyez que la salle (être) ..... assez grande ?
5. Elle regrette que vous (ne pas pouvoir) ..... partir plus tard.
6. Il faut que tu (aller) ..... immédiatement chez le directeur.
7. J'espère que tout (aller) ..... bien pour toi, en Belgique.
8. Je suis déçu qu'elle (vouloir) ..... quitter l'entreprise.

20 Écoutez et répondez en exprimant votre déception.

(Piste 44)

21 → Vous avez effectué un voyage organisé par une agence. Votre voyage s'est très mal passé, votre hôtel était inconfortable, l'accueil et les transports n'étaient pas de bonne qualité. Écrivez une lettre à l'agence qui a organisé votre voyage pour faire part de votre grande déception.

Le subjonctif (2)

Pour exprimer des sentiments :
je regrette, je suis déçu, je suis heureux, je suis triste...

Pour présenter des actions « non réalisées » qui expriment :
- *un souhait* : je souhaite que...
- *une volonté* : je veux que..., je voudrais que...
- *un jugement* : il faut que..., il est nécessaire que...
- *un doute* : je doute que..., je ne suis pas sûr que..., il n'est pas possible que...

Avec certains articulateurs : pour que, afin que, avant que.

Pour présenter une action terminée, on utilise le subjonctif passé :
Elle est heureuse que tu l'aides.
Elle est heureuse que tu **l'aies aidée**.

Quelques verbes irréguliers

avoir : j'aie, nous ayons
être : je sois, nous soyons
pouvoir : je puisse, nous puissions
vouloir : je veuille, nous voulions
devoir : je doive, nous devions
aller : j'aille, nous allions
faire : je fasse, nous fassions
savoir : je sache, nous sachions

→FAISONS LE POINT

Vous êtes arrivés à l'unité 6 de Latitudes. *Il est temps de faire un petit bilan, d'évaluer vos conditions d'études en classe, etc. Par groupes, discutez de ce qui vous plaît beaucoup et de ce qui vous plaît moins, de ce qui vous aide et de ce que vous aimeriez améliorer. Écrivez ensuite une lettre au responsable des cours pour qu'il puisse prendre connaissance de vos commentaires et apporter les modifications nécessaires.*

Des sons et des lettres

[ɛ̃], [ɑ̃] ou [ɔ̃] ?

45 **A. Écoutez et dites si vous entendez [ɛ̃] ou [ɑ̃].**

	1	2	3	4	5	6
[ɛ̃]						
[ɑ̃]						

46 **B. Écoutez et dites si vous entendez [ɑ̃] ou [ɔ̃].**

	1	2	3	4	5	6
[ɑ̃]						
[ɔ̃]						

47 **C. Écoutez et cochez la case qui convient.**

	1	2	3	4	5	6	7	8
[ɛ̃]								
[ɑ̃]								
[ɔ̃]								

48 **D. Écoutez, répétez et complétez les mots.**

1. Lui est améric..... mais elle est .....glaise, elle a gr.....di à L.....dres.
2. Ils s.....t venus l.....di mat..... avec leurs c.....q .....f.....ts.
3. ..... s'.....brasse, ... ne va pas se serrer la m..... !
4. Tu p.....ses que c'est .....pressionn.....t de passer un exam..... oral ?
5. Fais attenti..... de ne pas t.....ber.

LES BEAUX DIMANCHES

Le repas du dimanche, le bricoleur du dimanche, le journal du dimanche… Faire la grasse matinée, jouer avec les gosses, se promener en famille… Le dimanche est traditionnellement le jour de repos de nombreuses personnes, des plus jeunes aux plus vieux. Ce jour-là, chacun fait ce qui lui plaît, seul, en famille ou avec des amis. Petit inventaire des occupations dominicales...

1 Mes plus beaux dimanches

Ce dimanche s'annonce bien dès le matin.
Il y a le ciel bleu, fier d'être là à l'ouverture des volets, ce soleil que j'aime va briller.
Il y a un article qui vient de naître sur un webzine, à l'ouverture du PC.
Il y a quelques gentils messages sur les forums et un doux clin d'œil sur une messagerie.
Il y a des enfants qui dorment tard parce que couchés trop tard, vacances obligent…
Il y a un petit-déjeuner pas loin de midi qui me dispense de cuisiner (pourtant j'aime ça, mais pas le dimanche).
[…]
Il y a une balade prévue cet après-midi, nous ne sommes pas à une près, on emmènera Julie.
Il y a ces 462 marches à compter pour gravir la Côte Sainte-Catherine.
Il y a ce spectacle grandiose, superbe, géant, fantastique une fois arrivé en haut. Toute ma ville dans toute sa beauté, sa flèche dominant les plus belles boucles de la Seine, sous nos yeux émerveillés, et puis en cherchant bien, il y a notre habitation au milieu du versant est.
Et puis... et puis...
Il y a les rires des enfants quand le pique-nique emporté sera dévoré.
[…]
Il y a eu Julie qui – avant de repartir – s'est installée au piano pour nous interpréter sublimement mes morceaux préférés d'Amélie Poulain.
Il y a le vent, les oiseaux, le silence quand chacune occupée dans son coin m'autorise à me plonger dans mon livre « L'Écriture ou la vie ».
Et puis... et puis...
Il y a eu le soir, la nuit… Comment finir ce beau dimanche ? Eh bien par un superbe feu d'artifice sur la Seine pour le plus grand bonheur des filles.
Tout simplement merci la vie pour ce beau dimanche.

à toi Olivia.

Extrait du blogue de Marquise, www.webzinemaker.com

ET VOUS ?

24 Aimez-vous le dimanche ? Le dimanche est-il un jour de repos dans votre pays ? Que fait-on dans votre pays pendant les jours de repos ? Les magasins sont-ils ouverts sept jours sur sept ?

2 Les Français et le dimanche

Question : Le dimanche, que faites-vous le plus souvent ?

	%
Je retrouve la famille, je rencontre des amis.	55
Je me promène.	49
Je regarde la télévision.	41
Je flâne chez moi.	32
Je m'occupe de mes enfants.	27
Je jardine, je bricole.	26
Je lis, j'écoute de la musique.	24
Je dors, je fais la sieste.	23
Je cuisine, je mange bien, je vais au restaurant.	18
Je fais du sport.	16
Je range, je fais la vaisselle, le ménage.	15
Je surfe sur Internet.	11
Je vais à mon travail ou je travaille chez moi.	11
Je vais au cinéma.	10
Je vais au marché, je fais des courses.	8
Je prends le temps de prier.	6
Autres activités (je fais les brocantes, je chasse, je pêche, je vais au stade...)	5

Le total des % est supérieur à 100, les personnes interrogées ayant pu donner plusieurs réponses.

22 Lisez les documents 1 et 2.

1. Quelles sont les activités du dimanche illustrées par les photographies ?
2. Quelles sont les activités du dimanche que l'on retrouve dans les documents 1 et 2 ?

49 **23 Écoutez et répondez.**

1. L'homme aime-t-il le dimanche ?
2. Pourquoi parle-t-il d'abord du samedi ?
3. Il utilise parfois « je », parfois « on ». Qui est « on » ?
4. Ses activités correspondent-elles aux activités décrites dans le document 2 ?
5. L'homme dit, à la fin : « Le dimanche, on vit. » Que signifie cette phrase ?

Autoévaluation 2

JE PEUX COMPARER

1 Comparez les éléments.

1. Moi, 1,73 m – Ma sœur, 1,82 m → Je ..... grand ..... .
2. La tour Montparnasse : 210 m – La tour Eiffel : 324 m → La tour Eiffel ..... haute ..... .
3. Ankara : 4 millions d'habitants – Luanda : 4 millions d'habitants → Ankara est ..... peuplée ..... .
4. *Connexions 1* : 192 pages – *Latitudes 1* : 192 pages : Il y a ..... pages dans les deux livres.

> **1**
> ***Comptez 1 point par réponse correcte.***
> ***Vous avez...***
> *– 4 points : félicitations !*
> *– moins de 4 points : revoyez les pages 48 et 49 de votre livre et les exercices de votre cahier.*

JE PEUX EXPRIMER LA JOIE ET LA TRISTESSE

2 Reliez les éléments de chaque groupe pour former des dialogues.

1. — Papa, j'ai eu mon examen de piano.
2. — Non, Thomas. Il est tard, tu ne sors pas.
3. — Le mari de la voisine est à l'hôpital.
4. — On va au Sénégal cet été.

a. — Oh là là ! J'en ai marre !
b. — Génial, c'est super pour vous !
c. — Je suis vraiment content, ma chérie.
d. — Je suis triste pour elle.

> **2**
> ***Comptez 1 point par réponse correcte.***
> ***Vous avez...***
> *– 4 points : félicitations !*
> *– moins de 4 points : revoyez les pages 50 et 51 de votre livre et les exercices de votre cahier.*

JE PEUX UTILISER LES TEMPS DU PASSÉ

3 Complétez le texte avec le passé composé, l'imparfait et le plus-que-parfait. Attention aux accords des participes passés.

Une chose étrange (arriver) ..... hier soir. Je (être) ..... fatigué. Je (aller) ..... me coucher de bonne heure. Le matin, je (acheter) ..... le dernier roman de Fred Vargas et je (vouloir) ..... le commencer. À dix heures dix, je (entendre) ..... du bruit. La pendule que m' (offrir) ..... mes parents (se mettre à) ..... sonner. Étrange, je (se dire) ..... . Puis, quelqu'un (monter) ..... l'escalier. Je (commencer) ..... à avoir peur. Pourtant, j'en (être) ..... certain ! Je (fermer) ..... la porte à clé et je (mettre) ..... l'alarme. Soudain, la porte (s'ouvrir) .... et je les (voir) ....., ces choses étranges…

> **3**
> ***Comptez 1 point par réponse correcte.***
> ***Vous avez...***
> *– 16 points : félicitations !*
> *– moins de 16 points : revoyez la page 59 de votre livre et les exercices de votre cahier.*

JE PEUX EXPRIMER LA PEUR ET L'INQUIÉTUDE

4 Choisissez la réponse qui convient pour exprimer la peur ou l'inquiétude.

1. J'ai un examen de philosophie demain, (je suis content – ça m'angoisse – j'en ai assez).
2. Marie n'est pas rentrée de l'école, (je suis triste – c'est génial – je ne suis pas rassurée).
3. (Je suis inquiet – Je ne suis pas content – Ça m'est égal). Mon chien a disparu.

> **4**
> ***Comptez 1 point par réponse correcte.***
> ***Vous avez ...***
> *– 3 points : félicitations !*
> *– moins de 3 points : revoyez la page 58 de votre livre et les exercices de votre cahier.*

JE PEUX RASSURER QUELQU'UN

5 Entourez la réponse qui convient.

1. — Quoi ? Tu n'es pas allé au lycée ce matin ?
   — Non, je ne me sentais pas bien, mais (ce n'est pas grave – ça ne te regarde pas – j'en ai assez), ça va mieux maintenant.
2. Vous avez peur en avion ? (Vous êtes certain ? – Ne vous en faites pas – Qu'allez-vous faire ?), vous n'êtes pas le seul.
3. Le chat a renversé la bouteille sur le tapis. (Je m'en fiche – Je ne suis pas d'accord – Ce n'est rien), je vais nettoyer.
4. C'est votre premier saut en parachute ? (Ça va aller – Ça m'angoisse – C'est incroyable !), vous allez adorer.

5

Comptez 1 point par réponse correcte.
Vous avez...
– 4 points : félicitations !
– moins de 4 points : revoyez la page 58 de votre livre et les exercices de votre cahier.

JE PEUX ME SITUER DANS LE TEMPS

6 Complétez le dialogue avec *pendant, depuis, ça fait ... que, il y a.*

— M. Delcour, vous travaillez pour la société Paton ..... combien de temps ?
— Eh bien, je suis entré dans l'entreprise ..... douze ans.
— Et ..... combien de temps ..... vous avez des problèmes de santé ?
— Euh, j'ai eu des douleurs dans les jambes ..... environ cinq ans. Maintenant, j'ai des problèmes de respiration. Vous pensez que c'est grave docteur ?

6

Comptez 1 point par réponse correcte.
Vous avez...
– 4 points : félicitations !
– moins de 4 points : revoyez les pages 61 et 62 de votre livre et les exercices de votre cahier.

JE PEUX EXPRIMER DES SENTIMENTS

7 Exprimez des sentiments. Créez des phrases avec les éléments donnés.

1. je – être triste – mon ami – ne pas venir – cours de français
2. vous – être déçu – ne pas faire beau – et nous – ne pas pouvoir se promener
3. les enfants – être heureux – leurs grands-parents – venir en vacances
4. je – être déçu – vous – ne pas vouloir – passer une semaine en montagne
5. mon beau-père – souhaiter – je – reprendre son entreprise

7

Comptez 1 point par réponse correcte.
Vous avez...
– 5 points : félicitations !
– moins de 5 points : revoyez les pages 68, 70 et 71 de votre livre et les exercices de votre cahier.

Résultats : ..... points sur 40 points = ... %

PARTIE 1 COMPRÉHENSION DE L'ORAL

(50) EXERCICE 1

Écoutez et répondez.

1. De quel pays Fabiana vient-elle ?
2. Que fait-elle à Paris ?
3. Fabiana vit-elle dans un grand appartement ?
4. Que veut-elle faire après ses études ?
5. Comment son école s'appelle-t-elle ?
6. Quels sont les deux avantages de l'école ?
7. Fabiana n'a pas d'amis français.
   ☐ vrai ☐ faux

(51) EXERCICE 2

Écoutez et répondez.

1. Qui fait grève et où cette grève a-t-elle lieu ?
2. Combien de temps l'ensemble des passagers ont-ils attendu leur vol ?
3. Les vols annulés sont des vols internationaux :
   ☐ vrai ☐ faux
4. 80 % des vols sont annulés.
   ☐ vrai ☐ faux
5. Pourquoi les passagers sont-ils mécontents ?
   ☐ Ils manquent d'informations.
   ☐ Il n'y a pas de trains.
   ☐ C'est la période de congé.
   ☐ Il n'y a pas assez de personnel.

PARTIE 2 COMPRÉHENSION DES ÉCRITS

EXERCICE 1

Lisez l'article et choisissez la réponse qui convient.

Que font les Français en vacances ?

Pour LCI.fr, l'anthropologue Jean-Didier Urbain décrypte les habitudes des touristes en 1936 et 2006. Il est question de changements... et de continuité.

Propos recueillis par Matthieu DURAND - le 28/06/2006

Que représentent les vacances pour les Français... en 1936 ?

Jean-Didier Urbain : D'abord, 1936, ce n'est pas l'invention des congés payés – les fonctionnaires en bénéficiaient depuis le Second Empire – mais leur généralisation à tous les salariés. La France n'a fait que rattraper son retard par rapport aux pays voisins. Et cela ne concerne pas les indépendants, c'est-à-dire les paysans et les artisans. Contrairement aux images que l'on a en tête, en 1936, les vacances ne sont pas entrées dans les mœurs, pour le plus grand nombre. Elles ne représentent pas le désir de voyage ; c'est une idée complètement étrangère à la classe ouvrière.

En 2006 ?

J.-D. U. : En 70 ans, les vacances ont été progressivement assimilées au départ. Or, on peut prendre des vacances sans partir. C'est le cas de 34 % des Français et la moitié d'entre eux ne partent pas parce qu'ils ne peuvent pas, pour des raisons économiques, familiales, professionnelles, parce qu'ils sont trop âgés ou malades, parce qu'ils sont seuls également. Mais globalement, aujourd'hui, les vacances sont vécues comme le passage d'un monde vers un autre : on cherche à se détacher d'un environnement quotidien, on quitte son domicile pour accéder à un univers à soi, conforme à ses désirs.

1. En 1936, tous les Français ont des vacances.
   ☐ vrai ☐ faux
2. En 1936, l'idée de congés est associée à l'idée de voyage.
   ☐ vrai ☐ faux
3. En 2006, un tiers environ des Français ne prend pas de vacances.
   ☐ vrai ☐ faux
4. En 2006, partir en vacances signifie changer d'univers.
   ☐ vrai ☐ faux

EXERCICE 2
Lisez le témoignage et répondez.

« Depuis 11 ans, mon mari et moi vivons à l'étranger. Nous n'avions pas de travail en France et ici, c'était plus facile. Maintenant, nous avons tous les deux un bon poste, mes parents vivent dans la même ville que nous, mais ça fait plusieurs années que j'ai envie de rentrer en France. Mon mari me rassure, me dit qu'un jour, nous retournerons y vivre, mais cet été, ça fera déjà 11 ans qu'on est ici. Je suis souvent triste et je me sens un peu trompée. Je me demande même parfois si je ne devrais pas rentrer seule en France. Et pourtant, j'aime mon mari, je lui ai crié des centaines de fois que j'avais besoin de retrouver ma culture, mes amis, mon pays… Je ne suis pas mal ici, mais j'ai seulement l'impression de ne pas vivre ce que je voudrais vraiment vivre, dans mon pays, c'est tout simple… »

Marie-Ange, message envoyé le 24/11/2008

1. Pourquoi ce couple a-t-il décidé de quitter la France ?
2. Depuis quelle année vivent-ils à l'étranger ?
3. Que veut Marie-Ange ?
4. Qu'est-ce qui manque à Marie-Ange ?
5. Que ressent-elle ?

☐ de la tristesse ☐ de l'inquiétude
☐ le mal du pays ☐ de l'amour
☐ de la joie ☐ de la peur
☐ le manque de respect ☐ des regrets

PARTIE 3 **PRODUCTION ÉCRITE**

EXERCICE 1
Vous participez à un concours d'écriture créative dans votre école. On vous donne le début de l'histoire que vous devez continuer. Consigne du concours : écrivez 10 lignes au passé et exprimez la surprise et la peur.

« Nous étions dans le désert. Il faisait nuit. J'avais décidé de porter un vêtement chaud car il faisait très froid. Je regardais le ciel, les milliers d'étoiles éclairaient les dunes de sable et leur donnaient des formes étranges. Je me suis endormi. Soudain … »

EXERCICE 2
Vous avez trouvé ce mot dans votre boîte aux lettres. Vous n'êtes pas d'accord avec le concierge. Vous lui répondez et vous exprimez votre mécontentement.

Monsieur,
Les autres locataires se plaignent de vous :
vous écoutez la musique trop fort, vous claquez
les portes tard dans la nuit, vous laissez vos poubelles
sur le palier et votre vélo gêne le passage dans le hall d'entrée.
Merci de faire un effort et de respecter vos voisins.

M. Delcique

PARTIE 4 **PRODUCTION ORALE**

ENTRETIEN DIRIGÉ
Répondez aux questions de votre professeur.

MONOLOGUE SUIVI
Racontez ce que vous faites généralement le dimanche.

EXERCICE EN INTERACTION
Dans la rue, vous rencontrez un ami que vous n'avez pas vu depuis deux ans. Vous poursuivez vos études dans une université francophone. Vous lui racontez votre expérience. Votre professeur joue le rôle de votre ami.

Contrat d'apprentissage

module3 Dire et dire de faire

→ niveau B1

unité 7 Entreprendre

J'APPRENDS

POUR → Proposer de faire quelque chose
- *ça te dirait..., nous pourrions...*

→ Répondre à une proposition
- *avec plaisir, pourquoi pas...*

→ Donner, offrir, prêter
- *je te l'offre...*
- les pronoms démonstratifs : *ceux, celles...*
- les pronoms interrogatifs : *lequel, laquelle...*

TÂCHE FINALE
Nous travaillons sur la création d'un site internet pour notre classe. Nous expliquons le projet par écrit au directeur et lui proposons de rejoindre notre projet.

unité 8 Vous avez gagné !

J'APPRENDS

POUR → Faire faire
- *il faut..., n'oubliez pas de...*
- la formation des adverbes en *-ment*

→ Répondre à une demande
- *je vais y réfléchir, sans aucun problème !*
- *le, en, y* reprenant une idée

→ Promettre
- *sans faute ! je t'assure...*

→ Organiser mon discours
- *tout d'abord..., de plus..., bref...*

TÂCHE FINALE
Nous participons à la fête des langues de notre ville. Nous suggérons des idées et organisons nos tâches.

unité 9 Ne quittez pas...

J'APPRENDS

POUR → Interagir au téléphone
- *c'est de la part de qui ? ne quittez pas...*

→ Accuser
- *c'est à cause de toi ! c'est sa faute...*

→ Contester
- *il n'y est pour rien, ce n'est pas ma faute...*

→ Reprocher
- *c'est toi qui crées des problèmes, tu ne devrais pas...*
- la mise en relief

TÂCHE FINALE
Nous écrivons à un journal pour contester certaines informations et donner notre version des faits.

Entreprendre

Édition Présentation Aller Fenêtre Aide

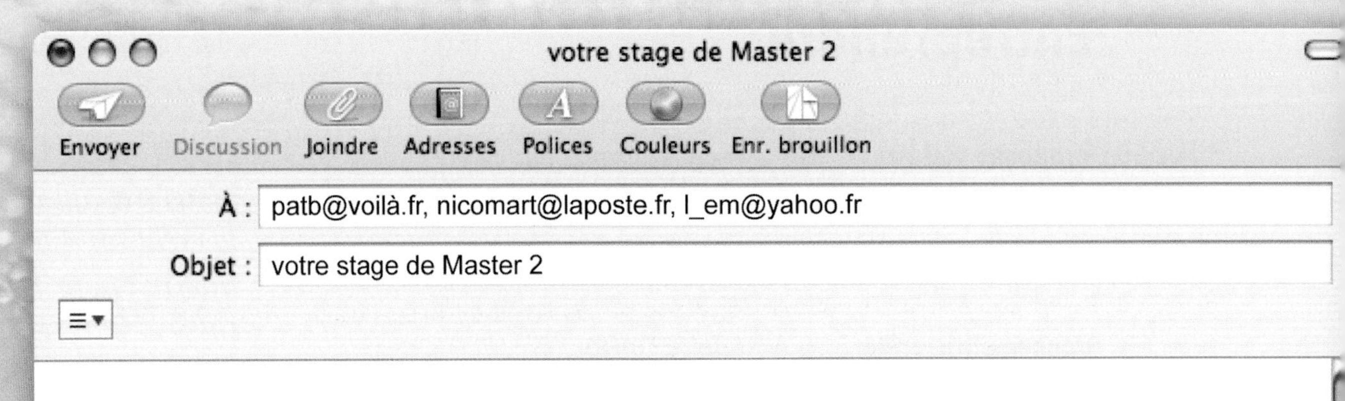

Bonjour,

Vous me parlez souvent de vos problèmes pour trouver un stage de Master 2. Quelquefois, c'est vrai, c'est difficile à trouver. J'ai une proposition à vous faire. Que diriez-vous de créer une *junior entreprise* ensemble dans notre UFR, ici, à l'université ?
Vous êtes jeunes, dynamiques, créatifs, sérieux et je suis certaine que cela fonctionnera ! J'ai ce projet depuis longtemps dans mes tiroirs. Je l'ai souvent proposé, mais je n'ai jamais trouvé les étudiants compétents pour le développer. Évidemment, l'activité sera consacrée au développement de produits multimédia. Vous faites un Master 2 de chefs de projets multimédia, ce sera une expérience riche ! On a rarement une occasion comme celle-ci ! Si vous voulez, on parle de cela demain après-midi dans mon bureau.
Pour préparer cette petite réunion, consultez le site internet officiel des *junior entreprises* (www.junior-entreprises.com) et lisez les informations essentielles. L'idée vous plaît-elle ?
J'ai déjà pensé à des noms : MédiaTIC, Webcréa, @vanTIC. Lequel préférez-vous ? Nous en discuterons demain.

Bien à vous trois,

Marie Deschamps-Lorets
Responsable du Master 2 Multimédia et Langues

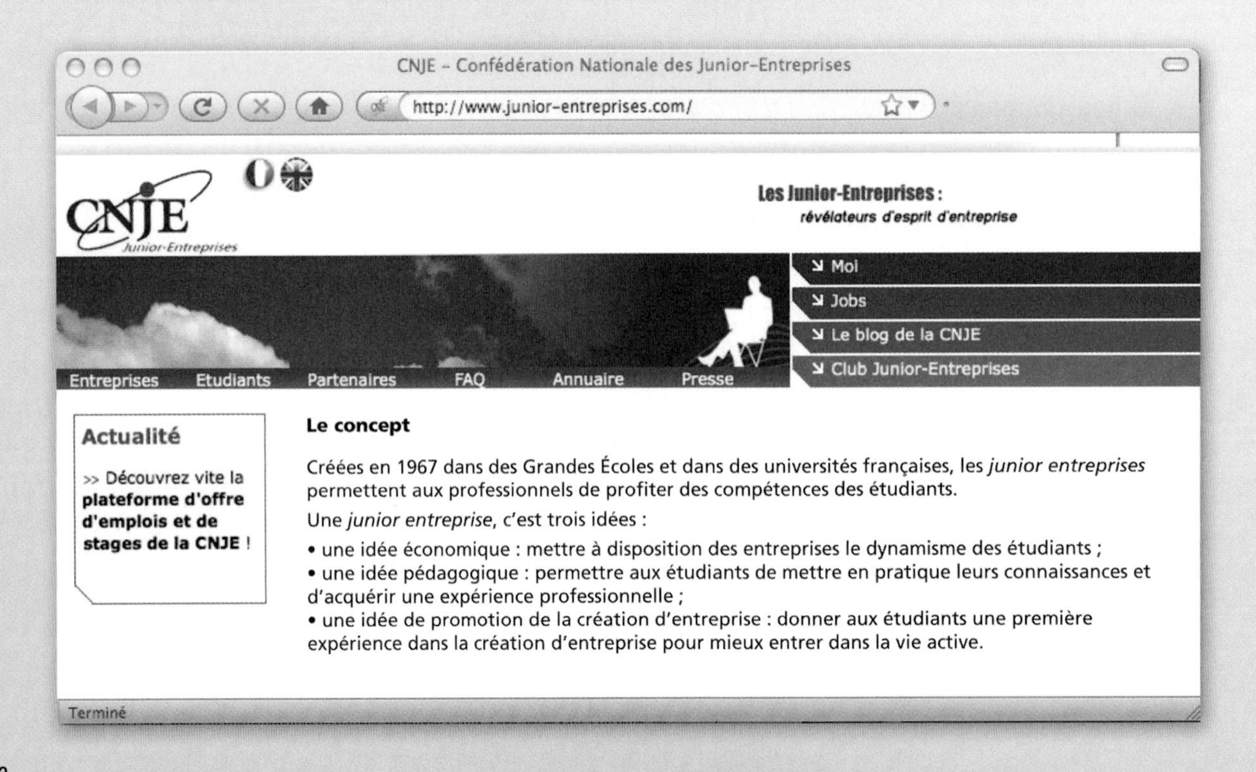
CNJE - Confédération Nationale des Junior-Entreprises

http://www.junior-entreprises.com/

CNJE Junior-Entreprises

Les Junior-Entreprises : *révélateurs d'esprit d'entreprise*

Moi | Jobs | Le blog de la CNJE | Club Junior-Entreprises

Entreprises | Etudiants | Partenaires | FAQ | Annuaire | Presse

Actualité

>> Découvrez vite la **plateforme d'offre d'emplois et de stages de la CNJE** !

Le concept

Créées en 1967 dans des Grandes Écoles et dans des universités françaises, les *junior entreprises* permettent aux professionnels de profiter des compétences des étudiants.

Une *junior entreprise*, c'est trois idées :

- une idée économique : mettre à disposition des entreprises le dynamisme des étudiants ;
- une idée pédagogique : permettre aux étudiants de mettre en pratique leurs connaissances et d'acquérir une expérience professionnelle ;
- une idée de promotion de la création d'entreprise : donner aux étudiants une première expérience dans la création d'entreprise pour mieux entrer dans la vie active.

Terminé

> C'est clair ?

1 Lisez les documents de la page 82 et répondez.
1. Quel est le problème des trois étudiants ?
2. Quelle solution la directrice de l'Unité de formation et de recherches (UFR) donne-t-elle ?
3. Quels sont les objectifs de ce projet ?
4. Quel est le principal avantage pour les étudiants ?
5. La directrice semble sûre de la réponse positive des étudiants. Qu'est-ce qui permet de le penser ?
6. Où peut-on créer une *junior entreprise* ?
7. Qu'est-ce qu'une expérience dans une *junior entreprise* apporte aux étudiants ?

1

2 Écoutez ces définitions et dites à quels mots du message ou de la page internet elles correspondent. Complétez le tableau.

définitions	1	2	3	4	5
mots					

> Zoom

3 a) Dans le message de Mme Deschamps-Lorets, retrouvez le contraire de *souvent*.

**b) *Souvent* et son contraire expriment la fréquence.
Quels autres mots du message expriment aussi la fréquence ?**

4 Retrouvez les mots qui expriment la fréquence.
de temps en temps – d'abord – cet après-midi – jamais – quelquefois – ensuite – tous les jours – avant – rarement – souvent – demain – toujours

5 → Par deux, discutez de ce que vous faites de temps en temps, toujours, etc.

Exprimer la fréquence

Je bois **toujours** du café le matin.
Tous les dimanches, nous déjeunons chez mes parents.
De temps en temps, je vais au cinéma.
Quelquefois, je vais courir et, parfois, je fais un peu de gym.
Je vais **rarement** au restaurant, c'est trop cher et je **ne** vais **jamais** à l'hôtel.

> Comment on dit ?

6 Relisez ces extraits du message de Mme Deschamps-Lorets. Que fait-elle ? Répondez.
***J'ai une proposition à vous faire. Que diriez-vous de** créer une junior entreprise ensemble dans notre UFR, ici, à l'université ?*
***Si vous voulez, on parle** de cela demain après-midi dans mon bureau.*

a. elle donne un ordrc aux étudiants.
b. elle demande aux étudiants qu'ils fassent quelque chose.
c. elle propose aux étudiants de faire quelque chose ensemble.

2

7 Écoutez et dites dans quelles phrases on propose à quelqu'un de faire quelque chose ensemble. Retrouvez la proposition.

phrases n°	proposer à quelqu'un de faire quelque chose ensemble (oui ou non)	propositions
1	oui	*Partir en Bretagne le week-end prochain.*
2		
3		
…		

8 → Choisissez le document qui vous intéresse le plus et, par écrit, proposez à votre meilleur ami de faire, ensemble, quelque chose qui sort de l'ordinaire. Pensez à justifier votre choix.

Un baptême de l'air en parachute ascensionnel.

Un voyage au Vanuatu.

Une nuit au château de la Tortinière (Loire).

Proposer à quelqu'un de faire quelque chose

Nous pourrions aller dîner au restaurant ?
Tu veux aller faire les courses ce soir ?
Si tu veux, on part en week-end en Belgique.
Ça te dirait de passer quelques jours à la campagne ?
Que diriez-vous de vous associer avec une société chinoise ?
Je vous propose de nous réunir demain. / qu'on se réunisse demain.
J'ai une proposition à vous faire.

Répondre à une proposition

> Comment on dit ?

3 **9 Mme Deschamps-Lorets, Patrice, Emmanuel et Nicolas se réunissent. Écoutez et donnez la réponse de chacun des trois étudiants.**

Patrice : .....
Emmanuel : .....
Nicolas : .....

4 **10 Écoutez les dialogues et complétez le tableau.**

	dialogue 1	dialogue 2	dialogue 3	dialogue 4	dialogue 5
réponse positive					
réponse hésitante					
réponse négative					

11 Classez toutes les expressions dans le tableau.

oui
merci beaucoup
oui, mais pourquoi pas…
je vais voir
non merci
c'est impossible
d'accord
super
si tu veux …
peut-être
je suis désolé, mais…
ce n'est pas possible
avec plaisir
ok
je ne sais pas
je regrette
je ne peux pas
une autre fois peut-être

réponse positive	réponse hésitante	réponse négative

5 **12 Écoutez et, à l'oral, répondez aux propositions.**

13 → À l'activité 8, votre voisin a écrit une proposition. Lisez-la et répondez-lui.

Répondre à une proposition

De manière affirmative et enthousiaste :
– On va dîner quelque part ?
– Oui. / D'accord. / Avec plaisir. / Oui, merci beaucoup. / OK. / Super !

De manière hésitante :
– Tu veux partir en week-end ?
– Oui, mais… / Pourquoi pas… / Si tu veux… / Je ne sais pas… / Je vais voir. / Peut-être…

De manière négative :
– On fait un Scrabble ?
– Non merci. / Je suis désolé, mais… / Je regrette. / Je ne peux pas. / C'est impossible. / Ce n'est pas possible. / Une autre fois, peut-être… / Pas question !

Donner, offrir, prêter

> *C'est clair ?*

14 Écoutez le dialogue et répondez : *vrai* ou *faux*.

1. Monsieur Pietrovski déménage.
2. Tous les cartons sont à M. Pietrovski.
3. M. Pietrovski va tout donner.
4. Il aime ses cadres.
5. Mme Legay achète les cadres.
6. M. Pietrovski veut donner ses chaussures.

15 a) M. Pietrovski utilise l'expression imagée *jeter un œil*. Qu'est-ce que cela signifie ?

☐ regarder lentement ☐ regarder rapidement ☐ regarder dans le détail

b) Voici d'autres expressions imagées. D'après vous, que signifient-elles ? Vérifiez vos réponses dans le dictionnaire, puis écrivez des dialogues avec trois d'entre elles.

1. Casser les pieds à quelqu'un
2. Avoir un chat dans la gorge
3. Regarder quelqu'un de la tête aux pieds
4. En avoir plein le dos
5. Prendre ses jambes à son cou
6. Tiré par les cheveux

> Comment on dit ?

7 **16 a) Écoutez Mme Legay et M. Pietrovski. Ils proposent de donner, d'offrir et de prêter quelque chose. Quelles expressions utilisent-ils ?**

b) Par deux, répondez.

– Quelqu'un vous prête un ordinateur. Normalement, vous le lui rendez quand vous avez fini de l'utiliser ?
– Un ami vous offre un verre. Vous sortez votre porte-monnaie ?
– Quelqu'un vous donne un crayon à papier. Est-ce qu'il faudra le lui rendre ?

8 **17 Écoutez les dialogues et complétez le tableau.**

	donner quelque chose à quelqu'un	offrir quelque chose à quelqu'un	prêter quelque chose à quelqu'un	demander quelque chose à quelqu'un
dialogues	.....	.....	.....	.....
expressions utilisées	.....	.....	.....	.....

18 → À partir des photos, par deux, créez un dialogue et jouez-le. Utilisez les expressions pour offrir, donner et prêter quelque chose.

Exemple :
— *Oh, elles sont sympas ces chaussures !*
— *Tu aimes ?*
— *Oui, mais elles sont un peu chères…*
— *Prends-les, je te les offre, je ne t'ai rien offert pour ton anniversaire. C'est mon cadeau.*
— *C'est gentil, merci.*
— *De rien.*

Donner, offrir, prêter

Je vous le donne, c'est gratuit.
Je te le donne, garde-le, je n'en ai pas besoin.

Je vous offre quelque chose à boire ?
Je te l'offre, c'est (un) cadeau.

Je te prête ma voiture pour le week-end, si tu veux.
Tu peux emprunter mon ordinateur, mais prends-en soin !

LEQUEL ? CELUI-LÀ ?

19 Lisez l'extrait du dialogue et répondez.

— *Oh là là, mais c'est quoi tout* ***ça*** *? C'est à vous tous ces cartons monsieur Pietrovski ?*
— ***Ceux-là*** *oui, c'est pour la foire à tout du quartier ! Les autres, je ne sais pas…*
— *Tiens, il est joli ce petit cadre.*
— ***Lequel*** *?* ***Celui-ci*** *avec les chevaux ? Quelle horreur !*
— *Non,* ***celui-là****, avec la petite madone, c'est mignon.*
— *Tenez, je vous l'offre. C'est cadeau ! Et prenez* ***celui*** *avec les chevaux aussi.*
— *Et ces chaussures, là, elles sont à vous ?*
— ***Lesquelles*** *?* ***Celles-là*** *?*
— *Non,* ***celles*** *en cuir noir. Elles ont l'air bien. Pour mon mari…*

1. Qu'est-ce que *ça* remplace ?
2. Qu'est ce que *celui-ci, celui-là, ceux-là, celui* et *celles* remplacent ?
3. *Celui-ci, celui-là, ceux-là* peuvent-ils s'utiliser seuls ?
4. *Celui* et *celles* peuvent-ils s'utiliser seuls ?
5. Qu'est-ce que *lequel* et *lesquelles* remplacent ?
6. *Lequel* et *laquelle* s'utilisent-ils dans des phrases interrogatives ?
7. Pourrait-on aussi utiliser *quel(s) + nom* et *quelle(s) + nom* ?

Les pronoms démonstratifs

Ils remplacent un nom quand on veut montrer quelque chose ou quelqu'un.
Tu as vu **ça** ?

Quel **gâteau** veux-tu ? **Celui** avec les fraises ?

Quelle **voiture** préférez-vous ? **Celle** de droite ?

Quels **coussins** prend-on ? **Ceux-là /ceux-ci** à gauche ?

Quelles **chaussettes** mets-tu ? **Celles** avec des pois bleus ?

20 Complétez les phrases avec *ça, celui, celle, ceux, celles, celui-ci, celui-là, ceux-ci, celles-ci* ou *celles-là.*

1. — Vous voulez ce pantalon ?
   — Non, pas ….. , je vais plutôt essayer ….. de droite.
2. — Tu as vu ….. ?
   — Non, quoi ?
3. — Bonjour, je cherche de bonnes baskets pour courir.
   — Prenez ….. , on les vend beaucoup. Elles sont confortables et solides. Ou bien ….. , mais elles sont plus chères.

21 Remplacez les mots en gras par *lequel, laquelle, lesquels* ou *lesquelles*.

1. — Qui sont ces élèves là-bas ?
   — **Quels élèves** ? Ceux assis au premier rang ?
2. — Je cherche un album de Christophe Maé, vous avez ça ?
   — **Quel album** est-ce que vous cherchez ? Il vient d'en sortir un nouveau…
3. — Elles sont toutes belles vos bagues. Je ne sais pas **quelle bague** choisir.
   — Écoutez, d'abord, **quelles bagues** est-ce que vous préférez ?

Les pronoms interrogatifs

Ils remplacent quel(s)/quelle(s) + nom *pour éviter une répétition.*
— **Quel(s) livre(s)** préfères-tu ?
— **Lequel / lesquels** je préfère ? Je ne sais pas…

— **Quelle robe / quelles chaussures** vas-tu mettre ?
— Je ne sais pas **laquelle / lesquelles** je vais mettre.

22 → Vous voulez envoyer une carte postale électronique à un collègue pour son anniversaire. Par groupe de trois, trouvez chacun une carte sur Internet, puis posez-vous des questions et discutez pour faire votre choix parmi les trois cartes.

tâche finale

→ CRÉEZ VOTRE SITE

Votre professeur vous propose de développer le site internet de votre classe. En groupes, discutez : quel logiciel utiliser ? À quoi le site va-t-il servir ? Quelles rubriques proposer ? Y aura-t-il des photos ? des textes ? Combien de personnes sont-elles nécessaires pour chaque activité ? Etc.
En groupes, rédigez le document qui vous concerne.
Enfin, vous demandez l'autorisation du directeur de l'école. Rédigez tous ensemble un courrier où vous intégrez vos parties : proposez-lui de réaliser ensemble votre projet, expliquez-le et justifiez-le.

Des sons et des lettres

[r] ou [l] ?

9 **A. Écoutez et dites si vous entendez [r] ou [l].**

	1	2	3	4	5	6	7	8
[r]								
[l]								

10 **B. Écoutez et dites si vous entendez [r] ou [l]. Puis, répétez les mots entendus.**

	[r]	[l]
1.	☐ rime	☐ lime
2.	☐ rue	☐ lu
3.	☐ bar	☐ bal
4.	☐ carré	☐ calé
5.	☐ crime	☐ clim

11 **C. Écoutez les mots et, pour chacun, dites si vous entendez d'abord [r] ou [l]. Puis, répétez les mots.**

12 **D. Écoutez ces phrases et amusez-vous à les répéter.**

1. Lulu lit la lettre lue à Lili et Lola alla à Lille où Lala lie le lilas.
2. La libellule hulule et pullule.
3. Trois gros rats gris dans trois gros trous creux ronds rongent trois gros croûtons ronds et trois très gros grains d'orge.

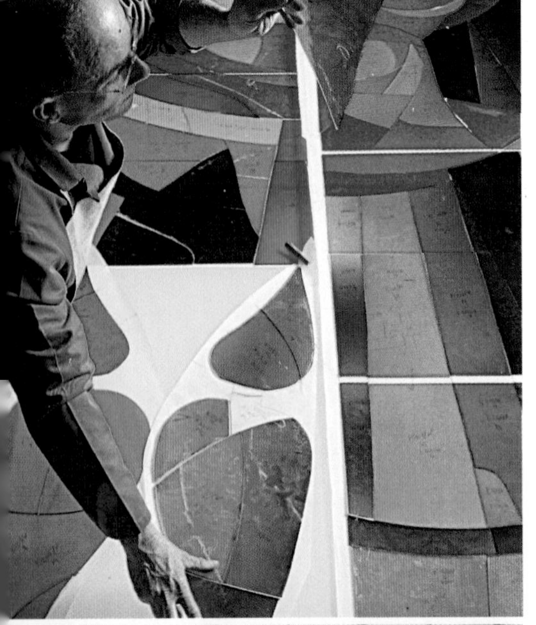

LA FRANCE DE L'ENTREPRISE

Le saviez-vous ? **La France est la cinquième puissance économique mondiale. Pourtant, le rapport des Français au travail souffre de nombreux préjugés.**

Cinq exemples :

1. Les Français sont toujours en grève.
2. Les Français sont en retard en matière d'Internet.
3. Les Français ne travaillent pas beaucoup.
4. Les Français ne sont pas très productifs et ils coûtent trop cher.
5. Les Français sont nuls en langues étrangères.

Les Français en questions

Pour Clara Gaymard, présidente de l'Agence française pour les investissements internationaux (Afii), trop d'idées reçues lui [la France] collent à la peau. Pour montrer la réalité de la France d'aujourd'hui, 10 millions d'euros sur trois ans ont été budgétisés et une campagne d'image musclée a démarré en octobre 2004. Pas moins ! Car rien n'est plus difficile que de se défaire des préjugés.

Toujours en grève ?
Faux. Il y a de moins en moins de grèves depuis 1985 ! Elles sont quasi aussi fréquentes en France qu'au Royaume-Uni. Et beaucoup moins nombreuses qu'aux États-Unis, en Italie et en Espagne.
Jours perdus annuellement pour 1 000 habitants (période 1999-2003) : France et Royaume-Uni : 10 jours ; États-Unis : 20 jours ; Italie : 30 jours.

Les nouvelles technologies, Internet, le courriel... ça existe chez eux ?
Avec des tarifs parmi les plus bas et 5 millions d'abonnés à l'ADSL (Internet haut débit), en juillet 2004, la France est en deuxième position européenne pour le haut débit (30 % des foyers français sont connectés à Internet) et en matière d'équipement (11 millions de foyers équipés en micro-ordinateurs au premier trimestre 2004).

Les Français paresseux ?
Nombre d'heures travaillées par an (emploi salarié) : France 1 453 heures ; Allemagne 1 361 heures ; Royaume-Uni 1 683 heures.

Une productivité basse ?
La meilleure au monde par heure de travail. Plus de 20 % au-dessus de celle des États-Unis et plus de 40 % au-dessus de celle de l'Allemagne !

Nuls en langues étrangères ?
Ce n'est plus vrai ! Selon le baromètre de l'Union européenne, 40 % des Français connaissent une langue autre que la leur.

POUR EN SAVOIR PLUS : www.diplomatie.gouv.fr

ET VOUS ?

26 Y a-t-il de grands groupes français installés dans votre pays ? Dans quels domaines d'activité ? Comment sont-ils perçus ? Est-il facile de créer une entreprise chez vous ? Dans votre pays, les universités sont-elles liées à des entreprises ? Quels sont les aspects positifs et les points négatifs de cette collaboration ?

23 Lisez les cinq préjugés sur les Français. Donnez votre opinion sur ces affirmations.

24 Lisez le texte *Les Français en questions*. Comparez vos réponses à l'activité 23 avec les informations données. Lesquelles vous surprennent ? Pourquoi ? Aviez-vous des idées reçues sur les Français et le travail ? Que pensez-vous de ce texte ?

25 Certaines entreprises françaises sont n°1 mondial dans leur catégorie. Les connaissez-vous ? Associez les photos A, B et C à un descriptif.

PRODUITS LAITIERS FRAIS ET EAUX EN BOUTEILLE
- Date de création : "Société parisienne du yoghourt Danone" en 1929, "BSN-Gervais-Danone" en 1973 et "Danone" en 1994
- Siège : Paris (Île-de-France)
- Implantations : 201 usines dans le monde, vente dans 120 pays

A

MOBILIER URBAIN ET PUBLICITÉ DANS LES AÉROPORTS
- Date de création : 1964
- Siège : Neuilly-sur-Seine (Hauts-de-Seine)
- Implantations "mobilier urbain" : 1 500 villes dans 36 pays
- Implantations "publicité dans les aéroports" : 153 aéroports dans 21 pays

B

LEADER MONDIAL DES COSMÉTIQUES
- Date de création : 1907
- Siège : Clichy (Hauts-de-Seine)
- Implantations : produits distribués dans 130 pays avec des filiales dans 58 pays

C

Vous avez gagné !

Le Quotidien
Lundi 2 mars

Le billet

LE BILLET DE CHRISTIAN MARTINOT

Sur la toile...

Nos lecteurs vont certainement être très heureux de lire cette bonne nouvelle : j'ai gagné 150 000 euros ! Vous ne le croyez pas ? Eh bien, lisez : « Votre nom et celui d'une autre personne a été tiré au sort parmi 25 millions d'adresses électroniques. » Voilà ce que, depuis mardi, me dit le même message que je reçois quotidiennement... « Il faut impérativement que vous répondiez sous les dix jours ; sinon, cette somme sera versée à divers organismes internationaux pour la santé. » Alors, j'hésite... 150 000 euros, oui, pourquoi pas...

Le problème est que je reçois parallèlement l'annonce d'une autre nouvelle : le numéro 2600363113249PM qui est mon numéro – je ne le savais pas, évidemment – vient de me faire gagner 250 000 euros ! Quel heureux hasard... Je n'ai rien fait, absolument rien. C'est la loterie... « Pour les recevoir, n'oubliez pas de remplir le formulaire, puis de valider votre demande. » Alors, j'hésite...

Oui, j'hésite car, à l'instant même où je finis la rédaction de ce billet, et que je vérifie l'orthographe d'un mot sur un site spécialisé, une fenêtre s'ouvre sur l'écran de mon ordinateur : je suis le millionième visiteur du site et je peux gagner 5 000 euros si je clique sur « valider ».

Là, il faut faire vite... Alors... J'hésite... Mais pas longtemps, car, après tout, rien ni personne ne m'empêche de cumuler ces trois gains. Alors, moi je dis : vive la chance et vive Internet !

> C'est clair ?

1 Lisez le texte et répondez.

1. De quel type de document s'agit-il ? D'où est-il extrait ?
2. Qui a écrit ce texte ? Quel en est le sujet ?
3. Combien de fois l'auteur de l'article hésite-t-il ? Pourquoi ?
4. Combien peut-il gagner ?
5. Comment trouvez-vous cet article (amusant, drôle, etc.) ? Pourquoi ?

> Zoom

2 Relevez dans le texte un nom de la même famille que les verbes suivants.

lire : ..... rédiger : ..... gagner : .....

13 **3 Écoutez, trouvez le verbe correspondant à chaque nom et indiquez dans quelle phrase vous l'entendez.**

la perte : *perdre (phrase 1)* l'écriture : ..... le jeu : .....
l'oubli : ..... la lecture : ..... le tirage au sort : .....

4 Complétez les phrases avec les mots proposés.

loterie – chance – tirage au sort – gagner – perdre – jeu – gagnant – hasard

1. Le numéro ..... est le 1245201 ; si vous avez ce numéro, venez retirer votre cadeau à l'accueil de notre magasin.
2. Elle ne sait pas comment elle a fait pour gagner ; c'est juste le ..... .
3. Non, je ne fais pas la tête, je n'aime pas ..... , c'est tout !
4. Le loto est un ..... qui peut rapporter beaucoup d'argent.
5. À 18 heures, aura lieu le ..... qui désignera le gagnant du voyage pour deux personnes.
6. Il faut y croire, je suis sûr qu'on va ..... !
7. Tentez votre ..... ! Venez participer à notre grande ..... et gagner des milliers de cadeaux !

5 a) Relisez le début de l'article et cochez la réponse qui convient.

quotidiennement signifie

a. chaque jour. b. chaque semaine. c. chaque mois.

b) Associez un élément de la colonne de gauche à un élément de la colonne de droite.

quotidien •	• une fois par an
trimestriel •	• une fois par semaine
annuel •	• une fois par jour
semestriel •	• une fois par mois
mensuel •	• une fois par trimestre
hebdomadaire •	• une fois par semestre

c) Citez un journal français quotidien. Citez un magazine hebdomadaire et un magazine mensuel de votre pays.

> *Comment on dit ?*

6 Dans chaque phrase, les personnes expriment une demande. Lisez les phrases et indiquez, dans le tableau, de quelle manière les personnes demandent.

1. Il faut impérativement que vous répondiez sous les 10 jours.
2. Vous allez me choisir de belles pommes, n'est-ce pas ?
3. N'oubliez pas de remplir le formulaire, puis de valider votre demande.
4. Je peux te demander de ne plus me téléphoner le soir après 22 heures ?
5. Je me demandais si vous pouviez me donner quelques informations sur l'Australie.
6. On ferme la porte ? Il fait froid ici, vous ne trouvez pas ?

	1	2	3	4	5	6
donne un ordre						
suggère, propose						
demande poliment						

14 **7 Écoutez et indiquez ce que les personnes disent pour exprimer leur demande.**

14 **8 Écoutez de nouveau les dialogues et indiquez comment les personnes répondent aux demandes.**

	1	2	3	4	5	6	7
accepte							
accepte après des hésitations							
hésite et ne donne pas de réponse	✗						
refuse							

9 → Par groupes de deux, jouez la situation.

- A demande à B de l'emmener en voiture à 30 kilomètres.
- B demande pourquoi et quand.
- A répond sur la date, mais il n'explique pas pourquoi il veut aller dans cette ville.
- B donne sa réponse : il hésite car il n'a pas beaucoup de temps et l'essence est chère.
- A insiste et propose à B de lui donner un peu d'argent.
- B accepte mais il hésite encore.
- A explique à B qu'il a besoin d'aller voir son meilleur ami qui est malade.
- B finit par accepter.

Répondre à une demande

Sans (aucun) problème !
Pourquoi pas ?

Oui, mais pas aujourd'hui.
Pourquoi pas...

J'hésite...
Je ne peux pas te promettre...
Je vais y réfléchir.
Il faut voir...
Il n'en est pas question !
Certainement pas !

Demander à quelqu'un de faire quelque chose

Il faut absolument / impérativement que tu partes.
N'oubliez pas de répondre à ce message.
Vous viendrez demain à 17 heures. *(futur simple)*
Vous acceptez, **n'est-ce pas / non** ?
Cette chambre est à refaire, **vous ne trouvez pas** ?
Je me demandais si tu pouvais m'aider.
Je peux vous demander de me rappeler demain ?

OUI, ABSOLUMENT !

10 a) Dans l'article de la page 92, retrouvez les adverbes correspondant à ces adjectifs.

certain : *certainement* — impératif : ..... — évident : .....
quotidien : ..... — parallèle : ..... — absolu : .....

b) Donnez l'adverbe correspondant à chaque adjectif.

poli – facile – rapide – vrai – difficile – agréable

11 Complétez avec l'adverbe ou l'adjectif qui manque.

simple : ..... — patient : ..... — ..... : heureusement
..... : méchamment — ..... : vivement — attentif : .....

12 Lisez le tableau *Les adverbes en –ment* et indiquez à quelle règle de formation correspond chaque adverbe de l'activité 11.

13 Transformez les phrases en utilisant un adverbe en *-ment.*

Exemple : *Tu peux marcher à une vitesse un peu plus rapide ?*
→ *Tu peux marcher un peu plus rapidement ?*

1. Pourriez-vous parler de façon un peu plus distincte, s'il vous plaît ?
2. Il faudrait refaire cette activité de manière différente.
3. Il m'a parlé sur un ton violent, ça m'a surpris.
4. Elle lui a répondu d'une voix très tranquille.
5. Mais non, je ne t'ai pas regardé avec des yeux méchants !

Les adverbes en -ment

adjectif masculin	transformation	exemple
terminé par une voyelle	adj. masculin + **ment**	absolu → absolu**ment**
terminé par une consonne	adj. féminin + **ment**	sérieuse → sérieuse**ment**
terminé par -ant	~~ant~~ + **amment**	constant → const**amment**
terminé par -ent	~~ent~~ + **emment**	évident → évid**emment**

J'Y PENSE, J'EN AI ENVIE...

14 Lisez les phrases et transformez-les en supprimant les pronoms *le, en* et *y.*

1. J'ai gagné 150 000 euros ! Vous ne **le** croyez pas ?
→ Vous ne croyez pas **que j'ai gagné 150 000 euros ?**
2. Partir huit jours en hôtel de luxe avec la personne de votre choix, vous **en** rêvez ? → Vous rêvez .....
3. Renvoyez vite votre bulletin avant samedi. Pensez-y ! → .....

15 Lisez le tableau *Le, en, y,* puis transformez les phrases. Remplacez les éléments en gras par un pronom.

1. — Ah, mais, non, ce n'est pas vrai, j'ai dit ça pour plaisanter !
— Je sais bien **que tu as dit ça pour plaisanter.**
2. — Véronique a très envie de changer de travail. Tu le savais ?
— Oui, elle m'a déjà parlé **de son envie de changer de travail.**
3. — Alors, ces vacances au bord de la mer ? C'était bien ?
— Oui, on a bien profité **de ces vacances au bord de la mer.**
4. — Je t'avais posé une question : on part en voiture ou en train ?
— Ah ! Je ne sais pas, je n'ai pas réfléchi **à la question de savoir comment on part.**

Le, en, y (2)

Le, en *et* y *permettent de reprendre une idée déjà exprimée et d'éviter les répétitions.*

Je voudrais partir loin.
Je **le** voudrais vraiment.

On commande une bonne glace au chocolat ? J'**en** ai envie.
(avoir envie **de***)*

Je ne peux pas te répondre aujourd'hui. Je n'**y** ai pas réfléchi.
(*réfléchir* **à**)

> *C'est clair ?*

15

16 Écoutez le dialogue et répondez oralement.

1. Qui participe à cette conversation ?
2. Quel est le sujet de la conversation ?
3. Où ces personnes se rencontrent-elles ?

17 Choisissez l'affirmation qui convient.

1. a. Nathalie est une amie de Lucas.
   b. Naïma travaille avec Lucas.
   c. Nathalie n'a jamais vu Lucas.

2. a. Lucas habite à Rouen et il aime la planche à voile.
   b. Lucas est informaticien et il aime le jazz.
   c. Lucas habite à Nantes et il n'a pas de chance.

3. a. Lucas a reçu 100 000 euros.
   b. Lucas est allé à Paris pour chercher son cadeau.
   c. Nathalie ne croit pas que Lucas recevra 100 000 euros.

4. a. Lucas a reçu une lettre qui expliquait qu'il devait aller à Paris.
   b. Lucas est invité à Paris pour une belle soirée.
   c. Lucas a demandé à Naïma d'aller avec lui à Paris.

5. a. Naïma veut organiser un dîner avec Nathalie et Lucas.
   b. Nathalie veut inviter Naïma.
   c. Naïma et Nathalie veulent inviter Gaël et Lucas.

> *Comment on dit ?*

18 a) Dans cette phrase de Naïma, l'expression *sans faute !* ajoute une nuance. Que signifie cette phrase ?

La prochaine fois qu'il vient à Rouen, je te le dis et j'organise un dîner à la maison. Sans faute !

a. Je préparerai certainement un dîner.
b. C'est sûr, j'organiserai un dîner.
c. J'organiserai peut-être un dîner à la maison.

15 **b) Écoutez de nouveau le dialogue et retrouvez une expression utilisée par Naïma pour promettre quelque chose.**

16 **19 Écoutez et trouvez ce que chaque personne exprime. Cochez les cases qui conviennent.**

	1	2	3	4	5	6	7	8
promet								
répond à une proposition								
suggère, propose								
rassure								

20 Ces personnes sont inquiètes. Répondez-leur et promettez-leur des choses.

1. J'ai peur que tu sois encore en retard samedi…
2. C'est vrai, on partira en vacances ensemble cet été ?
3. Il faut absolument que tu m'aides à écrire cette lettre en français.
4. Toi ? Vingt-sept ans ? Je ne te crois pas !

21 → Lisez ce message et répondez à Cécile. Promettez-lui d'aller à son anniversaire.

Des promesses...

Envoyer Discussion Joindre Adresses Polices Couleurs Enr. brouillon

À : pierre.carpentier@yahoo.fr

Objet : Des promesses...

Bonsoir Pierre,

Juste un court message pour te rappeler tes promesses : tu devais me donner ta réponse pour dimanche prochain et me dire aussi si Luc pouvait venir ou non. Je pense donc que tu ne seras pas avec nous pour fêter mon anniversaire. Et Luc ? Je ne sais pas ; il n'a peut-être pas envie de venir non plus.
Je suis un peu déçue. Tu as peut-être une excuse pour ne pas venir, mais je ne comprends pas pourquoi tu ne m'as pas répondu.
Ça m'étonne…

Bises

Cécile

Promettre

Je t'appelle ce soir, c'est promis.
Je te promets que je mettrai mon grand chapeau jaune.
Nous vous promettons de ne pas recommencer.
Je t'assure qu'il n'a rien dit.
Je vous donne ma réponse demain, sans faute !

22 Lisez ces extraits du dialogue entre Nathalie et Naïma puis répondez.

Nathalie : — Oui, oui, je ne le connais pas mais tu m'as déjà parlé de lui : il est informaticien, il adore la planche à voile et le jazz… Bref, qu'est-ce qu'il a, Lucas ?

Naïma : — De la chance ! Beaucoup de chance ! Il vient de gagner cent mille euros sans rien faire. […]

Nathalie : — Ouais, ouais, continue… et finalement ?

Naïma : — Rien encore, mais tu sais ce qu'il disait, le message ? Plein de choses : Lucas est invité à Paris pour retirer son gain. En plus, son train est payé, sa nuit d'hôtel aussi. Attends, il y a encore une chose : pour fêter l'événement, une soirée est organisée à l'hôtel Georges V, voilà. Tu te rends compte ?

1. Relevez deux mots qui servent à marquer la fin d'une énumération, d'une série.
2. Relevez deux mots ou expressions qui servent à ajouter une idée.

17 **23 Écoutez les personnes et dites à quoi servent les mots relevés. Cochez la case qui convient.**

	phrase 1 **d'abord**	phrase 2 **aussi**	phrase 3 **de plus**	phrase 4 **également**	phrase 5 **voilà**
ajouter un élément					
ajouter une idée					
marquer la fin d'une série					
marquer les étapes d'une action					

24 Choisissez le mot qui convient.

1. Faites l'exercice 25, (encore – après), on corrige tous ensemble.
2. Chez lui, Serge a des lapins, des poules et il a (également – bref) deux gros chiens.
3. Pour maigrir, il faut moins manger et faire du sport, (voilà – de plus) !
4. Pauvre chéri, tu as chaud, tu as faim et, (également – en plus), tu n'as rien à boire !
5. Prends ton bonnet, ton écharpe et (de plus – aussi) ton pull noir.
6. Remplissez le formulaire ; (de plus – d'abord), n'oubliez pas de valider votre inscription.

Organiser son discours oral ou écrit

Dans les phrases complexes, on utilise des articulateurs pour relier les éléments entre eux.

pour marquer les étapes d'une action : (tout) d'abord, puis, ensuite, après, enfin.

pour ajouter un élément : et, ou, aussi, également.
Je voudrais un café **et aussi** un verre d'eau, s'il vous plaît.

pour ajouter une idée : de plus, en plus, encore.
Pardon, j'ai **encore** une chose à dire…

pour marquer la fin d'une série : bref, voilà *(plutôt oral).*
Il y avait Benoît, Alia, Véro… **bref**, plein de monde !

→LA FÊTE !

Votre ville organise une fête des langues sur trois jours. Il y aura le maire, des conseillers, des professionnels des langues…
Votre professeur est un des organisateurs de ces journées. Posez-lui des questions, suggérez-lui de nouvelles idées.
Discutez tous ensemble. Ensuite, choisissez huit personnes qui participeront à la fête et répartissez les tâches.

Des sons et des lettres

[k] ou [g] ?

18 **A. Écoutez et répétez.**

1. un bec – un bègue
2. des écarts – des égards
3. découds – dégoût
4. j'ai crié – j'ai grillé
5. des caches – des gages
6. écoute – égoutte
7. des bacs – des bagues

19 **B. Écoutez et retrouvez l'ordre des sons. Cochez les cases qui conviennent.**

	1	2	3	4	5	6
[k] puis [g]	✗					
[g] puis [k]						

20 **C. Écoutez et cochez la case qui convient.**

	1	2	3	4	5	6	7	8
[k]								
[g]	✗							

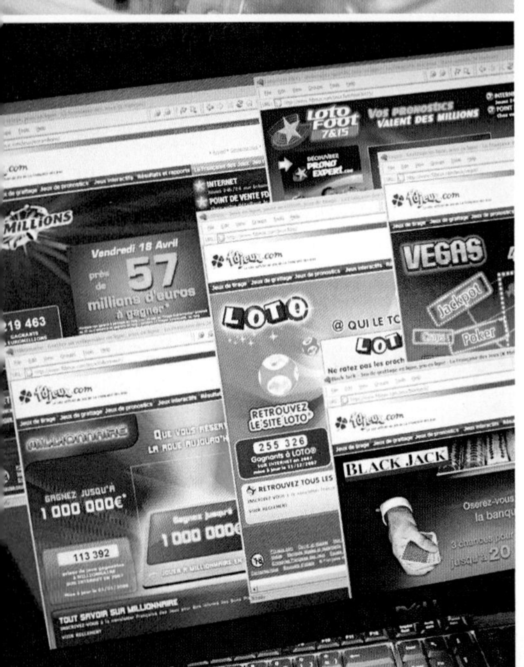

JOUER ET GAGNER

❶ Pour les Français, rêver de millions coûte des milliards

Les possibilités de gains n'ont jamais été aussi élevées, les Français n'ont jamais autant joué, les opérateurs de jeux n'ont jamais fait autant de bénéfices et l'État ne s'en plaint pas.

Les chiffres donnent le vertige : dans les jeux d'argent, on parle plus souvent en milliards qu'en millions. Loto, PMU[1], casinos... Si ces jeux rapportent parfois de jolies sommes aux joueurs, ce sont surtout l'État et les entreprises auxquelles il délègue son monopole qui touchent le jackpot.

Trois Français sur cinq jouent

34,77 milliards d'euros ont ainsi été dépensés dans les jeux par les Français en 2004. La Française des Jeux a récolté au passage 8,55 milliards de mises, les casinos 18,66 milliards et le PMU[1] 7,56 milliards. Le jeu est devenu un véritable phénomène de société. En 2004, trois Français sur cinq en âge de jouer ont participé à des jeux d'argent et certains tombent parfois dans une dépendance dévastatrice.

[1] Le Pari mutuel urbain (ou PMU) est une entreprise française qui s'occupe de la conception, de la commercialisation et du traitement des paris sur les courses de chevaux.

L'Internaute, www.linternaute.com, février 2006

---

❷ Accros au jeu

Le Loto, les courses, les machines à sous... certains ne peuvent plus s'arrêter. Une véritable pathologie très sérieusement étudiée par le corps médical.

À 87 ans, Raymonde continue à remplir chaque semaine ses grilles de Loto. Il y a dix ans, cette Parisienne a gagné pour la première et seule fois de sa vie une grosse somme, 17 000 euros, partagée entre ses quinze enfants et petits-enfants. Depuis, elle coche inlassablement la même combinaison fétiche.
Alain, lui, est accro aux machines à sous. Ce Niçois de 39 ans joue tant que le plafond de sa carte bancaire n'est pas atteint. Il a perdu ainsi jusqu'à 2 000 euros en une seule semaine. Ce cadre dans une grande entreprise a dû se résoudre à divorcer – sur le papier – pour protéger sa femme et son enfant des créanciers.

Comme d'autres gros joueurs, Raymonde et Alain interpellent la médecine. À quel stade la pratique des jeux d'argent devient-elle une maladie ? Et comment la soigner ? Ces questions mobilisent un nombre croissant de chercheurs de tous horizons, en psychologie, en biologie, en neurologie ou encore en génétique. Longtemps considéré comme un vice honteux, ce problème est devenu, sous le nom de « jeu pathologique », un enjeu noble de santé publique. En cinq ans, les revues scientifiques internationales lui ont consacré pas moins de 514 études. Et pour cause. Les casinos se multiplient dans le monde et, avec eux, le nombre de joueurs excessifs.

Estelle Saget, *L'Express*, 2004

ET VOUS ?

28 Est-on très joueur dans votre pays ? Quels jeux sont très populaires ? Pariez-vous aussi sur les courses de chevaux ? Jouez-vous vous-même ? À quoi ?

25 Lisez le texte 1 et répondez : *vrai, faux* ou *on ne sait pas.*

1. Les Français jouent de plus en plus aux jeux d'argent.
2. Les sommes qu'on peut gagner sont de moins en moins élevées.
3. L'État français gagne beaucoup avec tous les jeux d'argent.
4. Parmi toutes les entreprises de jeux d'argent, ce sont les casinos qui gagnent le plus.
5. Pour certaines personnes, jouer peut être dangereux.

26 Lisez le texte 2 et répondez.

1. Quel est le sujet de ce texte ?
2. Quel est le problème de Raymonde ?
3. Pourquoi Alain a-t-il dû divorcer ?
4. Raymonde et Alain se sentent-ils malades ? Pourquoi ?

21 **27 Écoutez le témoignage de Félix et répondez.**

1. Résumez son histoire en quelques mots.
2. Que pensez-vous de l'attitude de sa famille ?
3. Que pensez-vous de la décision que Félix a prise pour trouver une solution à son problème ?
4. Pour vous, ce témoignage est-il triste ou heureux ? Pourquoi ?

Ne quittez pas...

Le Courrier du Sud-Ouest

Dimanche 18 MARS 2009

Le projet d'aménagement de la société Valoris DP

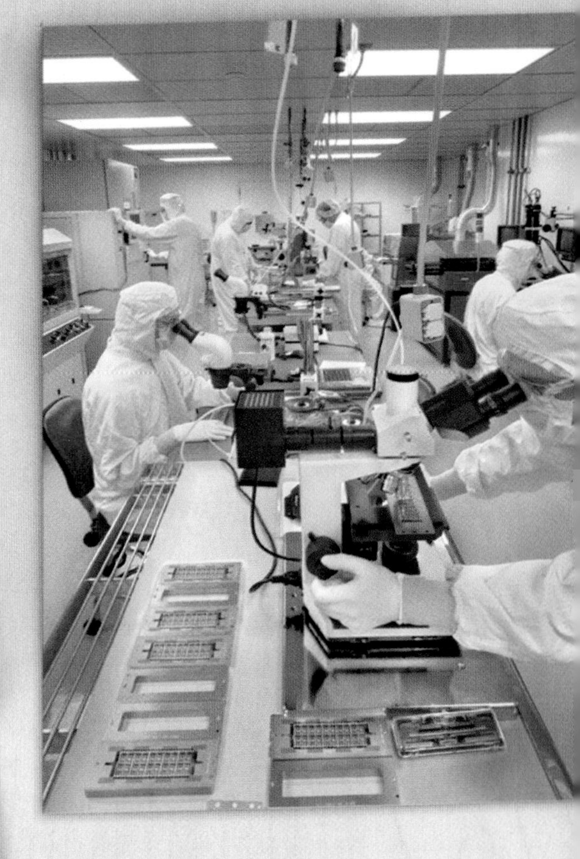

> C'est clair ?

22

1 Écoutez et répondez.

1. Pourquoi Charlotte Guesnault téléphone-t-elle à Vincent Alonso ?
2. Qui est responsable du problème selon Vincent Alonso ? et selon Charlotte Guesnault ?
3. Quel est l'avantage de l'article du *Courrier du Sud-Ouest* selon Vincent Alonso ?
4. Que propose Charlotte Guesnault à la fin de la communication téléphonique ?

> Zoom

2 a) Observez les phrases, donnez l'infinitif des verbes en gras et retrouvez leur équivalent.

1. Je vous appelle au sujet de l'article qui **est paru** ce matin dans *Le Courrier du Sud-Ouest*…
2. Tu as vu Justine hier ? Elle m'**a paru** fatiguée !
3. Ah, Sandrine, il **paraît** que Guillaume a quitté l'entreprise. C'est vrai ?
4. Tu n'as pas vu mon agenda ? Je l'avais mis sur mon bureau, il **a disparu** !
5. J'étais sur Internet et, tout à coup, une fenêtre **est apparue** et elle disait : « Un virus a été détecté ».

a. Elle m'a semblé…
b. Il n'est plus là.
c. On l'a publié.
d. Elle est devenue visible…
e. On m'a dit que…

b) Associez les éléments.

Il paraît que •
Elle m'a paru •
Une caricature est parue •
Une erreur est apparue •

• surprise de voir Léo hier soir.
• dans le journal *Le Monde*.
• dans mon fichier informatique.
• vous allez au Canada bientôt.

3 Lisez cette réplique de Charlotte Guesnault, puis répondez.

Mon directeur va me virer si on a des problèmes pour ce projet.
Mon directeur va me virer signifie, en français familier :
a. Je vais perdre mon travail.
b. Je vais gagner plus d'argent.
c. Je vais obtenir un poste de directeur.

4 Lisez les phrases et classez les verbes en gras dans le tableau (donner les verbes à l'infinitif).

1. Amandine a fait plusieurs erreurs, alors son entreprise l'a **licenciée**.
2. Si vous arrivez encore une fois en retard, vous serez **renvoyé**.
3. On a beaucoup de commandes depuis un mois et on voudrait **embaucher** quatre techniciens.
4. Il paraît que la société Pasquier **recrute** des employés. Tu pourrais écrire pour demander du travail.
5. Moi, ça faisait vingt ans que je travaillais là, et puis un jour, on m'a **remercié**.
6. Pour m'aider, j'ai **engagé** un jeune. C'était difficile au début, maintenant ça va.

demander à quelqu'un de quitter son travail	donner un travail à quelqu'un
…..	…..

Interagir au téléphone

> *Comment on dit ?*

23 **5 Écoutez et associez les éléments.**

1. Bonjour. Charlotte Guesnault à l'appareil.
2. Pourrais-je parler à Vincent Alonso, s'il vous plaît ?
3. Oui, ne quittez pas, je vous le passe.

a. demander de se présenter
b. demander à parler à quelqu'un
c. demander d'attendre
d. proposer un service
e. se présenter

24 **6 Écoutez et indiquez ce qu'exprime la dernière phrase de chaque dialogue.**

	1	2	3	4	5
demande à quelqu'un de se présenter					
demande à parler à quelqu'un					
demande d'attendre					
propose un service					

25 **7 Écoutez les demandes et choisissez la réponse qui convient.**

1. **a.** Oui, j'écoute.
   b. Oui, c'est de la part de qui ?
   c. Oui, elle vient de partir.
2. **a.** Ah, non, vous avez fait un mauvais numéro.
   b. Ah, non, Stéphane Turpault à l'appareil.
   c. Je rappellerai demain.
3. **a.** Oui, merci d'avoir appelé.
   b. Oui, je rappellerai tout à l'heure. Merci.
   c. Ah ! Non, vous faites erreur.
4. **a.** Voulez-vous laisser un message ?
   b. Non, monsieur Lafeuille est absent aujourd'hui.
   c. Bonjour, pourrais-je parler à Hourai Ouchtati, s'il vous plaît ?

26 **8 Écoutez et, pour chaque document, répondez.**

1. Quel est le service ?
2. Quel est le prix de l'appel ?
3. Que demande-t-on de faire ?

9 → Par groupes de deux, jouez la situation.

A téléphone à la Banque du Commerce pour parler à madame Thuillier.
B, un assistant à l'accueil, répond, demande qui parle et pourquoi il appelle.
A se présente et explique qu'il appelle pour un problème de paiement sur son compte, à la fin du mois.
B explique que madame Thuillier n'est pas là et propose à A de la rencontrer dans les prochains jours.
A et B prennent rendez-vous et se saluent.

Interagir au téléphone

Est-ce que je pourrais parler à madame Lefort, s'il vous plaît ?
C'est de la part de qui ?
Qui est à l'appareil ?
Un instant, s'il vous plaît.
Ne quittez pas, je vous le passe.
Il n'est pas là. Vous voulez laisser un message ?
Je rappellerai demain.
Pouvez-vous lui dire que Vincent Dupuis a appelé ?

Accuser, contester

> Comment on dit ?

27

10 Écoutez et répondez.

1. Quelle expression Vincent Alonso utilise-t-il pour dire *un intérimaire a fait une erreur* ?
2. Quelle expression Vincent Alonso utilise-t-il pour dire *je n'ai pas fait d'erreur* ?
3. Que dit Charlotte Guesnault au sujet de l'intérimaire ?

28

11 Écoutez, dites dans quel dialogue les expressions sont utilisées et si elles sont utilisées pour accuser ou pour rejeter une accusation.

1. c'est toi (vous...).
2. c'est à cause de...
3. c'est elle qui...
4. c'est vous qui...
5. ce n'est pas moi !
6. ce n'est pas vrai !
7. je n'ai rien fait !

12 → Regardez les dessins et, par deux, imaginez puis jouez les situations.

13 → Lisez le message et écrivez une réponse à Françoise.

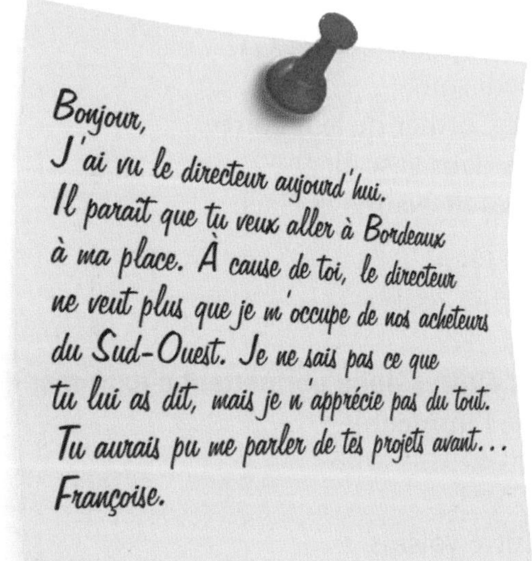

Bonjour,
J'ai vu le directeur aujourd'hui.
Il paraît que tu veux aller à Bordeaux à ma place. À cause de toi, le directeur ne veut plus que je m'occupe de nos acheteurs du Sud-Ouest. Je ne sais pas ce que tu lui as dit, mais je n'apprécie pas du tout.
Tu aurais pu me parler de tes projets avant...
Françoise.

Accuser

C'est (de) la faute de mon collègue.
C'est à cause de la pluie.
C'est Laura qui l'a pris.

Contester

Ce n'est pas moi.
Ce n'est pas (de) ma faute.
Je n'ai rien fait.
C'est pas vrai !
Je n'y suis pour rien.

Reprocher

Cédric Cordier
1er étage – gauche

M. Gaël Guilbert
et Mme Naïma Abaza
5e étage – droite

Madame, Monsieur,

Je vous écris pour vous faire part de mon mécontentement.
Ce samedi, comme de nombreux samedis, vous avez organisé dans votre appartement une fête qui a dérangé tout l'immeuble, en raison du bruit qui venait de chez vous et en raison des passages bruyants de vos invités dans l'escalier et l'ascenseur.
Ce samedi, comme souvent, vous avez utilisé la cour de l'immeuble pour y entreposer des vélos et d'autres objets encombrants. Il ne faut pas vous gêner ! C'est contraire aux règles de l'immeuble, vous le savez !
Vous voudriez que vos voisins aient de bonnes relations, mais c'est vous qui créez des problèmes entre eux.
C'est depuis votre arrivée dans l'immeuble qu'il y a des difficultés, avant tout se passait bien.
Depuis quelque temps, vous voudriez que tout le monde accepte vos règles et vos modes de vie. Pour qui vous vous prenez ?
Sachez que les autres locataires ont leur propre vie et qu'il serait souhaitable que vous les respectiez.
Avec regrets,

C. Cordier

> C'est clair ?

14 Lisez le document et répondez : *vrai, faux* ou *on ne sait pas.*

1. Cédric Cordier habite dans le même immeuble que Naïma et Gaël.
2. Cédric Cordier a déjà écrit plusieurs lettres à Naïma et Gaël.
3. Naïma et Gaël ont eu des invités samedi soir.
4. Naïma et Gaël avaient informé Cédric Cordier de leur soirée.
5. Naïma et Gaël avaient laissé des objets dans l'escalier.
6. Cédric Cordier n'aime pas les habitudes de Naïma et Gaël.

> Comment on dit ?

15 Relisez la lettre et indiquez quelles expressions permettent d'exprimer des reproches.

1. Ce samedi, vous avez utilisé la cour de l'immeuble.
2. Il ne faut pas vous gêner !
3. Vous le savez !
4. C'est vous qui créez des problèmes entre voisins.
5. Pour qui vous vous prenez ?
6. Avec regrets.

16 Écoutez puis indiquez, pour chaque dialogue, quelle est la situation et quelle est l'expression utilisée pour reprocher.

17 → Naïma va parler au voisin au sujet de sa lettre. Par deux, imaginez la situation et jouez le dialogue.

Reprocher
Il ne faut pas vous gêner.
Pour qui vous vous prenez ?
Tu ne devrais pas faire ça.
Tu exagères !
Ce n'est pas bien de parler comme ça.
Ce n'est pas gentil de dire ça.
C'est vous qui créez des problèmes.

C'EST TOI QUI AS FAIT ÇA ?

18 Comparez les phrases et répondez.

1. C'est vous qui créez des problèmes entre les voisins
2. C'est depuis votre arrivée dans l'immeuble qu'il y a des difficultés.

a. Vous créez des problèmes entre les voisins.
b. Il y a des difficultés depuis votre arrivée dans l'immeuble.

1. Quel est l'effet produit par *c'est... qui, c'est... que* dans les phrases 1 et 2 ?
2. Pourquoi utilise-t-on *qui* dans la phrase 1 et *que (qu')* dans la phrase 2 ?
3. Comment construit-on la mise en relief ?

19 Lisez les phrases et dites comment on construit la forme négative avec *c'est... qui* et *c'est... que*.

Julien ne t'a pas téléphoné ? → Ce n'est pas Julien qui t'a téléphoné ?
Il ne fallait pas faire cet exercice. → Ce n'est pas cet exercice qu'il fallait faire.
Je ne parle pas de ce problème. → Ce n'est pas de ce problème que je parle.

20 Imaginez les phrases de base en supprimant la mise en relief *c'est... qui, c'est... que*.

Exemple : ***C'est*** *Valérie* ***qui*** *a fait le gâteau. → Valérie a fait le gâteau.*

1. C'est avec Maria qu'il est parti.
2. C'est à toi que je parle, Amélie.
3. C'est pour toi que je l'ai acheté.
4. C'est lui qui va conduire la voiture ?
5. C'est lundi qu'elle va venir.
6. Ce n'est pas un thé au citron que j'ai commandé.

21 **Transformez les phrases : mettez en relief l'élément en gras.**

Exemple : — *Tu as fait l'exercice 12 ?*
— *Non, il fallait faire* **l'exercice 2.** → *Non, c'est* l'exercice 2 *qu'il fallait faire.*

1. — Et donc vous avez rencontré madame Audebert ?
— Non, j'ai vu **monsieur Costa.**
2. — Maman, Adrien, il a mangé tout le chocolat !
— Ce n'est pas vrai ! **Je** ne l'ai pas mangé !
3. — Alors, maintenant Simon habite à Bucarest !
— Euh, non, il habite à **Budapest.**
4. — Quelqu'un vous attendra à l'aéroport lundi.
— Oui, euh, j'arrive **dimanche.**
5. — Là, c'est mon adresse à Pékin.
— Oui, d'accord, mais j'ai besoin **de votre adresse à Toulouse** !
6. — Non, non, le contrat avec Valoris n'a pas été signé.
— Mais, je ne parle pas de **ça** !

22 **a) Dans les phrases, relevez les éléments qui servent à mettre en relief.**

1. Ce qui est inacceptable, c'est le manque d'argent pour aider les plus pauvres.
2. Ce que j'aimerais vraiment, c'est avoir un travail qui me plaise.
3. Ce que je veux dire, c'est que la situation économique n'est pas aussi mauvaise qu'on le dit.

b) Retrouvez les phrases de base : supprimez la mise en relief.

23 **Transformez les phrases : mettez en relief l'élément en gras.**

1. J'aimerais **que tu arrêtes de dire que tu as des problèmes !**
2. **Le sport** l'intéresse vraiment.
3. Je ne comprends pas **comment il a pu se marier avec une fille pareille.**
4. Elle voudrait **qu'on aille en vacances en Italie.**

La mise en relief

La mise en relief permet de donner plus d'importance à un élément de la phrase.

avec un nom ou un pronom :

Elle me l'a dit.	→ **C'est** elle **qui** me l'a dit.
J'ai parlé à Léa.	→ **C'est** à Léa **que** j'ai parlé.
Il a besoin de ton sac.	→ **C'est** de ton sac **qu'**il a besoin.

Attention à la forme négative :
Elle ne parle pas de ça. = Ce n'est pas de ça qu'elle parle.

avec un verbe :

L'argent l'intéresse.	→ **Ce qui** l'intéresse, **c'est** l'argent.
Je voudrais rentrer chez moi.	→ **Ce que** je voudrais, **c'est** rentrer chez moi.
Je me demande où il est parti.	→ **Ce que** je me demande, **c'est** où il est parti.

tâche finale

→SCANDALE !

Un journal francophone a publié, à propos d'événements qui se sont passés dans votre ville, des informations qui vous semblent assez loin de la réalité. Vous écrivez au journal pour contester la version du journaliste et vous donnez votre version des événements.

Des sons et des lettres

[j] ***(hier)***, [ɥ] ***(lui, buée)*** **ou** [w] ***(Louis)*** **?**

(30) **A. Écoutez et répétez.**

1. leur – lieur – lueur – loueur
2. mette – miette – muette – mouette
3. né – nier – nuée – nouée
4. sait – sciait – suait – souhait
5. jeun – Gien – juin – joint

(31) **B. Écoutez et répétez.**

a) [j] et [ɥ]

1. riant – ruant
2. sieur – sueur
3. miette – muette
4. nier – nuée
5. sanglier – s'engluer
6. pied – puer

b) [ɥ] et [w]

1. lui – Louis
2. la luette – l'alouette
3. six juin – ci-joint
4. la buée – la bouée
5. enfuir – enfouir
6. ruelle – rouelle

(32) **C. Écoutez et dites si les sons sont différents ou identiques. Cochez les cases qui conviennent.**

	1	2	3	4	5	6	7	8
=								
≠								

(33) **D. Écoutez et cochez le son que vous entendez.**

	1	2	3	4	5	6	7	8
[j]								
[ɥ]								
[w]								

COMMUNICATION & MÉDIAS

« La liberté de la presse ne s'use que quand on ne s'en sert pas.»
Le Canard enchaîné

Les médias constituent aujourd'hui une activité économique importante, avec un chiffre d'affaires, en France, de 10,62 milliards d'euros pour la presse écrite, de 10 milliards d'euros pour la télévision et de 1,353 milliard d'euros pour la radio.

La presse écrite

La presse écrite compte environ 4 450 titres en France. Elle est en grande partie constituée de magazines, qui représentent environ 44 % de la diffusion. Les journaux régionaux (*Ouest France, La Voix du Nord*....) occupent la deuxième place de la diffusion (environ 36 %) et les journaux nationaux (*Le Figaro, Le Monde*...) la troisième place (environ 11 %).
Les quotidiens sont lus tout au long de la journée. Les lecteurs consacrent environ 30 minutes par jour à leur lecture.

La presse audiovisuelle

La radio

On compte aujourd'hui près de 1 200 opérateurs radiophoniques en France dont près de 600 radios associatives locales.
La France a également une action radiophonique extérieure grâce à trois chaînes de radio : Radio France internationale (RFI), Monte-Carlo doualiya (vers le Proche et le Moyen-Orient), et Medi 1 (vers les pays du Maghreb).

La télévision

La télévision est le premier loisir des Français. Ils la regardent en moyenne plus de trois heures par jour, 3h 27 en 2007 selon Médiamétrie. La durée moyenne en France est inférieure à celles des principaux pays européens : 3h 59 en Italie ou 3h 36 au Royaume-Uni.
Il existe plusieurs centaines de chaînes de télévision dont :

- cinq chaînes publiques nationales (France 2, France 3...) ;
- trois chaînes privées nationales (TF1, M6 et Canal plus) ;
- une chaîne franco-allemande (Arte) ;
- deux opérateurs internationaux (TV5 Monde et Canal France international) ;
- une chaîne internationale d'informations, France 24, lancée en décembre 2006.

Internet

Depuis quelques années, Internet remplace petit à petit les médias traditionnels : on lit le journal, on écoute la radio, et on regarde la télévision sur la toile. Internet a l'avantage de donner accès à tous les médias partout dans le monde. Il est maintenant facile d'écouter Radio Canada, de lire *Le Devoir* de Québec, *Le Soleil* de Dakar ou *Le Quotidien* de Tunis et de regarder des émissions de la Radio-télévision belge de langue française (RTBF).

ET VOUS?

**26 Quels sont les médias présents dans votre pays ?
Comment sont-ils organisés ?
Quelles sont vos habitudes de lecture ou d'écoute des médias ?
Existe-t-il des médias francophones dans votre pays ?
Connaissez-vous RFI, TV5Monde ou France 24 ?
Quels médias francophones consultez-vous sur Internet ?**

PALMARÈS DES MEILLEURES VENTE EN FRANCE (2007)

Presse quotidienne régionale	Presse quotidienne nationale	Presse magazine
1. Ouest France	1. Le Figaro	1. Télé Z
2. Le Parisien	2. L'Équipe (édition générale)	2. Télé 7 jours
3. Sud Ouest	3. Le Monde	3. Télé Loisirs
4. La voix du Nord	4. Aujourd'hui en France	4. Dossier familial
5. Le Dauphiné libéré	5. Libération	5. Télé star
		6. Télé 2 semaine
		7. TV grandes chaînes
		8. Femme actuelle
		9. Pleine vie
		10. Notre temps

24 Lisez le texte et le palmarès puis répondez.

1. Je cherche un journal qui me donne des informations sur le monde et la France, mais aussi sur la petite ville de Festubert près de Lille. Dans quelle catégorie de presse écrite se trouve mon journal ?
2. Je suis étudiant et je cherche des informations sur les études, les universités, etc. Dans quelle catégorie de presse écrite puis-je trouver ces informations ?
3. Je voyage souvent et je voudrais pouvoir écouter la radio et regarder la télévision en français. Quelles sont les chaînes que je peux trouver au Vietnam, en Ukraine, au Kenya ou en Argentine ?

34 **25 Écoutez et dites quels médias les personnes préfèrent et ce qu'elles cherchent dans ces médias.**

Autoévaluation 3

JE PEUX RÉPONDRE À UNE PROPOSITION

1 a) Lisez puis donnez les numéros des phrases qui correspondent aux trois verbes.

1. Une réunion jeudi prochain ? Je vais y réfléchir…
2. Il nous propose d'aller au cinéma demain ? Pourquoi pas…
3. Il m'invite à dîner ce soir ? Une autre fois, peut-être.
4. Discuter de nouveau du projet demain matin ? Pas question !
5. Demain, 18 heures chez Scarlet ? OK.

accepte : ..... hésite : ..... refuse : .....

> 1
> ***Comptez 1 point par réponse correcte. Vous avez…***
> *– 5 points : félicitations !*
> *– moins de 5 points : revoyez les pages 84, 85 et 94 de votre livre et les exercices de votre cahier.*

JE PEUX PROPOSER À QUELQU'UN DE LUI DONNER, OFFRIR, PRÊTER QUELQUE CHOSE

2 Complétez avec les verbes *donner, offrir* ou *prêter* à la forme qui convient.

1. Tu peux me ..... ton vélo jusqu'à samedi ?
2. Hier soir, au café, Franck n'a pas voulu que je paie mon verre, il me le ..... .
3. — Il te plaît, mon chapeau ? Prends-le, je te le ..... .
   — Mais non, tu me le ....., c'est déjà très gentil.

> 2
> ***Comptez 1 point par réponse correcte. Vous avez…***
> *– 4 points : félicitations !*
> *– moins de 4 points : revoyez les pages 86 et 87 de votre livre et les exercices de votre cahier.*

JE PEUX DEMANDER À QUELQU'UN QU'IL FASSE QUELQUE CHOSE

3 Indiquez les quatre phrases où les personnes demandent à quelqu'un de faire quelque chose.

1. Elle n'a pas l'intention de se marier avec Gérard.
2. Vous vous présenterez à l'accueil avec votre invitation à partir de 10 heures.
3. Il est fatigué, c'est pour ça qu'il n'est pas venu avec nous hier soir.
4. Je peux te demander de prévenir Marie-Luce et Paul ?
5. Il faut impérativement que vous arriviez avant neuf heures.
6. N'oubliez pas de valider votre inscription en ligne.

> 3
> ***Comptez 1 point par réponse correcte. Vous avez…***
> *– 4 points : félicitations !*
> *– moins de 4 points : revoyez la page 94 de votre livre et les exercices de votre cahier.*

JE PEUX PROMETTRE QUELQUE CHOSE À QUELQU'UN

4 Associez les éléments pour construire quatre phrases correctes.

Quand tu seras grande, je te donnerai ma bague en or, •	• que nous ne ferons plus jamais ça.
Je t'assure, •	• sans faute !
Je te promets •	• c'est promis.
Oui, monsieur, je vous rappelle avant samedi, •	• elle a pleuré toute la nuit à cause de ses problèmes.

> 4
> ***Comptez 1 point par réponse correcte. Vous avez…***
> *– 4 points : félicitations !*
> *– moins de 4 points : revoyez les pages 96 et 97 de votre livre et les exercices de votre cahier.*

JE PEUX INTERAGIR AU TÉLÉPHONE

5 Complétez le dialogue avec certaines de ces expressions.

Je rappellerai demain – Pourriez-vous rappeler – Dites-lui que – Un instant, s'il vous plaît – De la part de qui ? – Ah ! non, c'est une erreur ! – Vous voulez laisser un message – Est-ce que je pourrais parler à – Ne quittez pas – Ah ! non, il est absent.

— Société Biodelys, Noura Gay, bonjour !
— Bonjour. ..... monsieur Dufeu, s'il vous plaît ?
— ..... , s'il vous plaît ?
— Vincent Marteau, société Rasquier.
— ..... , je vais voir si monsieur Dufeu est là. (...) Désolée, il est en rendez-vous. ..... un peu plus tard ?
— Ah... non, ce n'est pas possible. Et madame Bovet, elle est là, s'il vous plaît ?
— Oui, je pense. ..... , s'il vous plaît, je vous la passe. (...) Oh, vous n'avez pas de chance, madame Bovet est en ligne avec un client. ..... pour elle ou pour monsieur Dufeu ?
— Oui, s'il vous plaît, pour monsieur Dufeu, alors : ..... c'est d'accord pour le contrat.

5

Comptez 2 points par réponse correcte. Vous avez...
– 14 points : félicitations !
– moins de 14 points : revoyez la page 104 de votre livre et les exercices de votre cahier.

JE PEUX ACCUSER ET CONTESTER

6 Les expressions en gras ont été mélangées. Replacez-les dans le bon ordre.

PHILIPPE : — Ah ! Zut ! Mais pourquoi elle ne marche plus, cette machine à café ?
AURÉLIA : — Moi, je crois que (**c'est peut-être**) de Maria, elle a oublié de l'éteindre hier soir.
MARIA : — Hé, mais, (**c'est toi qui**), moi, je n'ai pas travaillé, hier ! (**c'est la faute de**) as dû faire ça, plutôt !
PHILIPPE : — (**je n'ai rien fait**) le directeur qui l'a trop utilisée... ou alors (**ce n'est pas vrai**) la prise électrique.
MARIA : — Je ne sais pas, mais je sais que (**c'est à cause de**) !

6

Comptez 1 point par réponse correcte. Vous avez...
– 6 points : félicitations !
– moins de 6 points : revoyez la page 105 de votre livre et les exercices de votre cahier.

JE PEUX REPROCHER QUELQUE CHOSE À QUELQU'UN

7 Retrouvez les trois phrases où les personnes expriment un reproche.

1. Vous ne devriez pas parler comme ça à vos parents.
2. Je me demandais si vous pouviez discuter avec ces personnes.
3. Tu sais, ce n'est pas bien de ne pas répondre à tes messages.
4. Je trouve que votre opinion est exagérée.
5. C'est toi qui n'es jamais contente !

7

Comptez 1 point par réponse correcte. Vous avez...
– 3 points : félicitations !
– moins de 3 points : revoyez les pages 106 et 107 de votre livre et les exercices de votre cahier.

Résultats : ..... points sur 40 points = ... %

PARTIE 1 COMPRÉHENSION DE L'ORAL

35 EXERCICE 1

Écoutez et choisissez la réponse qui convient.

1. De jeunes diplômés
   - ☐ ont décidé d'aller voir un match de tennis.
   - ☐ sont venus pour un entretien d'embauche.
   - ☐ sont invités au restaurant par une société de service informatique.
2. Le directeur de la société Silicomp
   - ☐ s'intéresse aux connaissances techniques des jeunes et à leurs capacités à communiquer.
   - ☐ veut communiquer avec les diplômés pour évaluer leurs savoirs.
   - ☐ pense que les jeunes n'ont pas de talent.
3. Le second jeune diplômé interrogé pense que
   - ☐ cette société a raison de se faire connaître et donne envie de travailler pour elle.
   - ☐ le café et les croissants ne sont pas nécessaires dans cette journée de travail.
   - ☐ les jeunes diplômés connaissent déjà bien les sociétés de la région.

36 EXERCICE 2

Écoutez et répondez.

1. Quel est le sujet de ce reportage ?
2. Quels sont les sentiments de monsieur et madame Dubois ?
3. Pour Béatrice et Jean-Marc, quels ont été les effets de cet événement ?
4. Qu'ont-ils fait avec l'argent qu'ils ont gagné ?
5. La situation est-elle difficile à vivre pour Béatrice, Jean-Marc et leur famille ? Pourquoi ?
6. Pourquoi madame Delaunay a-t-elle dit seulement à sa famille qu'elle avait gagné beaucoup d'argent ?
7. Beaucoup de choses ont-elles changé pour elle ? Qu'explique-t-elle à la journaliste ?

PARTIE 2 COMPRÉHENSION DES ÉCRITS

LE PORTRAIT DE LA SEMAINE

Rôle et stratégie éditions - jeux de société pour toute la famille

Christophe Finas a créé, en juillet 2006, sa société d'édition de jeux de société. À 29 ans, ce jeune originaire de la région Centre devient lauréat national du programme *Envie d'agir*.

Envie d'agir (EA) : Comment est venu votre projet ?
Christophe : *Je suis auteur de jeux de société depuis tout jeune, j'ai créé cette société pour aider, d'une part, les auteurs à être édités, et d'autre part, les associations à faire reconnaître les jeux. J'avais pour habitude de créer les jeux plutôt que de les acheter. On y jouait au village, au collège.*

EA : Vous avez réalisé un concours ?
Christophe : *Oui, un concours de création approfondie. Il existe des concours de création pour les auteurs, mais, par exemple, sur un concours avec 220 participants, seulement 20 sélectionnés pourront envoyer les règles complètes. En ce qui me concerne, je souhaite inverser les règles du jeu en permettant aux participants d'avoir un retour sur leur jeu.*

EA : Vous aidez également les personnes handicapées ?
Christophe : *Les handicapés moteurs peuvent pratiquer les jeux. Mettre à disposition des jeux dans des foyers de vie pour handicapés était ma volonté. Je voulais les aider à découvrir le jeu de société moderne. Accéder aux jeux de sociétés est difficile en France. Nous parrainons 42 associations. Elles sont disposées à engager des animateurs pour faire découvrir les jeux. Et par ce biais, permettre aux handicapés moteurs d'élargir leur cercle de connaissances. Nous sommes tous assis autour d'une même table.*

EXERCICE

Lisez l'article et choisissez la réponse qui convient.

1. Christophe est éditeur de livres et de jeux de société. ☐ vrai ☐ faux
2. Il organise des concours où les créateurs peuvent présenter leurs jeux. ☐ vrai ☐ faux

EA : **Que vous a apporté *Envie d'agir* ?**
Christophe : *J'avais le projet, cela m'a poussé à aller plus loin. C'est le coup de pouce qui a déclenché le projet.*
EA : **Avez-vous rencontré des difficultés ?**
Christophe : *Oui, des difficultés liées au domaine de la création d'entreprise, liées aussi aux exportations dans divers pays. Également, il m'a fallu trouver le partenaire bancaire qui donne de la flexibilité.*
EA : **Comment voyez-vous évoluer votre société ?**
Christophe : *Je la vois évoluer en reconduisant ce que j'ai mené en 2007 et en l'enrichissant, en diversifiant notre activité avec d'autres jeux, d'autres supports. Par exemple, nous avons en développement des jeux vidéo pour compenser la fragilité du jeu de société qui se vend plus sur la période de Noël.*

3. Il veut que les personnes handicapées puissent connaître plus de gens par le jeu.
☐ vrai ☐ faux
4. Christophe n'a eu aucun problème pour créer sa société.
☐ vrai ☐ faux
5. Christophe ne veut pas s'intéresser aux jeux vidéo.
☐ vrai ☐ faux

PARTIE 3 **PRODUCTION ÉCRITE**

ESSAI

Préférez-vous accéder aux informations par les journaux, la télévision, la radio ou Internet ? Parmi les différentes sources d'information, laquelle vous semble la plus complète, la plus utile, la plus divertissante ?
Écrivez un texte d'environ 160 mots sur ce sujet.

PARTIE 4 **PRODUCTION ORALE**

ENTRETIEN DIRIGÉ

Répondez aux questions de votre professeur.

EXERCICE EN INTERACTION

Vous recevez un appel téléphonique pour vous informer que vous avez gagné 10 000 euros en visitant un site d'information en ligne. Vous ne voulez pas croire à cette nouvelle. Vous discutez avec la personne qui vous appelle. Votre professeur joue le rôle de cette personne.

MONOLOGUE SUIVI

Dégagez le thème de ce document. Présentez votre opinion sous la forme d'un petit exposé de 3 minutes environ. Votre professeur pourra vous poser quelques questions.

Forums
http://forum.com

FORUM

Retour au site Charte du forum Galerie Aide Recherche Membres Calendrier

Un casino m'offre 500 euros... arnaque ou pas ?

Paddy

Bonjour à tous,
J'ai reçu ce matin dans ma boîte aux lettres, une lettre et un CD de « Lady Winner Casino ». La lettre explique que je dois installer le logiciel et qu'ensuite, il suffira d'un clic pour que je sois au casino... Je serai automatiquement crédité de 500 euros, juste en installant le logiciel. Tout cela est gratuit, bien sûr. J'ai une heure pour jouer et tenter de gagner de l'argent. J'aimerais savoir ce que vous en pensez, c'est sûrement une arnaque, mais je suis un peu tenté quand même...
Merci d'avance !

Andria Santarelli, *Communication première*, 1993

module4 Structurer et nuancer ses propos

→ niveau B1

unité 10 Argent trop cher !

POUR → **Interagir par courrier**
J'APPRENDS
- *Monsieur le Directeur...*

→ **Exprimer l'opposition**
- *par contre, quand même...*

→ **Se plaindre, protester**
- *je suis déçu, je m'oppose à...*
- *toujours, déjà, ne... pas encore*

TÂCHE FINALE
Nous écrivons au maire de notre ville pour protester contre le projet de modification des transports en commun.

unité 11 Le pétrole fou !

POUR → **Exprimer la cause**
J'APPRENDS
- *comme, grâce à, il y a des raisons pour...*

→ **Exprimer la conséquence**
- *donc, par conséquent, provoquer...*

→ **Souligner, mettre en avant**
- *je soulignerai que, j'insiste sur le fait que...*
- la forme passive

TÂCHE FINALE
Nous débattons sur les possibilités d'économies d'énergie dans notre école, nous fabriquons une affiche et écrivons au directeur pour lui proposer nos solutions.

unité 12 Parlez-moi d'amour...

POUR → **Exprimer l'hypothèse et la condition**
J'APPRENDS
- *si j'étais riche..., à condition que...*
- le conditionnel présent

→ **Exprimer l'évidence**
- *il est certain que..., il n'y a pas de doute...*
- le gérondif : *en chantant...*

TÂCHE FINALE
Nous organisons une fête de fin d'année dans notre classe et choisissons un cadeau pour nos professeurs.

Argent trop cher !

Mme Léa Roiron
11, rue Descartes
81100 CASTRES

SLE
3, place Saint-Jacques
81100 Castres

Castres, le 30 avril 2010

Madame, Monsieur,

Bien qu'âgée de 11 ans seulement, ma fille, élève en classe de sixième, aimerait passer une semaine ou deux en Irlande cet été. Elle est jeune et pourtant motivée, et déjà très autonome. Malgré son jeune âge, elle parle bien anglais car son grand-père est irlandais.

Proposez-vous des séjours pour des enfants aussi jeunes ? Même si votre réponse est négative, j'aimerais recevoir votre catalogue et vos différentes offres en Europe.
Je vous remercie d'avance.

Recevez, Madame, Monsieur, mes meilleures salutations.

L. Roiron

1

Madame Claude Duchemin
35, boulevard Béranger
35000 RENNES

M. Dupont, conseiller financier
Crédit de Bretagne
4, rue des Alliés
35000 Rennes

Rennes, le 12 mai 2010

Cher Monsieur,

Je me permets de prendre contact avec vous pour vous exprimer mon mécontentement.
J'avais, depuis plusieurs années, un compte sur livret que j'ai désiré fermer en 2006. Vous m'aviez alors conseillé de laisser un peu d'argent sur ce CSL, même si je ne voulais plus l'utiliser. Il valait mieux, d'après vous, le garder pour éventuellement y replacer une somme d'argent plus tard. J'ai suivi votre conseil…
Aujourd'hui, alors que je n'ai effectué aucune opération depuis 2006, je vois sur le relevé de mes comptes que vous m'avez débité 9 euros pour « frais de tenue de compte sur livret ».
Permettez-moi de m'étonner… et de vous prier de créditer ces 9 euros sur mon compte dans les plus brefs délais.
Je vous remercie par avance.

Je vous prie de croire, cher Monsieur, en l'expression de mes sincères salutations.

CDuchemin

2

Noura Belhanafi
113 avenue Foch
57050 METZ

Christian Lavaurie
12, avenue de Nancy
57000 METZ

Metz, le 3 mai 2010

Cher ami,

J'ai été ravie de dîner avec vous dans ce restaurant au charme si particulier. J'ai apprécié la bonne cuisine, le délicieux accueil et bien sûr, le très bon moment que nous avons partagé.

J'aimerais quand même revenir sur un point de notre discussion : j'ai toujours entretenu d'excellentes relations avec votre société et c'est seulement depuis cette affaire de banque que le climat s'est tendu.
Je suis très reconnaissante que vous acceptiez d'intervenir afin de dissiper ce malentendu que je vous ai longuement exposé hier soir.

Vous remerciant de votre écoute et de votre confiance, je vous prie d'agréer, cher ami, l'expression de mes sentiments distingués.

N. Belhanafi

3

> C'est clair ?

1 Lisez les trois lettres et retrouvez pourquoi elles ont été écrites. Notez le numéro de la lettre.

exprime sa colère et demande quelque chose : .....
informe et propose : .....
demande un rendez-vous : .....
remercie : .....
demande des informations : .....
accepte une invitation : .....

2 Lisez les affirmations et indiquez le numéro de la lettre correspondant à l'affirmation.

1. La personne écrit à sa banque.	lettre n° 2
2. La personne qui écrit voudrait qu'on lui envoie quelque chose.	
3. La personne écrit à une agence qui organise des séjours à l'étranger.	
4. La personne veut avoir des renseignements.	
5. La personne est en colère.	
6. La personne envoie cette lettre à quelqu'un qu'elle connaît déjà bien.	
7. La personne parle d'un problème et aimerait qu'il disparaisse.	

> Zoom

3 Associez un mot à une photo.

une carte bancaire - un relevé de compte - une opération - un chèque - une agence bancaire

1

2

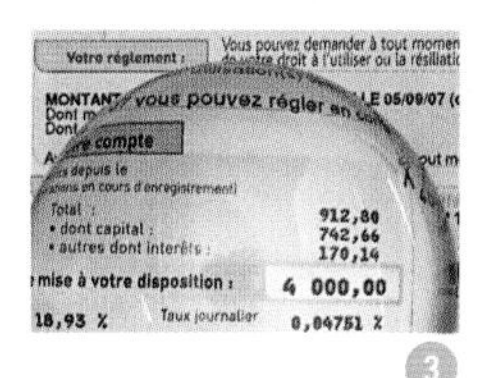
3

4

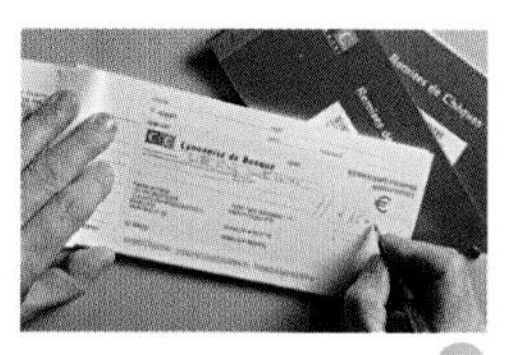
5

4 Relisez les trois lettres et retrouvez le sens des mots ou expressions.

1. *débiter un compte bancaire*
a. Mettre de l'argent sur un compte.
b. Prendre de l'argent sur un compte.
c. Fermer un compte.

2. *créditer un compte bancaire*
a. Ouvrir un compte.
b. Mettre de l'argent sur un compte.
c. Prendre de l'argent sur un compte.

3. *elle est motivée*
a. Elle a très envie de faire ça.
b. Elle n'a pas envie de quitter sa famille.
c. Elle est trop jeune pour partir seule.

4. *autonome*
a. Peut mener sa vie seule, sans aide.
b. A toujours besoin des autres pour vivre bien.
c. N'aime pas être avec d'autres personnes.

37 **5 Écoutez ce message et dites à quelle lettre de la page 118 il correspond.**

6 Complétez le tableau ; aidez-vous de la lettre 2.

nom	un crédit	.....	un débit	.....	un relevé
verbe	.....	conseiller	.....	compter	.....

Interagir par courrier

> *Comment on dit ?*

7 Relisez les trois lettres de la page 118 et répondez.

1. Où doit-on placer le nom et l'adresse de l'expéditeur de la lettre (la personne qui envoie la lettre) ? du destinataire (la personne qui reçoit la lettre) ?
2. Relevez en haut de chaque lettre l'expression utilisée pour s'adresser à la personne à qui on écrit.
3. Regardez les trois formules de politesse qu'on trouve à la fin de chaque lettre. Relevez ce qui est commun aux trois formules (mots, ponctuation).

8 Les phrases de deux lettres ont été mélangées. Remettez toutes les phrases dans le bon ordre et reconstituez les deux lettres.

a. Afin de vous présenter les tout nouveaux services que nous proposons,
b. J'espère que tu seras libre et que tu viendras.
c. Monsieur,
d. C'est au restaurant « La table de Béa » à partir de 20 heures.
e. Stéphanie.
f. nous sommes heureux de vous inviter à notre grande soirée.
g. Nous espérons vivement vous compter parmi nous.
h. Bises,
i. Samedi, j'organise une soirée pour fêter le printemps.
j. Recevez, Monsieur, mes cordiales salutations.
k. qui aura lieu au Château de Beauval le vendredi 22 mai à partir de 19h30.
l. Baptiste,
m. Il y a bien longtemps qu'on ne s'est pas vus…
n. Jean-Philippe Alberti.
o. Tu me rappelles pour me donner ta réponse ?

9 Retrouvez, dans la langue écrite et formelle (colonne de droite), l'équivalent de chaque expression courante (colonne de gauche).

1. Bien amicalement
2. J'espère que vous comprendrez mon problème. Au revoir, Monsieur.
3. Vous pouvez venir retirer votre chéquier dans notre agence.
4. Merci beaucoup pour cette bonne soirée !
5. Bravo ! Je suis content pour vous.

a. J'ai l'honneur de vous informer que votre nouveau chéquier est disponible à notre agence.
b. Permettez-moi d'exprimer ici tout le plaisir que j'ai eu de passer cette excellente soirée avec vous.
c. J'ai été très heureux d'apprendre votre réussite et vous félicite chaleureusement.
d. Comptant sur votre compréhension, je vous prie d'agréer, Monsieur, l'expression de mes salutations distinguées.
e. Veuillez recevoir, cher ami, l'assurance de ma cordiale sympathie.

10 → Choisissez une des lettres de la page 118 et écrivez votre réponse. Aidez-vous du tableau *Interagir pour courrier*.

Interagir par courrier

Pour commencer une lettre formelle :
(Cher = *si on connaît la personne)*
Mademoiselle, Madame, Monsieur
Madame la Présidente, Monsieur le Directeur
Cher ami, collègue

Pour finir une lettre formelle :
Recevez mes meilleures salutations.
Veuillez agréer, Monsieur, l'expression de mes sentiments distingués.
Je vous prie de croire, Monsieur, à l'expression de mes sincères salutations.

Exprimer l'opposition

> *Comment on dit ?*

11 a) La phrase ci-dessous exprime l'opposition. Dans les quatre phrases qui suivent, trouvez les deux qui expriment aussi l'opposition.
*Aujourd'hui, **alors que** je n'**ai** effectué aucune opération depuis 2006, je vois sur le relevé de mes comptes que vous m'avez débité 9 euros pour « frais de tenue de compte sur livret ».*

1. Je ne pourrai pas venir jeudi, en revanche, c'est possible vendredi matin.
2. Personne ne peut m'aider, alors, je vais porter cette table tout seul.
3. Malgré toute notre attention, il semble que nos services aient commis une erreur sur votre compte.
4. Comme il n'y a pas de bus aujourd'hui, on va y aller à pied.

b) Trouvez deux autres façons d'exprimer l'opposition dans les lettres de la page 118.

c) Quels mots expriment l'opposition dans toutes les phrases que vous venez de relever ?

38

12 Écoutez ces personnes qui expriment l'opposition et complétez le tableau.

situation de départ	1. Il pleut.	2.	3.	4.	5. .....
résultat inattendu	Je pars courir.				

38

13 De nouveau, regardez les trois lettres de la page 118 et écoutez les phrases de l'activité 12. Associez ensuite les éléments.

alors que •	• se place juste après le verbe
malgré •	• + indicatif
bien que •	• + nom
quand même •	• + subjonctif

14 Choisissez l'élément qui convient pour compléter chaque phrase.

1. (Malgré – Bien que – Quand même) je ne puisse pas être présent samedi, je penserai très fort à vous.
2. (Même si – Pourtant – En revanche) tu as un peu froid, tu dois continuer à skier avec les autres.
3. Oui, je viens avec vous au restaurant (pourtant – malgré – quand même) ma fatigue.
4. J'ai dit à Pierre que tu l'invitais, mais appelle-le (malgré – pourtant – quand même).

15 → Lisez la situation.
Par deux, créez un dialogue et jouez-le.
Dans le train, vous présentez votre billet au contrôleur. Il vous demande de régler 25 euros parce que vous avez oublié de composter ce billet avant de monter dans le train. Vous n'êtes pas d'accord car vous avez payé votre billet et vous êtes dans le train qui convient.
Vous discutez avec le contrôleur.

Exprimer l'opposition

Samedi, je ne suis pas libre, **par contre**[1] c'est possible vendredi.
Triste ? **Au contraire**, il était très heureux !
Elle l'aime **bien qu**[2]'il ne soit pas toujours gentil.
J'ai du travail, je viendrai **quand même**[3].
Tu as froid, **pourtant** il fait 19°C ici.
Appelle-moi, **même si** tu ne peux pas venir.
Elle n'est jamais contente **alors qu'**elle a tout pour être heureuse.
Malgré[4] sa peur, il a sauté en parachute.

[1]par contre *(oral)* = en revanche *(plutôt à l'écrit)*
[2]bien que + *subjonctif*
[3]quand même *se place après le verbe*
[4]malgré + *nom*

Se plaindre, protester

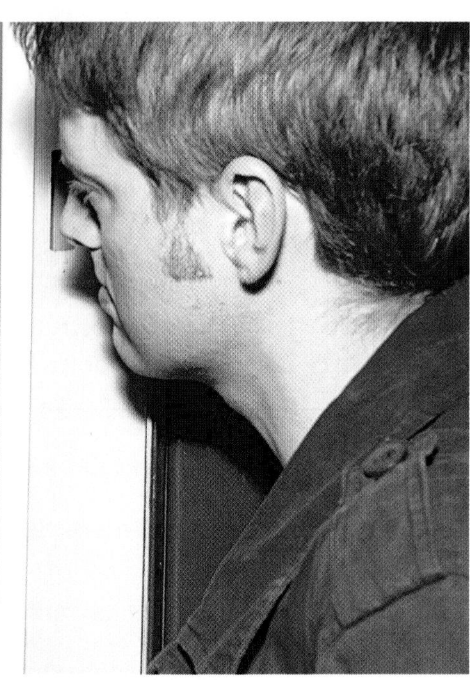

> *C'est clair ?*

16 Écoutez le dialogue et répondez.

1. Qui est la personne qui discute avec madame Legay ? Quelle est la raison de sa visite ?
2. Qui, dans l'immeuble, s'occupe des travaux ?
3. Quel est le problème soulevé par Gaël ?
4. Gaël est-il satisfait de la première proposition de monsieur Leroy ? Pourquoi ?
5. Pourquoi Gaël dit-il que les propriétaires de l'immeuble *n'avaient pas besoin de ça* ?
6. Quelle solution est proposée par monsieur Leroy ?
7. Pourquoi Gaël proteste-t-il encore ?

> *Comment on dit ?*

17 Trouvez ci-dessous quatre phrases dans lesquelles Gaël se plaint ou proteste.

1. Nous sommes déçus du résultat.
2. Ce n'est pas beau du tout.
3. Du travail comme ça, c'est inadmissible !
4. Je n'exagère pas.
5. Vous savez, on n'avait pas besoin de ça !
6. C'est incroyable, ça !

40

18 Écoutez et indiquez le numéro des dialogues où les personnes se plaignent, protestent. Relevez comment elles le font. Complétez le tableau.

dialogue n°	1	.....	.....	.....	.....
expression utilisée	.....	.....	.....	.....	.....

41

19 Écoutez les dialogues. Relevez ce qui est différent et modifiez le texte.

1. — Ah non, monsieur, on ne rembourse pas les billets après le départ du train.
   — Mais pourquoi ? J'ai manqué mon train, je n'ai pas utilisé mon billet… Je proteste !
2. — Nous allons voter pour ou contre le projet de travaux dans la cour de l'école.
   — Moi, je m'oppose à ce projet, je vous l'ai déjà dit.
3. — Voilà, madame, j'ai fini mon devoir d'expression écrite.
   — Ah ! Mais ce n'est pas ça ! Il ne faut pas plus de 150 mots, je ne veux pas trois pages !
4. — Chéri, ma mère est malade, on va devoir aller la voir samedi.
   — Samedi ? Ah ben, on n'avait pas besoin de ça…

20 Imaginez une réplique pour chaque situation. Jouez par groupes de deux.

1. *Au restaurant :* Il n'y a plus de poisson, on vous a mis un bon steak à la place.
2. *Dans un train :* Toutes les places de 1re classe sont occupées. Vous devez chercher une place dans les voitures de 2e classe.
3. *À la banque :* Non, madame, ce n'est pas aujourd'hui, notre rendez-vous. Moi, j'ai noté demain, le 29.
4. *Dans un magasin :* Ah ! non, on ne peut pas réparer votre ordinateur, c'est un vieux modèle, il faudrait en acheter un neuf.
5. *À l'école de langues :* Le directeur a annoncé qu'on ne ferait plus de pause de trente minutes le matin.

21 → Par deux, choisissez une situation, préparez un dialogue et jouez-le.

22 → Vous recevez une lettre du maire de votre ville qui vous informe que la nouvelle ligne de TGV passera à 100 mètres, environ, de votre jardin. Vous écrivez une lettre au maire pour protester.

Se plaindre, protester

C'est à refaire.
Ça ne va pas aller comme ça.
Je suis déçu du résultat.
C'est inadmissible !
On n'avait pas besoin de ça !
Il ne manquait plus que ça !
Je m'oppose à cette décision.
Je dis non !
Je suis contre ce projet.
Je proteste contre le prix élevé de ces travaux.

TU ES ENCORE LÀ ?

23 Lisez chaque phrase puis choisissez la proposition qui exprime le contraire.

Vous n'avez pas encore vu le pire.
a. Vous avez encore vu le pire.
b. Vous avez déjà vu le pire.
c. Vous avez toujours vu le pire.

Cette année, on a déjà eu des frais importants.
a. Cette année, on n'a pas encore eu de frais importants.
b. Cette année, on n'a plus eu de frais importants.
c. Cette année, on a encore eu des frais importants.

24 a) Lisez les dialogues puis associez.

1. — Pierre a encore des contacts avec ses amis chinois ?
   — Non, je crois qu'il n'a plus de contacts avec eux.
2. — Tu as toujours ton petit chien ?
   — Non, je ne l'ai plus, il est mort l'année dernière.
3. — Vous prenez toujours votre voiture pour aller travailler ?
   — Non, je ne la prends jamais, je circule à vélo ou en bus.
4. — Vous avez déjà vu Ben Harper en concert ?
   — Non, on ne l'a pas encore vu, mais on le verra à Paris le 16 mai.
5. — Il est déjà venu ici ?
   — Non, il n'est jamais venu.

phrasc affirmative	phrase négative
encore •	• ne... plus
toujours •	• ne... jamais
déjà •	• ne ... pas encore

b) Dans les dialogues, par quel autre mot peut-on remplacer *encore* ?

c) Dans les dialogues 2 et 3, *toujours* a-t-il le même sens ? Expliquez.

25 Répondez négativement.

1. Vous déjeunez toujours au restaurant ?
2. Tu as déjà fait de l'escalade ?
3. Vous prenez encore des cours de swahili ?
4. Vous avez déjà visité Paris ?
5. Tes copains sont déjà arrivés au cinéma ?

Toujours, déjà, encore...

ne... plus : *négation de* **encore** *et de* **toujours**[1]
— Elle a toujours son petit chien ?
— Non, elle ne l'a plus, il est mort l'année dernière.

— Tu es encore chez Renault ?
— Non, je n'y suis plus depuis longtemps.

ne... jamais : *négation de* **déjà** *et de* **toujours**[2]
— Tu as déjà rencontré son mari ?
— Non, je ne l'ai jamais rencontré.

— Je crois que William va toujours dans ce café...
— Mais non, il n'y va jamais, il n'aime pas les cafés.

ne... pas encore : *négation de* **déjà**
— Vous êtes déjà allés chez Karine ?
— Non, pas encore. On y va vendredi.

[1] toujours = encore
[2] toujours = tout le temps

→ROULONS PROPRE !

Dans votre ville, le maire souhaite renforcer le service de bus. Il veut créer deux nouvelles lignes et acheter quatorze nouveaux bus. En revanche, il est contre la création d'une ligne de tramway, moyen de transport écologique. Il avance que le coût de la réalisation est trop élevé et la mise en place très longue. Vous êtes pour le projet du tramway et contre le renforcement du service de bus actuel. Vous écrivez au maire pour protester.

Des sons et des lettres

[n] (peine) ou [ɲ] (peigne)?

42 **A. Écoutez et dites si le son est le même ou différent.**

	1	2	3	4	5	6	7	8
=								
≠								

43 **B. Écoutez et dites si le son [ɲ] se trouve au début, au milieu ou à la fin du mot.**

	1	2	3	4	5	6
début du mot						
milieu du mot						
fin du mot						

44 **C. Écoutez et cochez la case qui convient.**

	1	2	3	4	5	6	7	8
[n]								
[ɲ]								

45 **D. Écoutez et complétez les mots.**

1. Zut ! Ma voiture est en pa.....e !
2. Tu as un pei.....e, s'il te plaît, A.....ie ?
3. Ça, c'est un si.....e.
4. Cette a.....ée, on ira se bai.....er au lac.
5. La médeci.....e ne peut pas tout soi.....er.
6. Ils repei..... la cuisi..... en jau..... .

La Logan de Renault-Dacia, une voiture à moins de 8000 €.

COMMENT DÉPENSER MIEUX ?

On n'achète plus n'importe quoi, n'importe comment et n'importe quand ! Notre budget est fragile, mais on veut quand même avoir un bon cadre de vie... Alors, changeons nos habitudes de consommateurs. Soyons plus responsables, mais restons joyeux ! Il faut faire des choix, découvrir de nouvelles façons d'acheter. Et puis, on échange ses bons plans avec ses amis et ça, c'est convivial !

1 Low cost à l'année

Des voyages aux loisirs en passant par les voitures, avec le succès de la Logan et ses 50 000 modèles vendus en France, plus question de rater la bonne affaire. Voilà pourquoi les magasins d'usine, les promotions, les soldes ne se sont jamais aussi bien portés : on se lâche, surtout dans le textile, remportant à la maison jusqu'à 14 articles, pour un total de 186 €, quitte à modérer ses achats le reste de l'année ! Le gouvernement l'a bien compris, il vient d'octroyer deux semaines supplémentaires de soldes, à la convenance des commerçants, en dehors des mois de juillet et de janvier, afin de redonner un peu de tonus aux ventes.

Ariane Bois, *Avantages*, nov. 2008

2 Internet, l'école des bons plans

On peut désormais comparer les prix d'une cafetière sur dix sites différents, donner son avis éclairé sur des sites de notation, obtenir partout coupons et promotions, vendre sur www.ebay.fr ou www.priceminister.com ce qui traîne dans ses placards ou même faire preuve de solidarité.
Ainsi sur www.solidarshop.com, www.soliland.fr ou www.consom-acteur.com, à chaque achat, 1 à 15 % du prix sont reversés à une association caritative sans que cela nous coûte un centime de plus. Une vraie révolution.

Ariane Bois, *Avantages*, nov. 2008

3 *Radins malins*

Péjoratif le terme de radin ? Plus du tout. C'est même une valeur montante que l'on mutualise allègrement sur des sites internet. Ainsi, chez www.radins.com ou www.radin-malin.fr, on traque tous azimuts les économies à la petite semaine pour mieux les partager avec d'autres internautes. Pleinement assumée, la radinerie devient quasi un acte social. À noter également, l'excellent *Guide du nouveau radin* de la revue *60 millions de consommateurs* (5,90 € vite amortis) qui propose dans tous les domaines (maison, mode, voyages, beauté...) les plans fiables pour dépenser moins.

Ariane Bois, *Avantages*, nov. 2008

ET VOUS?

29 Que pensez-vous de ces nouveaux modes de consommation ? Avez-vous les mêmes évolutions dans votre pays ? Quelles nouvelles attitudes se développent pour dépenser mieux ?

26 Lisez l'introduction, les articles 1 et 2 et répondez : *vrai, faux* ou *on ne sait pas*.

1. À cause de la crise économique, on ne consomme plus, la vie devient triste.
2. Les manières d'acheter ont beaucoup changé.
3. Grâce aux nouveaux modes de consommation, on voit plus d'entraide et de chaleur entre les gens.
4. On note une baisse importante des achats de voitures et de vêtements.
5. En France, on achète toujours autant de maisons et d'appartements.
6. On n'achète plus autant qu'avant pendant la période des soldes.
7. Sur Internet, il existe des sites où on peut vendre et acheter des multitudes de choses.
8. On peut payer plus cher un article sur Internet pour pouvoir aider une association caritative.

46

27 Écoutez les deux personnes. Ci-dessous, retrouvez les changements qu'elles ont effectués dans leur mode de vie pour « dépenser mieux ». Cochez ensuite la colonne qui convient.

	Femme	Homme
1. Préfère circuler à vélo plutôt qu'en voiture.		
2. A changé de mode d'alimentation.		
3. N'a plus de téléphone mobile.		
4. Achète des vêtements sur Internet.		
5. Fait ses courses dans des supermarchés à bas prix.		
6. Voyage grâce à des sites de covoiturage et ne prend plus jamais le train.		
7. Réserve ses vacances sur Internet.		
8. Organise des échanges de vêtements avec des amies.		
9. S'inscrit sur des sites de commandes en groupes pour obtenir les produits moins chers.		

28 Lisez l'article 3 et répondez.

1. Une personne *radin*
☐ aime beaucoup l'argent. ☐ n'aime pas l'argent. ☐ a de l'argent et en donne aux pauvres.
2. Pourquoi est-ce plutôt une qualité, actuellement, d'être radin ? Comment le sens du mot a-t-il évolué ?
3. Quels genres de sites trouve-t-on de plus en plus sur Internet ? Quelle est leur utilité ?

Le pétrole fou !

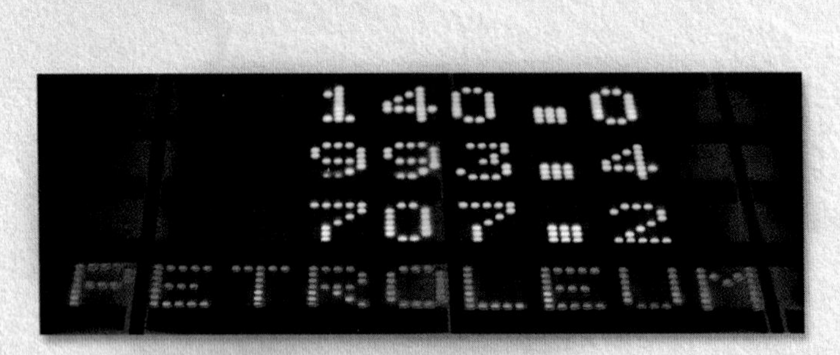

> C'est clair ?

1 a) Écoutez et répondez.

1. De quel type de document s'agit-il ?
2. Quel est le sujet traité ?
3. Quels sont les pays évoqués ?

b) Écoutez à nouveau et répondez.

1. Que s'est-il passé aujourd'hui et où ?
2. Que s'est-il passé lundi et où ?
3. Est-ce la première fois que cela arrive ?
4. Comment expliquer ce qui s'est passé ? Choisissez plusieurs explications.
   - ☐ Les pays producteurs vont peut-être diminuer leur production.
   - ☐ Les pays producteurs vont arrêter leur production.
   - ☐ Il y a des problèmes dans certains pays producteurs.
   - ☐ Il y a des relations difficiles avec certains pays producteurs.
   - ☐ La demande est moins forte.
   - ☐ La demande est plus forte.
   - ☐ Le pétrole devient rare.

2 Écoutez à nouveau le reportage et répondez.

1. Associez vos réponses de l'activité 1b, question 4, à un ou plusieurs pays ou organisations suivants : OPEP, Nigeria, États-Unis, Venezuela, Chine.
2. Dans quelques jours, le prix du pétrole va peut-être baisser. Pourquoi ?

**3 Écoutez l'extrait du document radio.
Trouver un synonyme (=) et un contraire (≠) des mots suivants.**

Augmenter = ... ≠ .....
Augmentation = ... ≠ .....

> Zoom

4 Écoutez ces extraits du reportage et répondez.

1. Quelle expression la journaliste utilise-t-elle pour préciser son explication ?
2. Quel mot utilise-t-elle pour donner un exemple particulier ?
3. Quelle expression Marie Dupin utilise-t-elle pour donner un exemple ?

5 À l'oral, expliquez les mots suivants.

1. un baril de pétrole
2. une rumeur
3. les marchés boursiers
4. les matières premières
5. une pénurie

Des mots pour expliquer

Pour préciser l'explication d'un mot ou d'une phrase, on peut utiliser c'est-à-dire *ou bien* une virgule *(une courte pause à l'oral).*
L'agriculture biologique, **c'est-à-dire** l'agriculture sans produits chimiques, permet de respecter la biodiversité.
Pour perdre des kilos, il faut éviter de grignoter, de manger entre les repas.

Pour expliquer un fait, on donne souvent un exemple. On l'introduit avec par exemple.
Pour consommer moins de pétrole, il y a plusieurs solutions. **Par exemple :** développer l'énergie solaire, utiliser moins sa voiture, etc.

Pour donner un exemple particulier, on peut utiliser le mot notamment.
L'Afrique possède des matières premières en quantité, **notamment** du pétrole.

47

6 a) Écoutez le reportage et complétez le tableau.

événement	mots ou expressions qui introduisent la cause	cause (origine)
La flambée du prix du pétrole.	*plusieurs raisons pour expliquer*	Une rumeur.
L'augmentation du prix du pétrole.		Les tensions qui continuent au Nigeria.
Le Venezuela menace de ne plus livrer de pétrole.		Un conflit commercial.
Le prix du baril va diminuer.		La demande devrait baisser.
Le prix du pétrole va continuer d'augmenter.		Certains pays continuent d'en consommer beaucoup.

événement	mots ou expressions qui introduisent la conséquence	conséquence (résultat)
Le prix du baril a atteint 100 $.	*donc*	Un nouveau record.
La crainte d'une pénurie.		Une hausse des prix.

7 Lisez les phrases et dites ce que le mot, l'expression ou le verbe en gras introduisent : une cause ou une conséquence ?

1. **Comme** l'OPEP n'augmente pas sa production, le prix du pétrole augmente.
2. Va travailler en vélo **puisque** l'essence est trop chère !
3. Dans certains pays, il y a de violentes manifestations **à cause du** prix élevé du pétrole.
4. **Grâce à** l'augmentation du prix du pétrole, on va plus développer l'énergie solaire.
5. Le prix du baril de pétrole augmente, **alors** le prix de l'essence va augmenter aussi.
6. Bientôt, il n'y aura plus de pétrole, **par conséquent** on doit réduire notre consommation.
7. L'augmentation du prix du pétrole **est responsable de** la hausse des prix alimentaires.

8 Répondez.

1. *Parce que, comme, puisque, alors, par conséquent* sont-ils suivis d'une phrase ?
2. *En raison de, à cause de, grâce à* sont-ils suivis d'une phrase ?
3. Dans la phrase 1 de l'activité 7, la personne qui parle connaît-elle la cause ?
4. Dans la phrase 2, la cause est-elle connue, évidente ?
5. Dans la phrase 3, présente-t-on une cause négative ?
6. Dans la phrase 4, présente-t-on une cause positive ?

9 Choisissez l'élément qui convient.

1. Nous sommes bloqués à la gare (grâce à – à cause de – parce que) la grève de la SNCF.
2. Il n'y a pas de vie sur la planète Jupiter (alors – à cause de – puisque) il n'y a pas d'eau.
3. Vous ne pouvez pas entrer au casino (parce que – par conséquent – grâce à) vous êtes en short.
4. Léo a des problèmes en maths (parce que – donc – à cause de) il suit des cours particuliers.

10 Complétez les phrases avec *parce que, puisque, grâce à, à cause de, alors, entraîner.*

1. Je me suis cassé la jambe ..... la neige qui est tombée toute la nuit.
2. ..... aux revenus du pétrole, certains pays africains ont pu réduire la pauvreté.
3. Je dois refaire mon passeport ..... je vais faire des photos d'identité.
4. ..... des revenus du pétrole, la corruption a augmenté dans certains pays.
5. ..... nous vivons plus vieux, nous travaillerons plus longtemps.
6. La démission du premier ministre belge ..... une grave crise politique.

11 → Regardez ces dessins. Décrivez-les puis, à l'oral, imaginez les causes de ces situations et les conséquences. Enfin, écrivez un petit article pour raconter ce qui s'est passé.

Exprimer la cause

Parce que *(pour expliquer la cause)* :
Nous allons au Mali en vacances parce que nous sommes fascinés par la civilisation des Dogons.
Comme *(quand la personne qui parle connaît la cause)* :
Comme les glaciers de l'Antarctique fondent, le niveau des océans va monter aussi.
Puisque *(quand la cause est évidente et connue)* :
Puisque tu es majeur, tu vas pouvoir voter.
À cause de *(pour présenter une cause négative)* : J'ai perdu mon emploi à cause de la récession économique.
Grâce à *(pour présenter une cause positive)* : Grâce à mon augmentation de salaire, je vais m'acheter une voiture neuve plus écologique.
Des verbes et expressions comme **être responsable de, être dû à, il y a des raisons pour**, *etc.* : L'explosion est due à une fuite de gaz.

Exprimer la conséquence

Donc, alors, par conséquent, en conséquence :
Le prix du pétrole a flambé alors le prix de l'essence va augmenter aussi.

Des verbes comme **causer, provoquer, entraîner** :
Un accident a provoqué la mort de douze personnes.

MM. Duffon et Faubert
14, boulevard des Belges
76000 Rouen

Rouen, le 13 mars 2009

Mmes et MM. les locataires
Immeuble Haussman
14, Bd de la Nation
76000 Rouen

Objet : installation de panneaux solaires

Mesdames, Messieurs les locataires,

À la suite de votre courrier, votre demande d'installation de panneaux solaires sur le toit de l'immeuble a été discutée lors d'une réunion le 12 mars 2009 avec des spécialistes. Le prix du chauffage a beaucoup augmenté, c'est vrai, et nous devons souligner que le pétrole, et donc le fioul, ont eux aussi beaucoup augmenté. Dans certains cas, des panneaux solaires peuvent réduire ce coût. Cependant, nous avons le regret de vous annoncer que nous ne pouvons pas répondre positivement à votre demande.

L'installation que vous demandez a fait l'objet d'une étude qui a été réalisée en décembre 2008 par un cabinet spécialisé. Les résultats de cette étude vous seront envoyés prochainement. Ils montrent que l'installation est irréalisable. Il y a plusieurs raisons à cela :

- l'immeuble a été classé monument historique et nous insistons sur le fait que vouloir y apporter des modifications nécessite des autorisations spéciales difficiles à obtenir ;
- le toit n'est pas assez grand pour une installation qui pourrait être rentable pour nous tous (c'est-à-dire que l'électricité produite et vendue à EDF ne peut pas rapporter assez d'argent) ;
- cette installation entraîne une augmentation des loyers puisqu'il faut changer le système de chauffage ;
- le prix des travaux a été estimé à 33 000 euros : trop cher ;
- la baisse du prix du pétrole a été annoncée par certains économistes.

D'autres solutions sont envisagées et la réflexion se poursuit. Attention, pour le moment, économisez l'énergie, surtout dans les parties communes !

Veuillez agréer, Mesdames, Messieurs les locataires, l'expression de nos salutations distinguées.

MM. Duffon et Faubert
Propriétaires

> *C'est clair ?*

12 Lisez la lettre et répondez.

1. Qui a écrit la lettre et à qui s'adresse-t-elle ? Quel est le sujet principal de la lettre ?
2. Pourquoi cette demande a-t-elle été faite ?
3. La réponse à la demande est-elle positive ou négative ? Quel conseil est donné ?

13 Pour justifier leur réponse, les propriétaires donnent cinq raisons. Retrouvez-les.

☐ la prochaine flambée du prix de l'énergie
☐ la hausse du prix de location des appartements
☐ la mauvaise rentabilité des panneaux solaires
☐ le prix élevé des travaux
☐ le refus des autorités
☐ le peu d'ensoleillement
☐ la prochaine diminution du prix du fioul
☐ des démarches administratives complexes

14 Expliquez oralement ces mots extraits de la lettre. Puis, vérifiez avec votre dictionnaire.

a. les charges **b.** le fioul **c.** le loyer **d.** les parties communes

> Comment on dit ?

15 Dans la phrase suivante, l'élément en gras permet d'insister sur un point particulier, de le mettre en avant. Trouvez les éléments qui jouent ce rôle dans les phrases 1 et 2.

Le prix du chauffage a beaucoup augmenté, c'est vrai, et ***nous devons souligner*** *que le prix du pétrole et donc du fioul ont eux aussi beaucoup augmenté.*

1. L'immeuble a été classé monument historique et nous insistons sur le fait que vouloir y apporter des modifications nécessite des autorisations spéciales difficiles à obtenir.
2. Attention, pour le moment, économisez l'energie, surtout dans les parties communes !

(50) **16 Écoutez et indiquez le numéro des phrases dans lesquelles la personne met quelque chose en avant. Relevez comment elle le fait.**

17 Choisissez l'élément qui convient pour commencer chaque phrase.

1. (J'insiste sur le fait que – Je remarquerai) nous devons réunir tous les locataires avant de prendre une décision.
2. (Écoutez bien – On remarquera que) le prix du baril de pétrole continue à baisser.
3. (J'aimerais souligner – Attention) que la réalisation de ces travaux sera très coûteuse.
4. (Soulignons – Signalons que) le fait que notre premier courrier est resté sans réponse.

18 Transformez les phrases de manière à mettre en avant les éléments en gras. Aidez-vous du tableau.

Exemple : *Ce n'est pas normal et* ***nous devons en parler au maire de notre ville.***

→ *Ce n'est pas normal et j'insiste sur le fait que nous devons en parler au maire de notre ville.*

1. Cette entreprise va mal depuis longtemps et **l'arrivée du nouveau directeur n'a rien changé.**
2. Pour protester contre ce projet de réforme de l'école, **il faut tous manifester le 24 juin.**
3. **Nous sommes là devant une question difficile.**
4. **La hausse du prix des produits alimentaires s'explique facilement.**
5. Après un début de saison difficile, **l'équipe vient de remporter cinq victoires consécutives.**

Souligner, mettre en avant

Attention, cette question n'est pas si simple.
Soulignons, remarquons, signalons (le fait) que l'économie du pays se porte mieux.
Il faut souligner, remarquer, signaler (le fait) que...
Je soulignerai, remarquerai, signalerai (le fait) que...
J'insiste sur le fait que l'accord n'est toujours pas signé.

J'AI ÉTÉ AUGMENTÉ !

19 a) Lisez ces phrases extraites de la lettre et transformez-les.

Exemple : a. *Cette étude a été réalisée par un cabinet spécialisé.*
b. *Un cabinet spécialisé a réalisé cette étude.*

1. a. Votre demande d'installation de panneaux solaires sur le toit de l'immeuble **a été discutée** lors d'une réunion.
   b. Nous ..... de votre demande d'installation de panneaux solaires ..... .
2. a. Les résultats vous **seront envoyés** prochainement.
   b. Nous vous ..... les résultats prochainement.
3. a. D'autres solutions **sont envisagées.**
   b. Nous ..... .

b) Répondez.

1. Quel est le sujet du verbe dans chaque phrase a ? Que devient-il dans les phrases b ?
2. Quels sont les compléments du verbe dans chaque phrase ? Que remarquez-vous ?
3. Quel est le temps des éléments en gras ? Quels temps avez-vous utilisés dans les phrases b ? Pourquoi ?
4. Trouvez d'autres phrases à la forme passive dans la lettre et transformez-les de la même manière.

51 **20 Écoutez les titres du journal de 20 heures et dites si le journaliste utilise la forme active ou la forme passive.**

21 Mettez les phrases à la forme passive. Reprenez le sujet (*par* ...).

1. Airbus a construit le plus gros avion transporteur de passagers.
2. En mai 1968, les Français réclamaient un nouvel ordre social.
3. Aujourd'hui, le proviseur présente le nouveau règlement intérieur.
4. En 2014, la ville de Sotchi organisera les Jeux olympiques d'hiver.

22 Mettez les phrases à la forme passive. Ne reprenez pas le sujet.

1. Bientôt, on construira des villes sur la Lune.
2. Un jeune couple oublie son chien sur une aire d'autoroute.
3. L'entreprise va embaucher une nouvelle secrétaire.
4. Les pompiers ont sauvé tous les locataires de l'immeuble.

Le peintre a peint le tableau. **Le tableau a été peint par le peintre.**

La forme passive

La forme passive : « cette étude a été réalisée par un cabinet spécialisé » *s'oppose à la forme active :* « un cabinet spécialisé a réalisé cette étude ».

Emploi : *La forme passive donne plus d'importance à l'objet de l'action qu'au sujet de l'action. En effet, à la forme passive, l'objet devient sujet du verbe.*

Formation : être + *participe passé du verbe :* Des solutions seront envisagées.

Pour indiquer qui fait l'action à la forme passive, on utilise par : « L'avion a été construit par Airbus ».

tâche finale

→ÉCOLO !

Vous êtes préoccupés par les économies d'énergie dans votre établissement. En petits groupes, organisez un débat, proposez des solutions (panneaux solaires, ampoules à économie d'énergie, éoliennes, etc.). Mettez vos idées en commun et choisissez les dix meilleures. Écrivez une affiche qui présente vos solutions et que vous accrocherez dans la salle de cours. Enfin, rédigez une lettre au directeur pour lui expliquer vos solutions.

Des sons et des lettres

[s] (casse), [z] (case), [ʃ] (cache) ou [ʒ] (cage) ?

52 A. Écoutez et dites si vous entendez [s], [z], [ʃ] ou [ʒ].

	1	2	3	4	5	6	7	8
[s]								
[z]								
[ʃ]								
[ʒ]								

53 B. Écoutez et choisissez le mot que vous entendez.

	[s]	[z]	[ʃ]	[ʒ]
1.	☐ sous	☐ zou	☐ chou	☐ joue
2.	☐ sans	☐ zan	☐ chant	☐ gens
3.	☐ casse	☐ case	☐ cache	☐ cage
4.	☐ rossé	☐ rosée	☐ rocher	☐ Roger

54 C. Écoutez et répétez les mots. Comment s'écrivent les sons [s], [z], [ʃ], [ʒ] ?

1. zingage
2. choisir
3. jaser
4. chasser
5. suisse
6. passage
7. souche
8. cerise

55 D. Écoutez et complétez les phrases.

1. Pour réu.....ir une .....au.....e blan.....e, le .....ecret, c'est de cui.....iner avec du beurre .....ans .....el dans une ca.....erole.

2. .....on .....at s'appelle .....an.....ibar. Il est .....entil, mais il se ca.....e .....ouvent sous la ca.....e d'e.....calier pour .....ouer.

Le covoiturage se développe.

PÉTROLE CHER : QUE FAIRE ?

1

Venturi tout électrique

La nouvelle est officielle, et annoncée par un communiqué de la marque : Venturi ouvrira une usine dans la Sarthe.

Cette usine, présentée comme étant un modèle sur le plan environnemental, assemblera notamment un tout nouveau véhicule urbain électrique qui sera présenté au prochain Mondial de l'Automobile. Cette annonce du nouveau véhicule, est particulièrement attendue suite aux déclarations de Gildo Pastor : « Il s'agira d'un véhicule électrique dont l'architecture, les qualités dynamiques et plus généralement le niveau technologique n'ont jamais été atteints ». Venturi explique la création de cette future usine en Sarthe, pour des motifs « historiques », car c'est dans les Pays de la Loire que Venturi a été créé. Mais il faut aussi chercher du côté logistique et pratique, car de nombreux fournisseurs du secteur se situent à proximité.

www.leblogauto.com

2

Roulons à l'huile de friture !

L'idée n'est pas nouvelle, mais elle pourrait devenir très populaire parce que cela revient beaucoup moins cher que le gazole. Pour rouler à l'huile de friture : il faut récupérer de l'huile usagée dans des restaurants par exemple, modifier le moteur diesel de sa voiture, filtrer l'huile et la mélanger avec un peu de gazole. Quand vous roulez, ça sent un peu la friture, mais vous faites de vraies économies ! La facture est divisée par deux ou trois ! C'est économique et il paraît que c'est écologique. La solution ?

ET VOUS ?

27 **Votre pays connaît-il une crise pétrolière ? Si oui, quelles sont les conséquences sur la vie quotidienne des habitants ? Quelles mesures votre pays a-t-il prises pour freiner la crise ? Cela fonctionne-t-il ? Quelles solutions vous paraissent les plus réalisables ?**

56 **23** **Écoutez le reportage sur le covoiturage et répondez.**

1. Dans quel pays le reportage a-t-il été enregistré ?
2. Quels sont les problèmes que rencontrent certaines villes ?
3. Quelle solution envisagent-elles pour développer le covoiturage ?
   a. Utiliser la bande d'arrêt d'urgence quand on est seul en voiture.
   b. Utiliser la bande d'arrêt d'urgence quand on est au moins deux en voiture.
   c. Payer 45 euros pour utiliser la bande d'arrêt d'urgence.
4. Pensez-vous que cette idée soit efficace pour économiser l'énergie ?

24 **Lisez le texte 1 et répondez.**

1. De quelle entreprise est-il question ?
2. Que va fabriquer cette entreprise ?
3. Quelles sont les qualités du produit ?
4. Pourquoi cette entreprise a-t-elle choisi de s'installer dans la Sarthe ?

25 **Lisez le texte 2 et répondez.**

1. Qu'est-ce qu'on utilise pour faire fonctionner sa voiture ?
2. Pourquoi cette idée a-t-elle du succès ?
3. Pensez-vous que ce soit la solution à la crise pétrolière ?

26 **Regardez la publicité et répondez.**

1. Quelle entreprise a commandé le document ?
2. Qu'est-ce que cette entreprise va développer ?
3. Décrivez la publicité : quels mots du texte de la publicité peut-on lier à l'image ?
4. D'après vous, le projet de cette entreprise est-il une bonne solution pour le futur ?

Parlez-moi d'amour...

À quoi tu penses

Si tu me disais à quoi tu penses,
si tu me disais un peu ce que tu veux
De quel côté l'amour se penche,
lorsque les vents te soufflent dans les yeux
Dis-moi où s'arrête et où commence,
l'envie de fuir quand vient l'envie d'être deux
Si tu me disais un peu à quoi tu penses,
on pourrait apprendre à s'apprendre
à vivre... mieux

Parle-moi de tes silences,
dis-moi ce que deviennent les mots
lorsqu'ils ont faim
Raconte-moi comment un cœur
en transhumance, s'y prend pour
ne jamais se tromper en chemin
Dis-moi où s'arrête et où commence,
l'envie d'aimer quand on n'y comprend plus rien
Si tu me disais de quel côté l'amour se penche,
on pourrait apprendre à s'apprendre
à se faire du bien... [...]

Hiripsimé, 2007

> C'est clair ?

57

1 Écoutez la chanson d'Hiripsimé et répondez.

1. Que pensez-vous du style de musique et de la voix de la chanteuse ?
2. Quel est le sujet de cette chanson ? À qui Hiripsimé parle-t-elle ?
3. Regarde-t-elle plutôt vers le passé ou vers l'avenir ?
4. Diriez-vous que c'est une chanson

☐ triste et pessimiste. ☐ gaie et drôle. ☐ optimiste.

57

2 Écoutez de nouveau la chanson et choisissez les cinq affirmations qui s'y rapportent.

1. La chanteuse pense que

☐ l'homme qu'elle aime ne lui parle pas assez de ses sentiments.
☐ leur histoire d'amour ne peut plus durer.
☐ si tous les deux parlaient plus, leur vie serait plus facile.

2. Elle voudrait

☐ que l'homme qu'elle aime lui dise à quoi il pense quand il ne parle pas.
☐ ne plus être triste quand il pleut.
☐ que tous les deux oublient les mauvais souvenirs de leur vie passée.
☐ que tous les deux apprennent à apprécier les beaux moments de la vie.

> Zoom

3 Lisez ces phrases extraites de la chanson et transformez-les au style direct. Quels changements notez-vous ?

Exemple : *Si tu me disais à quoi tu penses.* → *« À quoi penses-tu ? »*

1. Si tu me disais un peu ce que tu veux. → « ..... ? »
2. Dis-moi ce que deviennent les mots lorsqu'ils ont faim. → « ..... ? »
3. Dis-moi où s'arrête et où commence l'envie d'aimer. → « ..... ? »

4 Transformez les phrases au style direct.

Exemples : *Je ne sais pas si vous pouvez venir mardi.* → *« Vous pouvez venir mardi ? »*
Dis-moi ce que tu veux faire ce soir. → *« Qu'est-ce que tu veux faire ce soir ? »*

1. Expliquez-moi où vous habitez exactement.
2. Raconte-moi comment s'est passé ton voyage au Ghana.
3. Si vous me disiez ce que vous cherchez comme style de maison…
4. Je me demande si Jean-Michel et Jérémie ont aimé ce film.
5. Dis-moi pourquoi tu pleures.
6. On ne se souvient plus quand tu dois repartir en Espagne.

5 Transformez ces phrases au style indirect, en utilisant, au choix, les expressions proposées.

j'aimerais savoir – dites-moi – je ne sais pas – explique-moi – je me demande

Exemple : *« Tu fais quoi, ce soir ? »* → *J'aimerais savoir ce que tu fais ce soir.*

1. Qu'est-ce que vous avez mangé au restaurant grec ?
2. Les bureaux de la mairie restent ouverts demain ?
3. Pourquoi elle fait la tête, Marie ?
4. Quand est-ce qu'il revient en France, Marius ?

Rapporter un discours

Il faut :

- *conserver les mots interrogatifs et l'ordre sujet-verbe.*

Où vas-tu ?
→ Il me demande où je vais.

- *supprimer* est-ce que *et ajouter* si.

Est-ce que vous avez faim ?
→ Elle veut savoir si on a faim.

- *remplacer* quoi, que, qu'est-ce que, qu'est-ce qui *par* « ce que » *ou* « ce qui ».

Tu fais quoi ?
→ Il veut savoir ce que je fais.

> Comment on dit ?

6 a) Écoutez et complétez.

1. ....., on pourrait apprendre à s'apprendre à vivre mieux.
2. On partira en voyage cet été, ...
3. ....., couche-toi plus tôt le soir !
4. ....., si vous le souhaitez.
5. Ce serait bien ..... .
6. ..... si j'arrive un peu en retard lundi soir.
7. Si je ne suis pas invité, ...

b) Indiquez les réponses qui conviennent.

1. Le verbe directement placé après *si*, peut être
a. au présent. **b.** au futur. **c.** à l'imparfait. **d.** au conditionnel.
2. L'autre verbe de la phrase peut être
a. au présent. **b.** au futur. **c.** à l'impératif. **d.** au conditionnel.

c) Observez ces deux phrases. À quels temps sont les verbes ? Dans quelle phrase le fait d'offrir un voyage a-t-il le plus de chance d'être réalisé ?

1. *Si je peux, j'offrirai un beau voyage à mes parents.*
2. *Si je pouvais, j'offrirais un beau voyage à mes parents.*

7 Écoutez et relevez les différentes façons d'exprimer l'hypothèse et la condition.

1. : *Imaginez que* 3. : ..... 5. : .....
2. : ..... 4. : ..... 6. : .....

8 Écoutez de nouveau les phrases de l'activité 7 et reformulez toutes les phrases avec *si*. Complétez.

1. Si ..... , qu'est-ce que vous ferez ?
2. Si ..... , elle ne pourrait pas payer son loyer.
3. On ira se promener dimanche, ...
4. Si ..... , elle n'aura pas peur, c'est sûr.
5. Le match sera reporté au 28 juin si ..... .
6. Si ..... , ... !

9 Complétez les phrases avec le verbe proposé à la forme qui convient.

1. Si tu (ne pas pouvoir) ..... venir, appelle-moi !
2. L'environnement serait moins pollué si on (avoir) ..... moins de voitures.
3. On dîne au restaurant si le spectacle (ne pas finir) ..... trop tard ?
4. Qu'est-ce que vous (faire) ..... si votre entreprise ferme dans trois mois ?
5. Qu'est-ce que tu vas offrir à Cécile si elle (t'inviter) ..... à dîner ?

10 → Par groupes, discutez et essayez de répondre à la question.

Cinq couples d'amis partent ensemble en week-end à la campagne : Élisabeth, Anne, Viviane, Michelle, Sophie et Jean-François, Pierre, Philippe, Didier et Laurent. Anne joue au badminton avec Didier, son mari. Viviane et Philippe lisent sous un arbre. La femme de Laurent joue au volley-ball avec le mari de Michelle. Jean-François et Sophie discutent devant un café. On sait que Viviane n'est pas la femme de Jean-François. Qui est la femme de Philippe ?

Exprimer l'hypothèse et la condition

***Avec* si :**
Si + *présent* + *présent ou futur ou impératif*
Si vous ne comprenez pas, demandez des explications !
Si + *imparfait* + *conditionnel présent*
Si tu étais riche, tu ferais quoi de plus ?

Avec deux propositions :
Venez plus tôt, on aura le temps de discuter un peu.

Avec des expressions :
Je viendrai **à condition que**[1] tu sois là.

Imagine que[1] tu sois malade lundi, comment on fera (on ferait) ?
En cas de[2] pluie, le concert sera annulé.
Sans toi, je ne ferais pas ce long voyage.
Avec cette voiture, on arrivera plus vite.

Remarque : si + il(s) = s'il(s)
S'il peut t'aider, il le fera.

1 + subjonctif
2 + nom

J'AIMERAIS, CE SERAIT BIEN...

11 Écoutez. Relevez les formes au conditionnel et indiquez ce que chaque phrase exprime.

l'hypothèse et la condition : ..... une proposition : ..... un conseil : .....
une information incertaine : ..... une demande polie : ..... un souhait : .....

12 Observez les formes que vous avez relevées et les phrases de l'activité 6, puis complétez.

Le conditionnel présent se forme comme le ..... , mais avec les terminaisons de ..... :
..... , ais, ... , ions, ... , aient.

13 Mettez les verbes entre parenthèses au conditionnel présent.

1. Ça te (plaire) ..... de visiter Colmar un de ces jours ?
2. Le président (devoir) ..... atterrir à Quito ce soir.
3. S'ils pouvaient, ils (louer) ..... un appartement plus grand.
4. Est-ce que tu (avoir) ..... deux euros à me prêter, s'il te plaît ?

14 → Imaginez ce que cet homme pense. Lisez le tableau vert, puis complétez le message qu'il écrit à une amie.

Tu sais, je suis fatigué et j'en ai assez de travailler tout le temps. J'aimerais...

Le conditionnel présent

Il se forme comme le futur simple avec les terminaisons de l'imparfait : tu pourr**ais**, nous prendr**ions**.
Il exprime ***une proposition :***
Ça te dirait de voir ce film ?
un souhait :
J'aimerais bien voyager.
un conseil :
Tu pourrais demander de l'aide.
une information incertaine :
Il ferait beau samedi prochain.
une demande polie :
Tu ne voudrais pas m'aider ?
une hypothèse :
Tu viendrais si c'était possible ?

Exprimer l'évidence

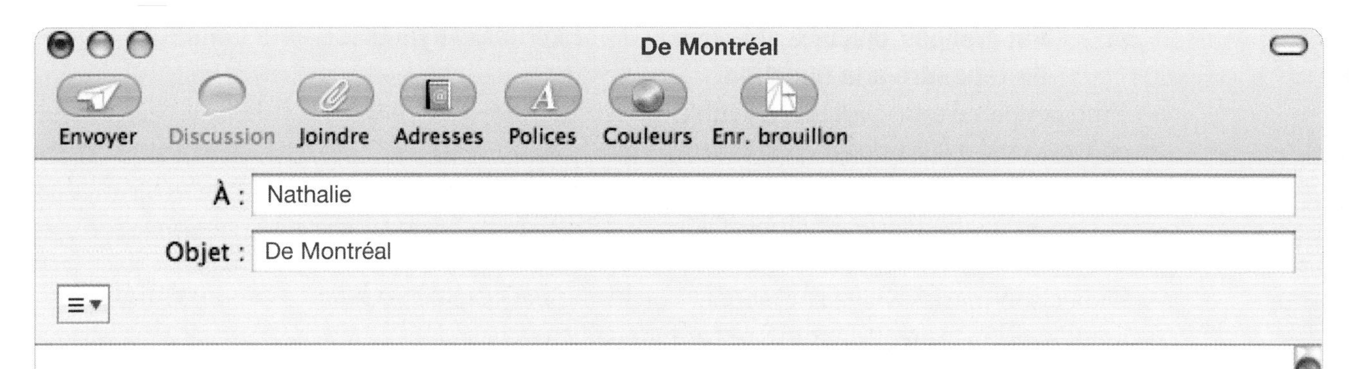

Chère Nathalie,

Le temps passe, déjà deux ans que je suis rentré à Montréal. Ce matin, en rangeant quelques papiers, j'ai retrouvé des quittances de loyer de mon petit appartement de Rouen et j'ai repensé aux trois années passées là-bas. Le Canada me manquait, mais il est certain que j'ai vécu de très beaux moments en France. J'aimais beaucoup l'entente entre les voisins de l'immeuble et c'est avec grand plaisir que je me souviens de toi, bien sûr, mais aussi de Naïma, de Gaël, de Pascale, Pierre et aussi de madame Legay ! Oui, elle était un peu casse-pieds, comme on dit en France, mais il faut admettre qu'elle nous rendait de précieux services. Et puis, je me souviens qu'elle passait toujours l'aspirateur en chantant à tue-tête, elle était drôle !
Maintenant, j'ai une vie très heureuse ici, tu le sais, je suis marié et j'ai une petite fille de sept mois. J'ai repris mon travail de professeur d'arts plastiques et tout va pour le mieux. Et toi, Nathalie ? Comment va la vie ?
Tu sais, même si notre petite histoire n'a pas très bien marché, je garde un excellent souvenir de toi et des moments que nous avons partagés. Je n'ai plus aucune tristesse, aucune amertume et je te considère comme une bonne amie.
Finalement, c'est bien que notre petite histoire ait pris fin.
J'aurais fait une erreur en insistant pour qu'elle continue, il n'y a pas de doute. Il est clair que tu peux venir quand tu veux, Nathalie, et avec qui tu veux, bien sûr !
Alors, penses-y pour les prochaines vacances, on sera ravis de t'accueillir à la maison et de te faire visiter notre belle province de Québec.
Une grosse bise de nous trois et bien le bonjour aux voisins !

Dominique

> *C'est clair ?*

15 Lisez et répondez : *vrai, faux* ou *on ne sait pas.*

1. Dominique écrit une lettre d'amour à Nathalie.
2. Il a quitté la France depuis trois ans.
3. Il a quelques mauvais souvenirs de France.
4. Il n'aimait pas du tout madame Legay, la concierge de l'immeuble.
5. Maintenant, il a une femme et deux enfants.
6. Dominique invite Nathalie au Québec.
7. Cathy, la femme de Dominique, et Nathalie sont de bonnes amies.

> Comment on dit ?

16 a) Dans la phrase suivante, l'élément en gras permet d'exprimer l'évidence. Dans la lettre de Dominique, retrouvez au moins deux autres expressions qui expriment aussi l'évidence.

*Le Canada me manquait, mais **il est certain que** j'ai vécu de très beaux moments en France.*

61 **17 Écoutez et indiquez le numéro des phrases dans lesquelles la personne exprime l'évidence. Relevez comment elle le fait.**

18 → À l'écrit, réagissez positivement ou négativement à ces affirmations. Exprimez l'évidence dans votre réponse.

1. L'économie mondiale va-t-elle bien depuis quelques mois ?
2. Est-ce qu'il faut manger des fruits et des légumes tous les jours ?
3. La pollution sur notre planète est-elle élevée ?
4. Est-il utile de voyager à l'étranger ?
5. Est-il indispensable de parler plusieurs langues ?

19 → Par deux, jouez cette situation.

A et B ont 30 ans environ. Ce sont d'anciens camarades de classe. Ils ne se sont pas vus depuis dix ans et ils se rencontrent dans la rue. A appelle B. D'abord, B ne reconnaît pas A et il lui demande qui il est. A répond et lui rappelle comment ils se connaissent. B ne se souvient pas et, A lui raconte plusieurs souvenirs (leurs copains, leurs professeurs, etc.).
Petit à petit, B se souvient de certains événements, de certaines situations. Enfin, tout devient clair dans sa mémoire et ils discutent.

Exprimer l'évidence

Il est certain / évident que ce climat est rude.
Sa faute est évidente / certaine.
Vos mensonges sont une évidence.
Il n'y a pas de doute, l'équipe de Lyon va gagner.
Il est clair que le président a raison.
Il faut admettre / reconnaître que nous étions heureux.
De toute évidence, Laurent n'a pas envie de venir.

EN PASSANT, EN SORTANT…

20 a) Observez les phrases et dites ce que chaque forme en gras exprime. Associez chaque numéro de phrase à une lettre.

1. *Ce matin,* ***en rangeant*** *quelques papiers, j'ai retrouvé des quittances de loyer de mon petit appartement de Rouen.*
2. *Et puis, je me souviens qu'elle passait toujours l'aspirateur* ***en chantant*** *à tue-tête, elle était drôle !*
3. *Finalement, c'est bien que notre petite histoire ait pris fin. J'aurais fait une erreur* ***en insistant*** *pour qu'elle continue.*

a. Deux actions se déroulent en même temps.
b. La phrase exprime la manière (répond à la question *comment ?*).
c. La phrase exprime la condition (peut être remplacé par *si…*).

b) Récrivez les trois phrases ci-dessus en conservant le même sens et en transformant les formes en gras.

21 Associez les éléments pour obtenir des phrases correctes. Puis dites lesquelles expriment la manière, le temps et la condition.

1. Tu serais plus en forme	a. en voyant cette photo.
2. Christian a revu Lydie samedi,	b. en mangeant.
3. J'ai tout de suite pensé à mon grand-père	c. en travaillant beaucoup plus à la maison.
4. Pauvre Alice, elle est partie	d. en faisant un peu de sport.
5. Ah ! non, je ne bois jamais d'eau	e. en pleurant.
6. Léa a réussi à avoir de meilleurs résultats	f. en allant à la piscine.

22 Transformez les phrases comme dans l'exemple.

Exemple : *Quand j'ai vu Lola, j'ai compris que quelque chose n'allait pas.*
→ *En voyant Lola, j'ai compris que quelque chose n'allait pas.*

1. Si vous travaillez un peu à la maison, vous ferez des progrès plus rapidement.
2. Tu arrives à travailler et à écouter de la musique en même temps ?
3. Ce matin, elle est partie et elle chantait.
4. Il irait mieux s'il prenait les médicaments que son médecin lui a conseillés.
5. Si on travaille plus, on peut gagner plus.
6. Il est parti et il a dit qu'il reviendrait demain.

Le gérondif

Sa forme est invariable.
Formation :
nous écriv~~ons~~ → en écriv**ant** – nous mange~~ons~~ → en mange**ant**
sauf être → en **étant** – avoir → en **ayant** – savoir → en **sachant**

Emplois :
pour exprimer la manière : Il m'a dit bonjour en souriant.
pour exprimer la condition : En écoutant ses conseils, tu réussiras.
pour indiquer que deux actions se font en même temps :
Il ronfle en dormant.

Attention : le gérondif a toujours le même sujet que le verbe de la phrase.
En sortant de la banque, j'ai rencontré Léa.
(**je** suis sorti - **j**'ai rencontré)

→ DÉJÀ LA FIN…

Pour fêter la fin des cours de français et les vacances, vous décidez d'organiser une fête avec vos camarades et vos professeurs. Par petits groupes, parlez du type de fête : dîner au restaurant, chez quelqu'un, à l'école… ou aller danser, etc. Ensuite, écrivez une note pour les autres groupes en exposant vos arguments. Parlez aussi de la possibilité de faire un cadeau à vos professeurs : choix des cadeaux, prix, etc. Discutez du pour et du contre de chaque possibilité.

Des sons et des lettres

Des homophones

A. Lisez le tableau bleu. Ensuite, lisez les définitions et trouvez un homophone à chaque mot.

1. sang – ..... (nombre) – ..... (contraire de *avec*)
2. mer – ..... (maman) – ..... (chef de la ville)
3. cette – ..... (chiffre) – ..... (ville française)
4. sûr – ..... (contraire de *sous*)
5. vingt – ..... (boisson)
6. vers – ..... (pour boire) – ..... (couleur)

B. Choisissez le mot qui convient.

1. Il y a de magnifiques bateaux dans le (pore – port – porc).
2. Le train n°8523, à destination de Paris, gare du Nord, partira de la (voie – voix) 8.
3. Il y a beaucoup de soleil, mets de la crème sur ta (pot – peau) !
4. Tu (peu – peux – peut) me donner un (peu – peux – peut) d'eau, s'il te plaît ?
5. Elle a fait une (parti – partie) de son travail, mais elle n'a pas fini.
6. — Tu es (pré – près – prêt), on y va ?
   — Oui, je t'attends (pré – près – prêt) de la porte !

62 **C. Écoutez et complétez les phrases.**

1. Tu vas ..... pendant les vacances ? À Marseille ..... à Toulon ?
2. À ..... heure est-ce ..... arrive, Sylvie ?
3. On ne ..... jamais si ..... vrai ou si ..... faux.
4. Il a ..... te dire qu'il avait trouvé ..... travail, non ?
5. Je ..... leur présenter tous mes ..... pour cette nouvelle année.
6. ..... ? Mais non, je suis né au ..... d'août !

Les homophones sont des mots qui se prononcent de la même manière, mais qui ont un sens différent.
Il joue dans la **cour**.
Mon pantalon est trop **court**.
J'ai un **cours** de français.

LA VIE EN ROSE

Quel couple êtes-vous ?

Pour certains, vivre en couple, c'est vivre à deux, dans une jolie bulle. Pour d'autres, vivre en couple ne veut pas dire perdre sa liberté. Et vous, comment vous représentez-vous la vie de couple ? Testez-vous en quelques questions.

1. Votre maison ou votre appartement ressemble à…

◆ un endroit confortable que vous avez installé et décoré tous les deux.

★ un espace étrange avec des choses achetées ensemble et d'autres appartenant à chacun.

⊙ vous avez chacun votre appartement, c'est plus simple !

2. Vos amis…

◆ vous n'en avez pas beaucoup, vous êtes tellement bien tous les deux…

★ vous les avez choisis ensemble ou pas, vous sortez tous les deux avec eux et parfois aussi seul(e) avec vos amis.

⊙ dans le couple, chacun a ses propres amis, c'est mieux comme ça.

3. Vos loisirs…

◆ c'est toujours ensemble, sinon pourquoi être en couple ?

★ vous faites ce que vous aimez ensemble, mais chacun peut aussi avoir ses activités personnelles.

⊙ chacun a ses occupations et vous pensez que c'est mieux de ne pas vivre collés l'un à l'autre.

4. Vos vacances…

◆ ce sont de merveilleux moments juste tous les deux…

★ vous partez tous les deux ou avec de la famille ou avec des amis, ça dépend. Il faut changer !

⊙ les vacances, c'est pour se détendre et se faire plaisir, alors, chacun part où il veut avec qui il veut.

5. Votre société vous propose un emploi très intéressant dans une autre région.

◆ Vous ne l'accepterez que si votre compagne (compagnon) a la possibilité de vous suivre et le veut bien.

★ Vous n'avez pas du tout envie de quitter votre ville, vos amis, vos habitudes, mais puisque votre compagne (compagnon) accepte de vous suivre, vous acceptez le poste.

⊙ Vous ne réfléchissez pas longtemps et vous acceptez de partir, seul(e) ou avec elle (lui).

6. Pour son travail, votre compagne (compagnon) doit partir une semaine loin de chez vous.

◆ La séparation va être dure et vous vous téléphonerez deux fois par jour.

★ Une semaine, ça ira, mais plus longtemps, ce serait vraiment difficile à supporter.

⊙ Vous en profitez pour faire la fête avec vos amis et vous pensez qu'être seul(e), ça fait du bien de temps en temps !

7. Vous vivez en couple parce que…

◆ vous n'imaginez pas votre vie sans personne à vos côtés.

★ même si ce n'est pas facile tous les jours, c'est bon d'aimer et de se sentir aimé(e).

⊙ vous êtes ensemble depuis longtemps, alors pourquoi changer maintenant ?

Le mur des "Je t'aime", Montmartre, Paris.

ET VOUS ?

25 Êtes-vous célibataire ? Aimeriez-vous vous inscrire sur un site de rencontres ? Êtes-vous plutôt optimiste ou pessimiste en ce qui concerne les rencontres amoureuses ?

23 Amusez-vous à faire ce test puis lisez vos résultats et comparez-les avec ceux de votre voisin.

63 **24 Écoutez le témoignage de Miguel et Émilie et répondez : *vrai, faux* ou *on ne sait pas.***

1. Miguel et Émilie se sont inscrits sur un site de rencontre parce qu'ils cherchaient l'amour.
2. Avant leur rencontre, Émilie et Miguel n'avaient été intéressés par personne.
3. Miguel a communiqué sa passion de la moto à Émilie.
4. Miguel trouve qu'Émilie a de beaux yeux.
5. Tous les deux parlent espagnol.
6. Leur première rencontre ne s'est pas extrêmement bien passée.
7. Miguel et Émilie préfèrent ne pas faire de projets d'avenir.

RÉSULTATS DU TEST

Vous avez une majorité de ◆
Ensemble, c'est tout !
Pour vous, la vie de couple signifie vivre à deux dans un monde plutôt fermé. S'aimer, c'est beau, mais cela veut-il dire qu'on ne doit plus voir ses amis, qu'on ne doit plus s'intéresser aux autres ? N'avez-vous pas peur qu'après quelques années, cette vie devienne pesante et que vous ayez envie d'autre chose ? Attention, est-ce que ce ne sera pas trop tard ? Réagissez !

Vous avez une majorité de ✳
Toi, moi... et les autres !
Vous vivez heureux à deux mais, pour vous, pas question de ne plus voir vos amis. Vous faites des choses ensemble, d'autres choses séparément et vous vous sentez libre et respecté. Vous êtes un exemple d'équilibre !

Vous avez une majorité de ⊙
Moi d'abord !
Vous vivez en couple, mais vous ne voulez rien changer par rapport à votre vie de célibataire. Auriez-vous peur de cette nouvelle vie ? Ou alors, vivez-vous avec la bonne personne ? À vous de voir...

Autoévaluation 4

JE PEUX INTERAGIR PAR COURRIER

1 Cette lettre comporte huit erreurs dans sa forme. Récrivez-la et corrigez les erreurs.

M. Jacky Fardoux
21, rue des acacias
Nantes 44000
33, boulevard Carnot
44330 Vallet

M. Sylvie Bélanger
33, boulevard Carnot
44330 Vallet

le 12 juin 2010, de Vallet

Cher Monsieur le banquier,

Tu m'as informée que ma nouvelle carte visa est à ma disposition dans votre agence. Merci !
Cependant, suite à un accident de la route, je ne peux pas me déplacer. Pourriez-vous me l'envoyer, s'il vous plaît ?
Je vous remercie d'avance.
À plus

Sylvie Bélanger

> **1**
> ***Comptez 2 points par réponse correcte.***
> ***Vous avez...***
> *– 16 points : félicitations !*
> *– moins de 16 points : revoyez la page 120 de votre livre et les exercices de votre cahier.*

JE PEUX EXPRIMER L'OPPOSITION

2 Choisissez l'élément qui convient.

1. Écoutez mademoiselle, (pourtant – malgré – quand même) la qualité de votre CV, je ne peux pas vous engager.
2. Tu trouves que la concierge est désagréable ? (Malgré – Au contraire – Bien que), elle me dit bonjour tous les matins.
3. Nous allons inscrire Maeva à l'école maternelle (malgré – bien que – quand même) elle n'ait pas encore trois ans.
4. Peut-on partir en croisière (même si – pourtant – en revanche) on ne sait pas nager ?
5. La météo prévoit une petite tempête de neige, mais tu viens (malgré – même si – quand même) ?

> **2**
> ***Comptez 1 point par réponse correcte.***
> ***Vous avez...***
> *– 5 points : félicitations !*
> *– moins de 5 points : revoyez la page 121 de votre livre et les exercices de votre cahier.*

JE PEUX PROTESTER

3 Indiquez les trois phrases où les personnes protestent.

1. C'est génial que tu sois là pour Noël ! Nous sommes enfin tous réunis.
2. Oh ! Il ne manquait plus que ça ! Ils vont ouvrir une décharge dans notre village !
3. Monsieur le maire, vous voulez fermer l'école de musique, eh bien je suis contre votre décision.
4. Je ne suis pas d'accord avec toi, je trouve que l'expo de Patrick Cornée est magnifique.
5. Écoutez, c'est de la faute de votre secrétaire, elle est incapable de noter un rendez-vous !
6. On attend depuis deux heures ! On n'a pas d'informations ! C'est inadmissible !

> **3**
> ***Comptez 1 point par réponse correcte.***
> ***Vous avez...***
> *– 3 points : félicitations !*
> *– moins de 3 points : revoyez les pages 122 et 123 de votre livre et les exercices de votre cahier.*

JE PEUX EXPRIMER LA CAUSE ET LA CONSÉQUENCE

4 Choisissez l'élément qui convient pour compléter chaque phrase.

1. Pour aller à l'aéroport, prenez le métro (alors – puisque – parce que) un taxi va vous coûter cher.
2. C'est son anniversaire, (alors – puisque – comme) je vais lui acheter des fleurs et un petit bijou.
3. Nous sommes en retard (comme – grâce à – à cause de) un accident sur la route.
4. La proposition n'est pas acceptée (à cause de – alors – puisque) tout le monde a voté contre.
5. C'est la crise économique. (Comme – Par conséquent – Puisque), nous allons licencier du personnel.
6. Des scientifiques ont photographié la planète Mercure (grâce à – à cause de – parce que) le satellite Messenger.
7. (Comme – Alors – Par conséquent) on passe devant chez toi, on peut te déposer si tu veux.

4

Comptez 1 point par réponse correcte.
Vous avez...
– 7 points : félicitations !
– moins de 7 points : revoyez les pages 130 et 131 de votre livre et les exercices de votre cahier.

JE PEUX EXPRIMER L'HYPOTHÈSE ET LA CONDITION

5 Mettez le verbe entre parenthèses au temps qui convient.

1. Si Lise voulait changer de ville, on (pouvoir) ..... vivre dans une plus jolie maison.
2. Tu sortiras avec tes copains à condition que tu me (dire) ..... où vous allez.
3. Je (prendre) ..... des congés en juillet si mon directeur m'y autorise.
4. Imagine que nous (ne plus avoir) ..... d'essence, comment on (faire) ..... ?
5. Ah ! Je (acheter) ..... une villa au Maroc si je gagnais au tiercé.

5

Comptez 1 point par réponse correcte.
Vous avez...
– 6 points : félicitations !
– moins de 6 points : revoyez les pages 140 et 141 de votre livre et les exercices de votre cahier.

JE PEUX EXPRIMER L'ÉVIDENCE

6 Retrouvez les trois phrases où les personnes expriment l'évidence.

1. Je ne suis pas sûr de pouvoir venir à votre petite fête, désolé.
2. Dans vingt ans, on habitera sur la Lune, il n'y a pas de doute à ce sujet.
3. Marie-Jo n'est pas rassurée, il fait nuit et Patrick est encore dans les champs.
4. Il est clair que mon expérience à l'étranger a été très positive.
5. Je regrette, mais vous n'avez pas le droit de vous garer ici.
6. Il faut reconnaître, monsieur le ministre, que votre gouvernement n'a pas réglé le problème du logement social.

6

Comptez 1 point par réponse correcte.
Vous avez...
– 3 points : félicitations !
– moins de 3 points : revoyez la page 108 de votre livre et les exercices de votre cahier.

Résultats : ..... points sur 40 points = ... %

PARTIE 1 **COMPRÉHENSION DE L'ORAL**

64 **EXERCICE 1**
Écoutez et répondez.

1. Qu'est-ce que les producteurs de lait ont fait dans les supermarchés ?
2. Qu'est-ce que les producteurs payent plus cher ?
3. Qu'est-ce qui a baissé de 10 % ?
4. Selon le producteur, pourquoi les supermarchés sont-ils responsables ?

65 **EXERCICE 2**
Écoutez et répondez.

1. Combien de professionnels, spécialistes du mariage, étaient présents au salon du mariage ?
   ☐ 50 ☐ 500 ☐ 5000
2. Le premier homme rencontré par Michèle Thauvin dit
   ☐ que les présentations sont très belles, mais qu'elles coûtent cher.
   ☐ qu'il a trouvé le mariage qui lui plaît.
   ☐ qu'il va faire une grande fête avec tout ce qui est proposé.
3. Pour quelles raisons la mariée peut-elle ne pas porter une robe blanche ? (3 réponses demandées)
   1 ..... 2 ..... 3 .....
4. Que trouve-t-on dans un « mariage camarguais » ?
   ☐ des bateaux ☐ des châteaux ☐ des chevaux
5. Que signifie : *nous proposons toute une gamme de produits* ?

PARTIE 2 **COMPRÉHENSION DES ÉCRITS**

Un lieu pour chaque mariage

Selon l'histoire que l'on veut raconter, il existe une multitude de lieux possibles pour organiser son mariage : classique, futuriste, citadin, champêtre, gastronomique, romantique, original...

Romantisme au château : un grand classique
Dans un château du XVIIe ou du XVIIIe siècle, vous pourrez vivre un conte de fée et rêver de princesses et de princes charmants. Vous prendrez votre repas dans des assiettes de porcelaine fine et boirez dans des verres en cristal. Le menu sera constitué de produits nobles, mais traditionnels, et les vins viendront, bien sûr, de grands châteaux. La décoration sera tout en or et en argent avec de grands bouquets de fleurs blanches et la musique sera classique.
Budget : 200 à 250 euros par personne.

Tradition à la ferme : écologique et économique
Les amoureux de la nature seront enchantés par l'ambiance d'une vieille ferme typique de la région. La décoration sera écologique, faite avec des produits recyclables et des fleurs cultivées localement. Le menu proposera des produits issus du terroir, des produits bio ou des produits anciens un peu oubliés.
Budget : il est bon pour la terre et les finances, 50 à 75 euros par personne.

EXERCICE
Lisez le texte sur le mariage et indiquez le lieu qui convient.

1. J'aime beaucoup ce qui est nouveau, l'art moderne, les ambiances originales.
2. Je veux un joli mariage, mais je ne veux pas dépenser beaucoup d'argent.
3. Je voudrais un mariage dans un lieu où je ne pourrai jamais vivre, avec beaucoup de luxe.

Restaurant contemporain : décoration tendance
Oubliez les traditions et soyez à l'avant-garde dans un bâtiment moderne avec un concept décoratif contemporain d'un blanc immaculé, aux lignes claires et épurées. Le menu y est innovant et plutôt japonais. C'est avant tout l'harmonie du style qui compte, même dans le repas, et c'est la ligne du verre qui fait apprécier le vin.
Budget : 75 à 125 euros par personne.

Un air de vacances : mariage à la plage
Gardez l'ambiance de vos vacances et fêtez votre mariage sur une plage privée. La fête sera essentiellement tournée vers la mer. Le meilleur des cuisines méditerranéennes composera le menu. La décoration vous rappellera des moments de vacances et de voyage en bateau. Vous pourrez vous baigner dans une eau chaude et claire à tout moment de la journée.
Budget : 100 à 150 euros par personne.

Croisière en bateau : calme et beauté
Embarquez pour un voyage sur une rivière et une fête ouverte sur la nature avec une décoration qui change à chaque instant et vous permet de découvrir toute la beauté de la région. Vous ne pêchez pas vous-même les produits de votre repas, mais le menu est construit autour de produits de mer et de rivière. L'ambiance est souvent celle des guinguettes du début du XXe siècle.
Budget : 75 à 125 euros par personne.

4. Je voudrais une fête au bord de la mer.
5. Je voudrais, en même temps, faire la fête et faire une visite touristique.
6. J'ai visité tous les pays autour de la mer Méditerranée et j'adore cette partie du monde.
7. Je respecte beaucoup la nature et je voudrais une fête plutôt simple.

PARTIE 3 PRODUCTION ÉCRITE

LETTRE

Vous avez demandé à une entreprise de faire des travaux dans votre appartement. Quand les travaux sont terminés, vous voyez qu'ils ont été mal faits et qu'il y a des problèmes.
Vous écrivez à l'entreprise pour vous plaindre (160 à 180 mots).

PARTIE 4 PRODUCTION ORALE

ENTRETIEN DIRIGÉ

Répondez aux questions de votre professeur.

EXERCICE EN INTERACTION

Vous recevez un appel téléphonique du propriétaire de votre appartement. Il dit que vous n'avez pas payé votre loyer et que vos voisins se plaignent de vous. Il vous demande de quitter l'appartement à la fin du mois prochain. Vous protestez.
Le professeur joue le rôle de votre propriétaire.

MONOLOGUE SUIVI

Dégagez le thème de ce document. Présentez votre opinion sous la forme d'un petit exposé de trois minutes environ.
Votre professeur pourra vous poser quelques questions.

Outils

Précis de phonétique

Du son à l'écriture

on entend	on écrit	exemples
[a]	a – à – e – â	bagages – à – femme – théâtre
[ə]	e – ai – on	chemise – faisais – monsieur
[e]	é – ai – ei	étudiant – mairie – peiner
[ɛ]	è – ê – ai – ei	mère – fenêtre – maison – reine
[œ]	eu – œu – œ	heure – sœur – œil
[ø]	eu – œu	deux – vœux
[i]	i – î – y – ï	lire – dîner – recycler – Saïd
[ɔ]	o – oo – u	école – alcool – maximum
[o]	o – ô – au – eau	dos – drôle – restaurant – chapeau
[y]	u – û	nul – sûr
[u]	ou – où – aoû	rouge – où – août
[ɛ̃]	in – im – ain – aim – ein yn – ym – un – um en – (i)en	fin – simple – copain – faim – peinture syntaxe – sympa – brun – parfum examen – bien
[ɑ̃]	an – am – en – em	orange – lampe – enfant – temps
[ɔ̃]	on – om	bon – nom
[j]	i – y i + l *ou* i + ll	hier – yeux travail – travaille
[w]	ou – oi – w	oui – moi – week-end
[ɥ]	u (+ i)	lui
[b]	b	bonjour
[d]	d	date
[f]	f – ph	finir – photo
[g]	g – gu	gare – dialogue
[k]	c – k – qu – ch	café – kilo – qui – chorale
[l]	l	lire
[m]	m	madame
[n]	n	nord
[ɲ]	gn	gagner
[p]	p – b (+ s)	page – absent
[ʀ]	r	rire
[s]	s – ss – c – ç – t (+ -ion)	salut – adresse – centre – garçon – natation
[z]	z – s – x	magazine – rose – sixième
[ʃ]	ch – sh – sch	chocolat – shampoing – schéma
[ʒ]	g – ge – j	imagine – mangeons – jaune
[t]	t – th	terre – thé
[v]	v – w	vite – wagon
[ks]	cc – xc – x	accepter – excellent – expliquer
[gz]	x	exemple

Prononciation : les voyelles

[i] ex : jol**i**	langue très en avant	bouche souriante, presque fermée
[y] ex : sal**u**t	langue très en avant	bouche presque fermée, arrondie
[e] ex : **é**tude	langue en avant	bouche peu ouverte
[ɛ] ex : f**ai**re	langue en avant	bouche ouverte
[a] ex : l**a**	langue en avant	bouche très ouverte
[ə] ex : l**e**	langue en avant	bouche peu ouverte
[œ] ex : n**eu**f	langue en avant	bouche ouverte, arrondie
[ø] ex : bl**eu**	langue très en avant	bouche un peu ouverte, arrondie
[ɔ] ex : p**o**mme	langue un peu en arrière	bouche ouverte, arrondie
[o] ex : m**o**t	langue en arrière	bouche ouverte, très arrondie
[u] ex : j**ou**r	langue très en arrière	bouche peu ouverte, très arrondie
[ɛ̃] ex : v**in**	langue en avant	bouche ouverte, souriante
[ɑ̃] ex : d**an**s	langue un peu en arrière	bouche très ouverte, arrondie
[ɔ̃] ex : p**on**t	langue en arrière	bouche peu ouverte, très arrondie

Prononciation : les consonnes

on entend				on écrit	exemples
[t]		La pointe de la langue est en contact avec la pointe des dents du haut.	Les cordes vocales ne vibrent pas.	*t*, *th*	**t**erre, **th**é
[d]		La pointe de la langue est en contact avec la pointe des dents du haut.	Les cordes vocales vibrent.	*d*	**d**onne
[p]		Les deux lèvres sont en contact, puis se séparent.	Les cordes vocales ne vibrent pas.	*p*, *b (+s)*	**p**ère, a**b**solument
[b]		Les deux lèvres sont en contact, puis se séparent.	Les cordes vocales vibrent.	*b*	**b**oire
[k]		La langue est en contact avec les dents du bas. Le dos de la langue est relevé.	Les cordes vocales ne vibrent pas.	*c*, *k*, *qu*, *ch*, *x*	é**c**rire, **k**ilo, **qu**el, te**ch**nique, ta**x**i
[g]		La langue est en contact avec les dents du bas. Le dos de la langue est relevé.	Les cordes vocales vibrent.	*g*, *gu*, *x*, *c*	re**g**arde, dialo**gue**, e**x**ercice, se**c**ond

on entend			on écrit	exemples
[f]	Les dents du haut sont légèrement en contact avec la lèvre du bas.	Les cordes vocales ne vibrent pas.	*f*, *ph*	en**f**in, **ph**armacie
[v]	Les dents du haut sont légèrement en contact avec la lèvre du bas.	Les cordes vocales vibrent.	*v*, *w*	en**v**ie, **w**agon
[s]	La pointe de la langue est en bas.	Les cordes vocales ne vibrent pas.	*s*, *ss*, *c*, *ç*, *t(+ -ien, -ion)*, *x*	**s**ortir, pa**ss**er, pla**c**e, gar**ç**on, pa**t**ient, rela**t**ion, ta**x**i
[z]	La pointe de la langue est en bas.	Les cordes vocales vibrent.	*z*, *s*, *x*	maga**z**ine, ro**s**e, deu**x**ième, e**x**ercice
[ʃ]	La langue est en haut, assez en avant.	Les cordes vocales ne vibrent pas.	*ch*, *sh*, *sch*	diman**ch**e, **sh**ampoing, **sch**éma
[ʒ]	La langue est en haut, assez en avant.	Les cordes vocales vibrent.	*g*, *ge*, *j*	ima**g**ine, man**ge**ons, **j**ambe
[l]	La pointe de la langue vient se coller en haut et en avant.		*l*	**l**it

on entend				on écrit	exemples
[ʀ]		La pointe de la langue est en bas et en avant, en contact avec les dents d'en bas. La langue ne bouge pas.		*r*	mè**r**e
[m]		Les deux lèvres sont en contact.	Un peu d'air passe par le nez.	*m*	**m**onsieur
[n]		La langue est en contact avec la pointe des dents du haut.	Un peu d'air passe par le nez.	*n*	fi**n**ir
[ɲ]		La langue est en contact avec les dents du bas. Le dos de la langue est relevé.	Un peu d'air passe par le nez.	*gn*	ga**gn**er
[j]		La langue est en avant et en bas. Le dos de la langue est relevé.	La bouche est arrondie.	*i*, *y*, *i + l* ou *i + ll*	m**i**eux, **y**eux, trava**il**, fi**ll**e
[ɥ]		La langue est en bas et très en avant. Le dos de la langue est un peu relevé.	La bouche est arrondie.	*u (+i)*, *u (+é)*	n**u**it, b**u**ée
[w]		La langue est très en arrière et le dos est relevé.	La bouche est arrondie.	*ou*, *oi*, *w*	**ou**i, t**oi**, **w**eek–end

Précis de grammaire

LES PRONOMS COMPLÉMENTS

1. En et y
> pages : 36, 69, 95

a) Pour remplacer des compléments introduits par **de** *et* **à** *:*
En *remplace un complément du type «* **de** *quelque chose ».*
Tu as bien profité **de tes vacances** ? → Ah ! oui, j'**en** ai vraiment profité !
Vous avez parlé **de cette question** ? → Non, on n'**en** a pas parlé.

Y *remplace un complément du type «* **à** *quelque chose » ou «* **à** *faire quelque chose ».*
Tu as pensé **à rappeler la banque** ? → Oui, j'**y** ai pensé, c'est fait.
Faites attention **aux voitures** ! → On **y** fait toujours attention.

b) Pour exprimer le lieu :
Vous n'allez plus **à vos cours de théâtre** ? → Si, j'**y** vais le lundi soir.
Tu as pris rendez-vous **chez** ton médecin ? → Oui, j'**y** vais demain.
Non, on ne part pas en Italie, on arrive **d'**Italie. → On **en** arrive.

c) Pour reprendre une idée déjà exprimée et éviter les répétitions :
On pourrait **dîner dans un petit restaurant** ? J'**en** ai envie. *(avoir envie* **de***)*
Je ne sais pas encore **si je prendrai mes vacances en août.** Je n'**y** ai pas réfléchi. *(réfléchir* **à***)*

2. Les doubles pronoms
> page : 36

a) Phrases déclaratives :

Louis	me te nous vous	le la les	donne

Louis ne **te le** donne pas.
Louis **te l'**a donné.
Louis ne **te l'**a pas donné.

Louis	me te le la les nous vous	y	retrouvera

Louis **nous y** a retrouvés à midi.
Louis **ne nous y** a pas retrouvés à midi.

Louis	le la les	lui leur	donne

Louis ne **le lui** donne pas.

Louis	me te lui nous vous leur	en	donne

Louis ne **lui en** donne pas.
Louis **vous en** a donné.
Louis ne **leur en** a pas donné.

b) Phrases impératives :

Donne	-le -la -les	-moi -nous -lui -leur

Donne	-m' -nous -lui -leur	-en -en -en -en

c) Phrases négatives :
La construction est la même que celle des phrases déclaratives : Ne le leur dites pas. • Ne m'en parle plus. • Ne les lui donnez pas.

LES PRONOMS

1. Les pronoms démonstratifs

> page : 88

	MASCULIN	FÉMININ
singulier + -ci / -là + de… + *pronom relatif*	Ce garçon, cet homme → celui Ce garçon-là → celui-ci / celui-là Celui de Paris. Celui qui travaille avec moi.	Cette femme → celle Cette femme-là → celle-ci / celle-là Celle de Paris. Celle qu'on a croisée hier soir.
pluriel + de + *pronom relatif*	Ces livres → ceux Ces livres-ci → ceux-ci / ceux-là Ceux de la bibliothèque. Ceux que tu veux lire.	Ces maisons → celles Ces maisons-ci → celles-ci / celles-là Celles de ma rue. Celles où mes voisins habitent.
Cela (= ça à l'oral et le plus souvent en français standard) *reprend une phrase ou un groupe de mots :* J'ai déjà entendu tout cela. • Théo n'est pas encore là ; cela m'inquiète. • Ne dis pas ça, s'il te plaît !		

2. Les pronoms possessifs

> page : 13

	SINGULIER		PLURIEL	
	masculin	**féminin**	**masculin**	**féminin**
C'est à moi. C'est (ce sont)…	le mien	la mienne	les miens	les miennes
C'est à toi. C'est (ce sont)…	le tien	la tienne	les tiens	les tiennes
C'est à lui / à elle. C'est (ce sont)…	le sien	la sienne	les siens	les siennes
C'est à nous. C'est (ce sont)…	le nôtre	la nôtre	les nôtres	
C'est à vous. C'est (ce sont)…	le vôtre	la vôtre	les vôtres	
C'est à eux / à elles. C'est (ce sont)…	le leur	la leur	les leurs	

3. Les pronoms interrogatifs

> page : 88

	SINGULIER	PLURIEL
MASCULIN	– Passe-moi **un CD**, s'il te plaît. – **Lequel** ?	– J'ai rencontré **tes amis**, ils sont très sympas. – **Lesquels** ? Florence et Patrick ?
FÉMININ	– J'adore cette **lampe**. – **Laquelle** ? La petite ?	– Je voudrais **des fraises**, s'il vous plaît. – Oui. **Lesquelles** voulez-vous ?

LES TEMPS

1. Le passé composé

> pages : 16, 52

On l'utilise pour parler d'une action ou d'un événement passés et achevés au moment où on parle.
Formation : verbe* avoir *ou* être* + *participe passé du verbe
J'ai eu très peur.
Elles sont parties à Nairobi.
* *verbes qui se conjuguent avec* **être** *au passé composé :* aller, venir, entrer, sortir, arriver, partir, naître, mourir, monter, descendre, passer, tomber, rester, retourner, apparaître *ainsi que les verbes de la même famille* (devenir, remonter...) *et tous les verbes pronominaux* (se laver, s'appeler, se lever, *etc.*)
Ils se sont couchés à minuit.
Voir aussi les particularités page 165.

2. L'imparfait

> page : 16

On l'utilise pour
- parler d'une action ou d'un événement qui est en train de se dérouler dans le passé :
Il faisait chaud et j'attendais le bus.
- exprimer une habitude passée :
Quand Jules travaillait à Paris, il prenait le train à 7 heures tous les jours.
***Formation : on supprime* –ons *du verbe conjugué à la 1re personne pluriel* (nous) *du présent, puis on ajoute les terminaisons de l'imparfait :* ais, ais, ait, ions, iez, aient (nous finissons → finiss~~ons~~ → je finissais, *etc.*).**
***Sauf* être → j'étais, nous étions.**

3. Passé composé ou imparfait ?

Quand deux faits sont simultanés :
Je sortais de chez moi quand j'ai rencontré Luc et Marianne.
On ne connaît pas les limites de la première action (l'action de sortir peut se situer avant, pendant ou après la rencontre), alors que la rencontre s'est déroulée à un moment précis du passé et est achevée. L'imparfait décrit le décor ; le passé composé place l'action au premier plan.

4. Le plus-que-parfait

> page : 59

Il exprime l'antériorité d'un événement par rapport à un autre événement passé (qui est donné à l'imparfait ou au passé composé).
Formation :* être *ou* avoir *à l'imparfait* + *participe passé du verbe.
Il ne m'a jamais dit qu'il **avait vécu** à l'étranger.
Je savais que mes parents **avaient organisé** une surprise pour moi.

5. Le passé récent

> page : 11

Il décrit une action qui a été réalisée il y a très peu de temps.
Formation :* venir + de + *infinitif.
Monsieur Langlois **vient** juste **de** partir, c'est dommage.
Elle venait de rentrer chez elle quand le téléphone a sonné.

LES MODES

1. Le subjonctif

> pages : 26, 72

Le subjonctif décrit quelque chose qui n'est pas réalisé (souhait, volonté, doute, etc). On le trouve le plus souvent après les expressions qui traduisent un jugement ou un sentiment.

	UN JUGEMENT OU UN SENTIMENT	EXEMPLES
verbes	Je voudrais, je regrette, je préfère, je déteste, j'aimerais…	Je voudrais que tu connaisses mes amis. Tu préfères qu'on prenne ma voiture ?
expressions impersonnelles	Il est important, il est bon, ça me plaît, il faut, il est nécessaire…	Il faut que vous veniez à la maison. Il est important que vous puissiez y aller.
adjectifs	Je suis content, heureux, surpris, désolé, triste…	Je suis content que tu sois là. Elle est désolée que tu ne l'aies pas rappelée.

On trouve aussi le subjonctif après certaines locutions comme pour que, afin que, bien que, jusqu'à ce que, *etc.*
J'ai expliqué une deuxième fois **pour qu'**il comprenne bien.

Formation : on supprime **–ent** ***au verbe conjugué au présent à la 3e personne du pluriel*** **(ils)*, puis, pour*** **je, tu, il, elle, ils, elles, *on ajoute les terminaisons du présent de l'indicatif.* (ils prennent → prenn~~ent~~ → je prenne, *etc.*)**
Pour **nous et vous, *on supprime* –ons *à la 1re personne du pluriel* (nous)*, puis on ajoute* ions *et* iez.**

INDICATIF PRÉSENT	SUBJONCTIF PRÉSENT
ils prenn~~ent~~	je prenn**e** tu prenn**es** il prenn**e** ils prenn**ent**
nous pren~~ons~~	nous pren**ions** vous pren**iez**

2. Le conditionnel

> page : 141

Le conditionnel est utilisé pour exprimer :
- *une demande polie :* Je voudrais un grand café, s'il vous plaît.
- *un souhait :* J'aimerais faire le tour du monde.
- *une proposition :* Vous voudriez qu'on invite aussi les Mercier ?
- *une information non confirmée :* Le résultat du vote serait contesté.
- *un conseil, une suggestion :* Tu pourrais proposer à Julie de venir aussi ?
- *une hypothèse :* Si tu mangeais plus sainement, tu serais moins fatigué.

Formation : il se forme comme le futur (à partir de l'infinitif) et avec les terminaisons de l'imparfait.

LES RELATIONS LOGIQUES

1. Le but

> pages : 25, 35

Pour (+ *infinitif*) : Je suis là pour vous aider.
Pour que (+ *subjonctif*) : J'ai insisté pour qu'il voie que j'étais motivée.
Afin de (+ *infinitif*) : Nous nous réunirons le 27 juin afin d'étudier la question.
Afin que (+ *subjonctif*) : Parlez fort afin que tout le monde puisse vous entendre.

Expressions diverses :
La semaine prochaine, je commence le sport, **c'est décidé** !

Expression + infinitif : **avoir l'intention de, décider de, penser, vouloir.**
Je pense partir vivre une année au Mexique après mes études.

2. La cause

> page : 131

Parce que : Il sourit parce qu'il vient d'apprendre une excellente nouvelle.
Puisque : Puisque tu ne veux pas sortir, je vais me promener tout seul.
Explique-lui puisqu'il te le demande !
Comme : Comme vous connaissez la maison, vous savez où vous pouvez vous laver les mains.
À cause de : Elle ne peut pas venir à cause des horaires de train.
À cause de ce coup de téléphone, je suis arrivé en retard à mon cours de chant.
Grâce à : J'ai passé de très bonnes vacances grâce à toute ma famille.

Expressions diverses :
Ce mauvais résultat **est dû à** un petit manque de travail.
L'augmentation du prix du pétrole **est responsable de** la hausse des prix.
Il y a des raisons pour expliquer ce changement.
Je n'ai pas pu venir **en raison du** mauvais temps et de la neige sur les routes.

3. La conséquence

> pages : 130, 131

Donc : Mon mari n'est pas là, il faudrait donc que vous rappeliez un peu plus tard.
Alors : C'est le printemps, alors j'organise une petite fête samedi.
Par conséquent : Je n'ai pas assez travaillé, par conséquent, je n'ai pas réussi mon test.
En conséquence : Il a bien répondu, en conséquence, il peut rejouer demain.

Verbes divers :
Cette maladie **a entraîné** une grosse fatigue.
Le mauvais temps **a causé** quelques accidents sur les routes françaises.
Cette drôle de remarque **a provoqué** les rires des invités.

4. La condition et l'hypothèse

> pages : 140, 141

	impératif	
Si + *présent* +	*présent*	= *l'hypothèse peut se réaliser.*
	futur	

Si vous pouvez, venez demain vers 9 heures.
Si tu as un peu temps, je veux bien prendre un thé avec toi cet après-midi.
Si tu n'as pas envie de sortir, nous resterons à la maison.

Si + *imparfait* + *conditionnel présent* = *l'hypothèse a peu de chances de se réaliser.*
Si je pouvais, je voyagerais beaucoup plus souvent.

Expressions diverses :
En cas de doute, consultez votre médecin.
Imagine que vous ne puissiez pas revenir, qu'est-ce que vous feriez ?
En cas de mauvais temps, le repas sera pris dans la salle des fêtes.
Je suis d'accord, **à condition que** tout le monde vienne avec moi.
Avec un peu plus de patience, vous pouvez réussir.
Sans toi, je ne pourrais pas faire tout ça.

5. L'opposition

> page : 121

Pourtant : Il n'arrive pas, pourtant je lui ai confirmé notre rendez-vous par téléphone.
Quand même : Je n'ai pas très envie d'y aller, mais j'irai quand même.
En revanche, par contre *(à l'oral)* : Le directeur n'était pas là, par contre, on a pu voir son adjoint.
Au contraire : Elle déteste rester à la maison, au contraire, elle adore sortir et faire la fête.
Bien que : Bien qu'on se connaisse depuis peu, Jean-Michel m'a invitée à son anniversaire.
Même si : J'irai à la piscine demain même s'il pleut.
Alors que : Elle est triste et ne va pas bien, alors qu'elle a tout pour être heureuse.
Malgré : Malgré son excellent CV, Pierre ne trouve pas de travail.

6. La comparaison

> pages : 48, 49

① *Le comparatif pour :*

a) Comparer des adjectifs et des adverbes

moins (-) aussi (=) plus (+)	+ *adjectif ou adverbe* (+ que)	Ma femme conduit **plus** vite **que** moi.

b) Comparer des noms

moins **de** (-) autant **de** (=) plus **de** (+)	+ *nom* (+ que) (+ de)	Il y a **moins de** femmes **que d'**hommes ici.

c) Comparer des verbes

verbe +	moins (-) autant (=) plus (+)	(que)	Léo s'amuse **autant qu'**il travaille.

Exceptions :
Bon(ne)(s) → Meilleur(e)(s)
Oui, c'est un **bon** livre mais celui-là est **meilleur**.

Bien → mieux
Naïma parle **bien** anglais mais Audrey parle **mieux**.

② *Le superlatif*

Le plus *ou* le moins + *adjectif ou adverbe*
Mon appartement est **le plus** grand de l'immeuble.
Je suis toujours **la moins** grande de ma classe !
C'est Éric qui nage **le plus** vite de l'équipe.

Bon(ne)(s) → le (la, les) meilleur(e)(s)
Ah ! oui, elle est **bonne** la tarte aux pommes de maman. C'est **la meilleure** de toutes !

Bien → le mieux
C'est Nadia qui comprend **le mieux**.

Mauvais(e)(s) → le (la, les) plus mauvais(e)(s), le (la, les) pire(s)
C'est **la pire** des erreurs.

LA PHRASE

1. La phrase interrogative

> pages : 22, 23

a) Cas particuliers des phrases avec l'inversion sujet-verbe (Voulez-vous... ? As-tu... ?) :

Entre deux voyelles, on ajoute un « t » pour faciliter la prononciation.
Que mange-**t**-il ? Partira-**t**-il avec nous ? Où va-**t**-elle ?

Quand le sujet est un nom, il faut ajouter un pronom sujet dans la question :
Karine est-**elle** revenue de son voyage ? **Pierre** viendra-t-**il** ce soir ? **Ton frère** est-**il** là ?

b) **Qu'est-ce qui, qu'est-ce que...**
– Qui est ce qui va venir à la réunion ?
– Madame Devanne.

– Qu'est ce qui ne marche pas ?
– L'ordinateur portable.

– Qui est ce que tu vas rencontrer ?
– Le directeur.

– Qu'est ce que tu veux ?
– Les clefs de la maison.

2. La phrase négative
> pages : 33, 35

Négation de et *ou de* ou : **ne… ni… ni**
Désolée, mais je **n'**aime **ni** le café, **ni** le thé.
On **n'**a **pas** le temps **ni** l'argent.

Négation de encore *et de* toujours : **ne… plus**
– Tu veux **encore** un peu d'eau ?
– Ah ! non, merci, je **n'**ai **plus** soif.

– Béatrice habite **toujours** dans l'Ardèche ?
– Non, elle **n'**habite **plus** là-bas, elle est revenue à Paris.

Négation de toujours (= tout le temps) *et de* déjà : **ne… jamais**
– Beaucoup de gens regardent **toujours** la télévision en mangeant. Vous aussi ?
– Non, pas du tout, on **ne** regarde **jamais** la télévision !

– Tu es **déjà** allé en Asie ?
– Non, je **n'**y suis **jamais** allé.

Négation de déjà : **ne… pas encore**
– Tu as **déjà** vu mes photos d'Australie ?
– Non, tu **ne** me les a **pas encore** montrées.

Ne… que *pour exprimer la restriction.*
38 euros ? Oh, je **n'**ai **que** 30 euros !

3. Le discours rapporté
> page : 139

Rapporter les propos de quelqu'un entraîne des transformations sur la phrase.
« Je partirai vers 10 heures » → Il dit **qu'il** partira vers 10 heures.
« **Qu'est-ce que** vous faites ? » → Il me demande **ce que** je fais.
« Tu vas bien ? » → Il veut savoir **si** je vais bien.
« Vous habitez **où** ? » → Il nous demande **où** nous habitons.

PARTICULARITÉS

1. L'accord du participe passé
> page : 52

a) *avec* être :
Le participe passé s'accorde en genre et en nombre avec le sujet :
Nous sommes arrivé**s** très tôt, ce matin.
Elles étaient rentré**es** là sans autorisation.
b) *avec* avoir :
Pas d'accord du participe passé si la phrase ne comporte pas de complément d'objet direct ou si le complément d'objet direct est placé après le verbe :
Nous avons adoré ces fromages. • Tu as pris de belles photos. • Ils ont lu tous ces livres.

Accord en genre et en nombre **avec le complément d'objet direct** *s'il est placé avant le verbe :*
Vous les avez aimé**s**, ces fromages ?
Les photos que tu as prises sont très réussi**es**.
Quels livres ont-ils lu**s** pendant les vacances ?
Lesquelles avez-vous pris**es** ?

2. Le gérondif

> page : 144

Il peut servir à
a) indiquer que deux actions se passent en même temps.
Elle parle **en dormant**, je t'assure !
J'aime bien lire le journal **en prenant** mon petit-déjeuner.
b) exprimer l'hypothèse.
En écoutant les conseils de ton médecin, tu vas guérir rapidement.
Vous ne rencontrerez pas l'homme de votre vie **en restant** chez vous !
c) exprimer la manière.
Elle est arrivée **en courant.**
Il est rentré de l'école **en pleurant.**

Il est invariable et se forme sur le radical du verbe au présent avec nous :
Nous part~~ons~~ → en part**ant** • nous finiss~~ons~~ → en finiss**ant** • nous pren~~ons~~ → en pren**ant**
Exceptions : **être → en étant • avoir → en ayant • savoir → en sachant**
Le gérondif doit toujours avoir le même sujet que le verbe principal.

3. La forme passive

> page : 134

Elle permet de mettre en valeur le complément direct d'un verbe.
Formation : **être** ***au temps désiré + participe passé***
Le complément peut être exprimé (phrase a) et introduit par par *ou non (phrase b).*
a) Les citoyens **élisent** le président de la République.
Le président de la République **est élu par** les citoyens.
b) On **annoncera** le nom du gagnant du jeu à 18h30.
Le nom du gagnant du jeu **sera annoncé** à 18h30.

Attention *à l'accord du participe passé :* Les places du concert annulé ont été rembours**ées**.

4. La mise en relief

> page : 108

On utilise la mise en relief pour donner plus d'importance à un élément de la phrase :
Isabelle a invité tous les amis. → C'est **Isabelle** qui a invité tous les amis.
J'ai téléphoné **à la directrice.** → C'est **à la directrice** que j'ai téléphoné.
J'ai besoin **de votre signature.** → C'est **de votre signature** que j'ai besoin.

J'aimerais **vivre à l'étranger.** → Ce que j'aimerais, c'est **vivre à l'étranger.**
L'art contemporain me plaît beaucoup. → Ce qui me plaît beaucoup, c'est **l'art contemporain.**

Lexique plurilingue

français	anglais	espagnol	portugais	chinois	arabe
A					
à l'appareil	on the phone	al aparato	ao telefone	电话中的是...	على الخط
à temps partiel	part-time	a tiempo parcial	a meio tempo	部分时间的，兼职的	نصف دوام
à tue-tête	at the top of one's voice	a voz en grito	em coro	声嘶力竭地	بأعلى صوت
accident, m.	accident	accidente	acidente	车祸	حادث مروري
accuser réception	acknowledge receipt	acusar recibo	aviso de recepção	收到，领到	تأكيد الاستلام
acquérir	to acquire	adquirir	adquirir (des connaissances)	获得	تحصيل
admettre	to admit	admitir	admitir	接纳，允许	قَبِلَ بـ
administration, f.	administration	administración	administração	政府部门	إدارة
admirer	to admire	admirar	admirar	赞美，钦佩	أعجب بـ
aérien	aerial	aéreo	aéreo	空气的，轻盈的，航空的	جوي
affaire, f.	incident	asunto	afazer	事件，案件	قضية
agile	nimble	ágil	ágil	灵活的	خفيف الحركة
agneau, m.	lamb	cordero	anho	羔羊	خروف
agriculture, f.	agriculture	agricultura	agricultura	农业	زراعة
ailleurs	elsewhere	en otra parte	algures	在其它地方	في مكان آخر
ainsi	so	así	assim	这样，因此	بالتالي
allumer	to light	encender	acender	点燃	أشعل
alors	then	entonces	então	当时，那么	عندئذ
alourdir	to lighten	recargar	pesar	加重，使沉重	أثقل
ambition, f.	ambition	ambición	ambição	野心，抱负	طموح
améliorer	to improve	mejorar	melhorar	改善，改良，改进	حسّن
amertume, f.	bitterness	amargura	amargura	苦涩，失望	مرارة
amicalement	best regards	con cariño	amigavelmente	友好地，亲切地	تحية ودية
ampoule, f.	bulb	bombilla	ampola	灯泡	مصباح كهربائي
annuel	annual	anual	anual	每年的	سنوي
annuler	to cancel	anular	anular	取消，使无效	ألغى
apparaître	to appear	aparecer	aparecer	出现，显现	ظَهَرَ
appel, m.	call	llamada	chamada	一通电话	مكالمة
apprécier	to appreciate	apreciar	apreciar	爱好，重视	استحسن
approbation, f.	approval	aprobación	aprovação	赞成，同意，许可	موافقة
appuyer	to support	apoyar	premir	支撑，支持，压，按	ضَغَطَ
arrêter de	to stop	dejar de	parar de	停止	توقّف عن
article, m.	article	artículo	artigo	文章，报道	مقالة
artisan, m.	craftsman	artesano	artesão	工匠	حِرَفِيّ
artiste, m. ou f.	artist	artista	artista	艺术家	فنان
atteindre	to reach	alcanzar	alcançar	到达，命中	وصل إلى
au pied de	at the foot of	al pie de	nos pés da	在...的基部，在...的脚下	أسفل
au sujet de	about	al respecto	acerca de	关于，对于	فيما يخص
augmenter	to increase	aumentar	aumentar	增加，增长	زاد
autonome	autonomous	autónomo	autónoma	能自主的	ذاتي
autorisation, f.	authorisation	autorización	autorização	准许，同意	رخصة
autoroute, f.	motorway	autopista	auto-estrada	高速公路	طريق سريع
autrefois	in the past	antaño	antigamente	从前，往昔	فيما مضى
avantage, m.	advantage	ventaja	vantagem	好处，利益	امتياز
avoir faim	to be hungry	tener hambre	ter fome	饿，饥饿	جاع
B					
baiser	to embrace	besar	abraçar	接吻，亲吻	قبّل
baisse, f.	fall	bajada	baixa	下降，降低	انخفاض
balance, f.	scales	balanza	balança	天平，平衡	ميزان
banal	commonplace	banal	banal	平常的，平庸的	مألوف
barbelé, m.	barbed wire	de espino	farpado	有刺铁丝网	شائك
baril de pétrole, m.	barrel of oil	barril de petróleo	baril de petróleo	石油桶	برميل النفط
battre	to break	batir	bater	打破，缔造	تخطى
bazar, m.	general store	bazar	bazar	市场	سوق تجاري
bienfait, m.	benefit	beneficio	benefício	善行，利益	منفعة
bientôt	soon	pronto	brevemente	不久，马上	قريبا
billet, m.	short letter	nota	nota	短文	مقال صحفي
biodiversité, f.	biodiversity	biodiversidad	biodiversidade	生物多样性	تنوع بيولوجي
biologique	biological	biológico	biológico	生物的，生物学的	بيولوجي
bizarre	strange	raro	bizarro	奇异的，古怪的	غريب
bosse, f.	bump	joroba	galo	肿块，驼背	حدبة
bouchon, m.	traffic jam	atasco	tampa	交通堵塞	ازدحام
branché (adj., à la mode)	tuned in	a la última	na moda	时髦的	مواكب للموضة

français	anglais	espagnol	portugais	chinois	arabe
bref	in short	en resumen	enfim	总之	مختصر
bref (pas long)	short	breve	rápido	简短的	قصير
bronzé	sun tanned	moreno	bronzeado	晒黑的，黝黑的	أسمر
brûler	to burn	quemar	queimar	烧，点燃	حرَقَ
bruyant	noisy	ruidoso	ruidoso	大声的吵闹的	صاخب
C					
cadre, m.	frame	marco	quadro	框，框架	إطار الصورة
camarade, m. ou f.	comrade	compañero	camarada	同学，同事，同志	زميل
cancer, m.	cancer	cáncer	cancro	癌症	سرطان
caricature, f.	caricature	caricatura	caricatura	讽刺画，夸张，歪曲	رسم ساخر
carrière, f.	quarry / career	cantera	carreira	生涯，职业	مسيرة مهنية
carte bancaire, f.	bank card	tarjeta bancaria	cartão de multibanco	金融卡，提款卡	بطاقة بنكية
casse-pieds	nuisance	peñazo	impertinente	讨厌的，令人厌烦的	مُزعِج
catalogue, m.	catalogue	catálogo	catálogo	目录	فهرس
centaine, f.	a hundred or so	centena	centena	百个，百来个	مئات
certain	certain	seguro	seguro	肯定的，确实的	متأكد
certitude, f.	certainty	certeza	certeza	确信，确实	يقين
chaleureusement	kind regards	calurosamente	calorosamente	热情地，热烈地	بحرارة
charges, f.	expenses	gastos	encargos	费用，开支	تكاليف
chaud	hot	caliente	quente	热的，烫的，暖的	ساخن
chef de projet, m. ou f.	project manager	jefe de proyecto	chefe de projecto	项目经理	رئيس مشروع
chemin, m.	way	camino	caminho	道路	طريق
chéquier, m.	cheque book	chequera	caderneta de cheques	支票簿	دفتر صكوك
chétif, (adj.) m.	puny	enclenque	mesquinho	体弱的，身体虚弱的人	نحيف
chèvre, f.	goat	cabra	cabra	山羊	عنزة
chômage, m.	unemployment	paro	fundo de desemprego	失业，无工作	بطالة
chum (ami) [Québec]	pal / chum / mate / friend	colega	chum [québec]	好友[魁北克法语]	صديق
ci-joint	herewith	adjunto	anexado	内附的	طيه
circulation, f.	traffic	circulación	circulação	交通	حركة مرور
circuler	to drive	circular	circular	循环，通行	جرى
ciseaux, m. pl.	scissors	tijeras	tesoura	剪刀	مقص
citer	to quote	citar	citar	引用，引述	ذكرَ
cœur, m.	heart	corazón	coração	心，心脏	قلبٌ
coin, m.	corner	rincón	canto	角落，隅	ركن
colère, f.	anger	cólera	ira	愤怒，发怒	غضَبٌ
colline, f.	hill	colina	colina	山丘	تلة
comité, m.	committee	comité	comité	委员会	لجنة
comme	since	como	como	由于，因为	لأن
commerçant, m.	trader	comerciante	comerciante	商人	تاجر
commettre	to commit	cometer	cometer	犯，干	ارتكب
commissaire, m. ou f.	commissioner	comisario	comissário	特派员，专员，委员	مفتش
commun	common	común	comum	共有的，公众的	مشترك
compétence, f.	skill	competencia	competência	能力，技能	كفاءة
compétent	qualified	competente	competente	有能力的	كفؤ
complètement	completely	completamente	completamente	完全地，全然地	تماما
compositeur, m.	composer	compositor	compositor	作曲家	مؤلّف
composter	to stamp	marcar	compor	打印，穿孔	قَطَعَ تذكرة
compte, m.	account	cuenta	conta	帐户，户头	حساب
compte sur livret, m.	savings account	cuenta de depósito	conta em livrete	活期储蓄帐户	حساب ادخار
compter	to count	contar	contar	数，计算	حَسَبَ
concierge, m. ou f.	concierge	portero	porteiro	门房	حارس المبنى
conclusion, f.	conclusion	conclusión	conclusão	结论，达成	خلاصة
conduire	to drive	conducir	conduzir	驾驶	قاد
conflit, m.	conflict	conflicto	conflito	冲突，争端	صراع
connaissance, f.	acquaintance / know-ledge	conocimiento / conocido	conhecimento	认识，知识	معرفة
consacrer	to dedicate	dedicar	consagrar	把…用于	خصَّص
conséquence, f.	consequence	consecuencia	consequência	后果，结果	تَبِعَة
conservateur	conservative	conservador	conservador	保守的，保守派	محافظ
consommateur, m.	consumer	consumidor	consumidor	消费者	مستهلك
consommation, f.	consumption	consumo	consumo	食用，消费，饮料	استهلاك
consommer	to consume	consumir	consumir	食用，消费	استهلك
constant	constant	constante	constante	稳定的，恒久的	ثابت
consulter	to look up	consultar	consultar	查阅	زار
contact, m.	contact	contacto	contacto	联系，往来	روابط
contacter	to contact	contactar	contactar	联络，联系	اتصل
contester	to dispute	contestar	contestar	争论，争议	احتج

français	anglais	espagnol	portugais	chinois	arabe
contre	against	contra	contra	反对	ضد
contrôleur, m.	inspector	revisor	controlador	查票员	مراقب
convenir	to agree to	fijar	marcar	约定	الاتفاق على
convivial	convivial	agradable	convidativo	融洽的	ودي
convivialité, f.	conviviality / user-friendliness	convivencia	convívio	热闹融洽	ودّ
copieux (adj., une assiette copieuse)	copious	copioso	cheio	丰盛的	مملوء
cordial	cordial	cordial	cordial	真诚的	صادق
cordialement	best regards	cordialmente	cordialmente	真诚地	بصدق
correspondre à	to correspond with	corresponder a	corresponder a	与…相符	تطابق مع
cosmopolite	cosmopolitan	cosmopolita	cosmopolita	国际性的	متعدد الثقافات
côté, m.	side	lado	lado	侧，边，方面	جانبٌ
couple, m.	couple	pareja	casal	一对夫妇，一对男女	زوجٌ
courrier, m.	correspondence	correo	correio	邮件	بريد
cours, m.	price	cotización	curso	行情，市价	سعرٌ
course poursuite, f.	pursuit	carrera de persecución	perseguição	追逐赛	الاتفاق على
coût, m.	cost	coste	custo	费用，成本	مطاردةٌ
crainte, f.	fear	temor	receio	害怕，畏惧	خشية
créatif	creative	creativo	criativo	有创造能力的，有创造性的	مبدع
créditer	to credit	abonar en cuenta	creditar	使入帐	زود بالمال
créer	to create	crear	criar	创作，建立	أنشئ
creux, n. m.	slack period	hueco	côncavo	空洞，凹陷部分	فراغ
croissance, f.	growth	crecimiento	crescimento	生长，成长	نمو
croyance, f.	belief	creencia	crença	相信，信仰	اعتقاد
cumuler	to accumulate	acumular	cumular	并合，兼任	جمّع
D					
d'habitude	as usual	habitualmente	habitualmente	通常，惯常	عادة ما
danger, m.	danger	peligro	perigo	危险	خطر
de temps en temps	from time to time	de vez en cuando	de vez em quando	不时地，经常	من وقت لآخر
débiter	to debit	cargar en cuenta	debitar	使支出	سَحَب مالا
déception, f.	disappointment	decepción	decepção	失望	خيبة أمل
décision, f.	decision	decisión	decisão	决定	قرار
déclarer	to declare	declarar	declarar	表示，声明	أزاح
décoller	to take off	despegar	descolar	揭下，起飞	أقلع
décor, m.	décor	decoración	decoração	装饰，装潢	ديكور
déçu	disappointed	decepcionado	decepcionado	失望的，落空的	خائب الأمل
défiler	to march / to scroll	desfilar	desfilar	游行	تتابع
définitive	definitive	definitiva	definitivo	最后的，决定性的	نهائي
déguisé	disguised	disfrazado	disfarçar	乔装打扮的	مموَّه
déjà	already	ya	já	已经	سالف
délai, m.	timeframe	plazo	prazo	期限，时限	مهلة
déménagement, m.	removal	mudanza	mudança	搬家，迁居	رحيل
démission, f.	resignation	dimisión	demissão	辞职，辞呈	استقالة
démissionner	to resign	dimitir	demissionar	辞职	استقال
dent, f.	tooth	diente	dente	牙齿	ضرس
dépasser	to exceed	superar	ultrapassar	高于，超出	تجاوز
dépenser	to spend	gastar	gastar	消耗，花费	أنفق
depuis	since	desde	desde	自…以来	منذ
déranger	to upset	molestar	desarrumar	弄乱，打乱	ضايق
dès	from	a partir de	já	从…起	مُذ
désapprobation, f.	disapproval	desaprobación	desaprovação	反对，不赞成	رفضٌ
détendu	relaxed	distendido	descontraído	放松的，轻松的	هادئ
détruire	to destroy	destruir	destruir	破坏，摧毁	دمّر
développement, m.	development	desarrollo	desenvolvimento	成长，发展	تطور
déverser	to pour	verter	verter	注入，倒入	سَكب
devis, m.	quote	presupuesto	orçamento	预算表，估价单	أسعار تقديرية
diminuer	to decrease	disminuir	diminuir	减少，减低	أنقص
disparaître	to disappear	desaparecer	desaparecer	消失，死亡	اختفى
disparu	missing	desaparecido	desaparecido	死亡的人，失踪的人	مفقود
disponible	available	disponible	disponível	可使用的，空闲的	متوفر
dissiper	to dispel	disipar	dissipar	使消散，使分心	بدّد
distinct	different	distinto	distinto	清楚的，有区别的	مغاير
dizaine, f.	about ten	decena	dezena	十多个，十来个	عشرات
dossier, m.	file	dossier	dossier	卷宗，档案	ملف
doute, m.	doubt	duda	dúvida	怀疑，疑问	شكٌّ

français	anglais	espagnol	portugais	chinois	arabe
dresser un constat	to draw up a report	levantar un atestado	preencher uma participação de acidente	制作笔录	أعد ملخصا
durée, f.	duration	duración	duração	期限，持续时间	مدة
E					
échantillon, m.	sample	muestra	amostra	样品	عينة
échouer	to fail	fracasar	falhar	失败，受挫	أخفق
économie, f.	economy	economía	economia	经济	اقتصاد
écran, m.	screen	pantalla	ecrã	屏幕	شاشة
écrivain, m.	writer	escritor	escritor	作家	كاتبٌ
édition, f.	edition	edición	programa	广播新闻节目	نشرة إخبارية
éducation, f.	education	educación	educação	教育	تربية
effectivement	actually	efectivamente	efectivamente	的确，确实如此	فعلا
effectuer	to carry out	efectuar	efectuar	实行，执行	قام بـ
effort, m.	effort	esfuerzo	esforço	努力，尽力	جهدٌ
élections, f. pl.	elections	elecciones	eleições	选举	انتخابات
élevé	high	elevado	elevado	高的	رفيع
embaucher	to hire	contratar	contratar	招募，雇用	شغّل شخصا
émission, f.	issue	emisión	programa	电视节目，广播节目	حصة
emménager	to move into	mudarse	mudar de casa	迁入新居	شَغِلَ مسكنا
empêcher	to prevent	impedir	impedir	阻挡，妨碍	منع
emploi, m.	job	empleo	emprego	工作	عَمَلٌ
employé, n. m.	employee	empleado	empregado	雇员，职员	موظف
employeur, m.	employer	patrono	empregador	雇主	رب العمل
emprunter	to borrow	tomar prestado	pedir emprestado	借，借用	استلف
en avoir assez de	to have had enough of	estar harto	não suportar mais	受够了…，厌烦了	امتلاك ما يكفي من
en avoir marre de	to be fed up with	estar harto	não aguentar mais	受够了…，厌烦了	نفد صبره
en effet	actually	en efecto	efectivamente	的确，确实，果然	بالفعل
en ligne	online	en línea	on-line	在线	متصلا بالإنترنت
en raison de	owing to	debido a	devido	根据，由于	بسبب
en revanche	on the other hand	en contrapartida	em contrapartida	相反地	غير أن
encombrant	cumbersome	voluminoso	incómodo	体积大的，笨重的	مزاحم
énergie, f.	power	energía	energia	能，能量	طاقة
engager	to hire	contratar	contratar	招募，雇用	شغّل شخصا
enlever	to remove	retirar	eliminar	去处	نزع
enquête, f.	inquiry	encuesta	inquérito	调查	استطلاع
ensoleillement, m.	hours of sunshine	insolación	irradiação solar	充满阳光，日照时间	التعرض للشمس
entente, f.	understanding	armonía	relação amigável	融洽，情投意合	وفاق
entraîner	to lead to	suponer	levar a	招致，引起	أدى إلى
entreposer	to store	almacenar	armazenar	寄存，寄放	خزّن
entretenir	to maintain	mantener	manter	保持	حافظ على
environnement, m.	environment	entorno	ambiente	环境	بيئة
envisager de	to intend	pretender	pensar em	考虑，打算	عزم على
éolienne, f.	wind generator	eólica	eólia	风力发电	هوائية
éprouver	to experience	sentir	sentir	体验到	أبدى
équipe, f.	team	equipo	equipa	队	فريق
espoir, m.	hope	esperanza	esperança	希望，期望	أمل
essence, f.	petrol	esencia	gasolina	本质，要素，精华	جوهر
essentiel	essential	esencial	essencial	主要的，十分重要的	جوهري
essentiellement	essentially	esencialmente	essencialmente	基本上，主要地	جوهريا
estimer	to believe	estimar	estimar	估价，评价，尊重	قدّر
étonner	to astonish	sorprender	surpreender	使震惊，使惊愕	أذهل
être égal	to be equal	ser igual	ser igual	无关紧要的	تساوى مع
événement, m.	event	evento	acontecimento	事件，大事	حدث
éventuellement	eventually	eventualmente	eventualmente	可能，或许，如有必要	احتمالا
évidemment	obviously	evidentemente	evidentemente	明显地，当然地，肯定地	بطبيعة الحال
évident	obvious	evidente	evidente	明显的，显而易见的	بديهي
exagérer	to exaggerate	exagerar	exagerar	夸大，夸张	أفرط
excuse, f.	excuse	excusa	desculpas	辩白，借口，推托	عذر
existence, f.	existence	existencia	existência	存在，生存	وجود
exposer	to exhibit	exponer	expor	陈列，展出，使暴露	استعرض
extérieur	outside	exterior	exterior	外部的，外面的	خارج
extraordinaire	extraordinary	extraordinario	extraordinário	特别的，非凡的	استثنائي
F					
fâcher	to annoy	enfadar	zangar	使生气，使感到不快	أغضب
façon de vivre, f.	lifestyle	modo de vida	forma de viver	生活方式	طريقة العيش

français	anglais	espagnol	portugais	chinois	arabe
facturer	to invoice	facturar	facturar	开发票，使付款	وضع فاتورة
faible	weak	débil	fraco	虚弱的，脆弱的	ضعيف
faire connaissance	to get to know	conocer	conhecer	认识	تعرف على
faire part	to inform	comunicar	opinar	通知，请柬，请帖	أشرك في
faire parvenir	to forward	hacer llegar	fazer chegar	传达，送达	أوصل شيئا
faire peur	to frighten	asustar	amedrontar	使感到害怕	أخافَ
familier	familiar	familiar	familiarizar	随便的，习以为常的	معتاد
fan, m. ou f.	fan	fan	fã	迷，拥护者	معجب
fantastique	fantastic	fantástico	fantástico	幻想的，奇异的	عجيب
fatigue, f.	tiredness	cansancio	fadiga	疲劳，劳累	تعبٌ
faute, f.	fault	falta	falta	错误，过失	غلطة
féliciter	to congratulate	felicitar	felicitar	赞扬，庆贺	هنّأ
feuilleter	to leaf through	hojear	folhear	浏览，翻阅	تصفح
fier	proud	orgulloso	orgulhoso	骄傲的，自负的	فخور
finalement	finally	finalmente	finalmente	最终，终于	أخيرا
fioul, m.	fuel	fuel	fuelóleo	燃油	زيت التسخين
flambée, f.	surge	explosión	subida	猛涨	ارتفاع جنوني
foire à tout, f.	flea market	mercadillo	feira a tudo	旧货拍卖会	سوق متنوع السلع
fonctionner	to function	funcionar	funcionar	发挥作用，运转	اشتغل
fond	rear	fondo	fundo	深处，最靠里的地方	مؤخرة
formulaire, m.	form	formulario	formulário	表格	استمارة
fortune, f.	fortune	fortuna	fortuna	财富	ثروة
forum, m.	meeting	foro	fórum	论坛，研讨会	منتدى
fou, m.	mad	loco	maluco	疯子	مخبول
frais, m.	fees	gasto	despesas	费用，支出	تكاليف
franchir	to break	atravesar	passar	越过，跨过	تخطى
francophone	French-speaker	francófono	francófono	法语的，说法语的	فرنسي اللغة
fréquenté	busy	frecuentado	frequentada	车水马龙的	مرتاد
fréquenter (qqn)	to visit	frecuentar	frequentar	经常与某人往来	عاشر
frontière, f.	border	frontera	fronteira	边界，国境	حدود
frustrant	frustrating	frustrante	frustrante	令人失望的，使人灰心的	مُحبِط
fuir	to flee / leak	huir	fugir	逃跑，逃走	هرب
fuite, f.	leak	soplo	fuga	泄漏，走漏	تسرب المعلومات
furieux	furious	furioso	furioso	狂怒的，盛怒的	غاضب جدا
G					
gagnant	winner	ganador	vencedor	优胜者，赢家	رابحٌ
gain, m.	gain	ganancia	ganho	收入，好处，利润	ربْح
géant	giant	gigante	gigante	巨人	عملاق
gêner	to bother	molestar	perturbar	妨碍，束缚	أزعج
genre	genre	género	género	种类，样式	نوع
gîte, m.	home	casa rural	albergue	住所，宿处	مسكن
glisser	to slip	deslizar	colocar	塞进	سرّب
grâce à	thanks to	gracias a	graças a	多亏，全靠	بفضل
grande surface, f.	supermarket	gran superficie	grande superfície	大型超市	محل كبير
grandeur	size	tamaño	grandeza	大小，尺寸，伟大	عظمة
gras	high-in-fat, fatty	graso	oleoso	油腻的	دَسِمٌ
gratuit	free	gratuito	gratuito	免费的	مجاني
grave	serious	grave	grave	严重的	خطير
grincer	to grate	chirriar	grincer	吱嘎作响，发出尖锐刺耳的声音	صرّ
gros mot, m.	bad language	palabrota	palavrão	粗话，骂人话	لفظ ناب
guéri	cured	curado	curado	痊愈的	تعافى
H					
habits, m. pl.	clothes	prendas	roupas	服装，衣服	ملابس
hasard	chance	azar	azar	风险，巧合	صُدْفة
hausse	increase	alza	subida	上涨，涨价	ارتفاع
hebdomadaire	weekly	semanal	semanal	每周的，周刊	أسبوعي
hectare, m.	hectare	hectárea	hectare	公顷	هكتار
hésiter	to hesitate	dudar	hesitar	踌躇，犹豫	تردد
heureusement	fortunately	afortunadamente	felizmente	幸运地，幸亏	لحسن الحظ
hors de	excluding	fuera de	fora de	在...之外	خَارِجَ
humoriste, m. ou f.	humorist	humorista	humorista	幽默的人，幽默家	ممثل فكاهي
humour, m.	humour	humor	humor	幽默，滑稽	فكاهة

français	anglais	espagnol	portugais	chinois	arabe
I					
image, f.	picture	imagen	imagem	影像，照片，形象	صورة
imiter	to imitate	imitar	imitar	模仿，模拟	قلّد
immigration, f.	immigration	inmigración	imigração	入境移居，侨居	هجرة
immobilier	property	inmobiliario	imobiliário	地产，不动产	عقاري
impérativement	without fail	imperativamente	obrigatoriamente	命令式地，强制性地	إجباريا
inacceptable	unacceptable	inaceptable	inaceitável	难以接受的	غير مقبول
inadmissible	inadmissible	inadmisible	inadmissível	不许可的，不可接受的	مرفوض
incendie, m.	fire	incendio	incêndio	火灾	حريق
incompétent	incompetent	incompetente	incompetente	不能胜任的，无能的	غير كفؤ
inconnu	unknown	desconocido	desconhecido	陌生人	مجهول
indépendance, f.	independence	independencia	independência	独立，自主	استقلال
indifférence, f.	indifference	indiferencia	indiferença	无动于衷，冷淡	لامبالاة
inépuisable	inexhaustible	inagotable	inesgotável	取之不尽的	لا ينضب
informatique	IT (information technology)	informática	informática	计算机，信息学	معلوماتية
informer	to inform	informar	informar	通知，告知	أخبر
inquiet	concerned	inquieto	inquieto	担忧的，担心的	قلِقٌ
inquiétude, f.	concern	inquietud	inquietude	不安，担心	قلَقٌ
insister	to insist	insistir	insistir	强调，坚持	ألح على
installation, f.	fitting	instalación	instalação	装置	تركيب
installer	to locate / to fit	instalar	instalar	安装，放置	ركّب
instant, m.	moment	instante	instante	瞬间，顷刻	لحظة
insupportable	unbearable	insoportable	insuportável	难以忍受的	لا يُحتَمَل
intégrer	to integrate	integrar	integrar	融入，融合	أدمج
intention, f.	intention	intención	intenção	意图，意愿	نية
intérimaire, m. ou f.	temporary worker	interino	temporário	代理人员，临时人员	منتدب
intervenir	to become involved	intervenir	intervir	干预，干涉	تدخّل
intitulé, m.	entitled	título	intitulado	书名，标题	عنوان
intolérable	unbearable	intolerable	intolerável	难以忍受的	ممنوع
investisseur, m.	investor	inversor	investigador	投资者	مستثمر
irréalisable	unachievable	irrealizable	irrealizável	无法实现的	لا يمكن تحقيقه
J					
jeu de société, m.	board game	juego de sociedad	jogo de sociedade	团体游戏	لعبة تسلية جماعية
joie, f.	joy	alegría	felicidade	喜悦，快乐	فرحة
justement	exactly	justamente	justamente	公正的，正确的，正好	بالضبط
L					
laisser tranquille	to leave alone	dejar tranquilo	deixar tranquilo	不管，别管	تركه في حاله
lamentable	disgraceful	lamentable	lamentável	可悲的，糟糕的	أليم
lancer	to launch	lanzar	lançar	开办	أطلق
larme, f.	tear	lágrima	lágrima	眼泪	دمعة
légendaire	legendary	legendario	legendário	传奇的，传说的	أسطوري
législation, f.	legislation	legislación	legislação	立法	تشريع
lentement	slowly	lentamente	lentamente	慢慢地	ببطء
liberté, f.	freedom	libertad	liberdade	自由	حرية
librairie, f.	bookshop	librería	livraria	书店	مكتبة
licencier	to fire	despedir	licenciar	辞退，解雇，遣散	مُسرّح
limité	limited	limitado	limitado	有限的，限制的	محدود
lisse	smooth	liso	liso	光滑的	أملس
livrer	to deliver	entregar	entregar	交付，交出	سلّم
logiciel, m.	software	software	software	软件	برنامج حاسوبي
logiquement	logically	lógicamente	logicamente	合乎逻辑地	منطقيا
longtemps	for a long time	mucho tiempo	muito tempo	长久地，长期地	لوقت طويل
lorsque	when	cuando	quando	当…时	عندما
loterie, f.	lottery	lotería	loteria	乐透，彩票	يانصيب
louer	to rent	alquilar	alugar	承租，租赁	أجّر
lourd	heavy	pesado	pesado	沉重的，繁重的	ثقيل
loyer, m.	rent	alquiler	alugar	房租，租金	رسم إيجار
M					
magazine, m.	magazine	revista	revista	杂志，期刊	مجلة
malentendu, m.	misunderstanding	malentendido	malentendido	误会，误解	سوء تفاهم
malgré	despite	a pesar de	apesar de	虽然，尽管，不管	رغم
malheureux	unfortunate	infeliz	infeliz	不幸的，遗憾的，倒霉的	تعيس
manifestant, m.	demonstrator	manifestante	manifestante	示威游行者	متظاهر
manifestation, f.	demonstration	manifestación	manifestação	示威游行	مظاهرة

français	anglais	espagnol	portugais	chinois	arabe
manifester	to demonstrate	manifestar	manifestar	游行，示威	تظاهر
manquer	to miss (I miss you)	echar de menos	faltar	想念	اشتاق إلى
marchés boursiers, m. pl.	stock markets	mercados bursátiles	mercados bolseiros	股票市场	أسواق التعاملات المالية
marque, f.	brand	marca	marca	标记，记号	علامة
Master, m.	Master's degree	Master	master	硕士学位	ماستر
matière première, f.	raw material	materia prima	matéria-prima	原料	مادة أولية
méchant	wicked	malo	mau	坏蛋，恶人	شرير
mécontent	unhappy	descontento	descontente	不满的	مستاء
mécontentement, m.	unhappiness	descontento	descontentamento	不满，不高兴	استياء
médias, m. pl.	media	medios de comunicación	médias	媒体	وسائل الإعلام
médicament, m.	medicine	medicamento	medicamento	药品，药剂	دواء
meilleur	better	mejor	melhor	较好的，优良的	الأفضل
mémoire, f.	memory	memoria	memória	回忆，记忆	ذاكرة
menacer	to threaten	amenazar	ameaçar	威胁，恐吓	هدّد
ménage, m.	household	hogar	lar	家庭	أسرة
mener	to lead	hacer	levar	进行，过着	عاش
mensuel	monthly	mensual	mensal	每月的，月刊	شهري
mériter	to deserve	merecer	merecer	应得，值得	استحق
mieux	better	mejor	melhor	更好地，较好地	أحسن
mignon	cute	mono	lindo	可爱的，讨人喜欢的	ظريف
migration, f.	migration	migración	migração	迁居，迁徙	نزوح
minorité, f.	minority	minoría	menoridade	少数民族	أقلية
mode de vie, m.	lifestyle	modo de vida	modo de vida	生活方式	نمط الحياة
monter	to set up	montar	montar	筹划，成立	أسّس
mort	dead	muerte	morto	死亡，死者	موت
mortel	mortal	mortal	mortal	致命的，垂死的	قاتِل
motivé	motivated	motivado	motivado	有干劲的，受到激励的	محفّز
murmurer	to murmur	murmurar	murmurar	嘀咕，低语	تمتم
muscle, m.	muscle	músculo	músculo	肌肉	عضلة
N					
n'importe qui	no matter who	quienquiera	qualquer pessoa	无论是谁，无关紧要的人	أي شخص
naïf	naïve	cándido	ingénuo	天真的，幼稚的	ساذج
niveau, m.	level	nivel	nível	水平，等级	مستوى
nommer	to name / appoint	nombrar	nomear	提名，任命，命名	نَصّب
non plus	no longer	tampoco	também não	也不	كذلك (بعد النفي)
noter	to rate	calificar	notar	评分	دوّن الدرس
nourriture, f.	food	alimento	alimentação	食物	غذاء
O					
obliger	to force	obligar	obrigar	使承担义务，强迫	أجبر
occasion, f.	opportunity	ocasión	oportunidade	机会，时机	فرصة
officiel	official	oficial	oficial	官方的，正式的	رسمي
olympique	olympic	olímpico	olímpico	奥运会的	أولمبي
opération, f.	transaction	operación	operação	交易	عملية
optimiste	optimistic	optimista	optimista	乐观的，乐观主义者	متفائل
organisme, m.	body	organismo	organismo	组织，单位	هيأة
orthographe, f.	spelling	ortografía	ortografia	拼写	إملاء
ouvertement	openly	abiertamente	abertamente	坦率地，公开地	بوضوح
ouverture, f.	opening	apertura	abertura	开张，开业	افتتاح
P					
palace, m.	luxury hotel	palace	palácio	豪华酒店，豪华旅馆	فندق فخم
pancarte, f.	poster	pancarta	cartaz	标语牌，布告牌	لافتة
panneau solaire, m.	solar panel	panel solar	painel solar	太阳能板	لوحة شمسية
paraître	to be published	publicarse	aparecer	出版，发表	نُشِرَ
paraître	to appear	parecer	parecer	似乎	بدى
parallèlement	in parallel	paralelamente	paralelamente	平行地，同时	بالموازاة
parfaitement	perfectly	perfectamente	perfeitamente	完美地，完全地，非常地	بامتياز
parmi	among	entre	entre	在…之中	من بين
particulièrement	in particular	particularmente	especialmente	特别地，尤其	بالخصوص
patiemment	patiently	con paciencia	pacientemente	耐心地	عَنْ رَوِيَّة
péage, m.	toll	peaje	portagem	收费站	رسوم الطريق السريع
pendant	during	durante	durante	在…期间	أثناء
pénurie, f.	shortage	penuria	penúria	缺乏，不足	عوز
permis de conduire, m.	driving licence	carnet de conducir	carta de condução	驾照	رخصة قيادة

français	anglais	espagnol	portugais	chinois	arabe
personnalité politique, f.	individual with a high political profile	personalidad política	personalidade política	政治人物	شخصية سياسية
pessimiste	pessimistic	pesimista	pessimista	悲观的，悲观主义者	متشائم
pétrole, m.	oil	petróleo	petróleo	石油	بترول
peur, f.	fear	miedo	medo	恐惧，害怕	خوف
pierre, f.	stone	piedra	pedra	石头	حجر
pique-nique, m.	picnic	merienda	piquenique	野餐	نزهة
pire	worse	peor	pior	更坏的，更恶劣的	الأسوأ
plat, m.	dish	plato	prato	一盘菜	طَبَقٌ
plein (adj.)	full	lleno	cheio	满的，充满的	ممتلئ
pleurer	to cry	llorar	chorar	哭泣	بكى
poids, m.	weight	peso	peso	重量，份量	وزن
point, m.	point	punto	ponto	部分，要点	عنصر
point de vue	point of view	punto de vista	ponto de vista	观点	وجهة نظر
polémique	polemic	polémica	polémica	论战的，引起争议的	جَدَلٌ
populaire	common	popular	popular	大众化的，人民的	شعبي
population, f.	population	población	população	人口，居民	سكان
porte-clés, m.	key ring	llavero	porta-chaves	钥匙夹，钥匙圈	حاملة مفاتيح
portefeuille, m.	wallet	cartera	carteira	皮夹	حافظة
porte-monnaie, m.	purse	monedero	porta-moedas	小钱包，零钱包	محفظة نقود
portrait, m.	portrait	retrato	retrato	肖像	صورة
poste, m.	position	puesto	posto	职位	منصب
poste frontière, m.	border post	puesto fronterizo	posto fronteiriço	边界岗哨	مركز حدودي
pourtant	however	sin embargo	portanto	然而，还	بَيْدَ أنَّ
précédent	previous	precedente	anterior	先前的	سابق
presse, f.	press	prensa	imprensa	报刊，新闻界	صحافة
prêt	ready	listo	pronto	准备好的	مستعد
prêter	to lend	prestar	emprestar	给予，出借	أقرضَ
prévoir de	to anticipate	prever	prever	预备，预计	توقع أن
prier (qqn de)	to ask	rogar	suplicar	恳请，请求，要求	ترجّى
probablement	probably	probablemente	provavelmente	可能，大概，或许	على الأرجح
production, f.	production	producción	produção	制造，生产	إنتاج
profiter de	to take advantage of / profit from	aprovechar	aproveitar de	利用，自...得益	استفاد من
projet, m.	project	proyecto	projecto	计划，项目，方案	مشروع
promotion (avancement professionnel), f.	promotion	promoción	promoção	晋升	ترقية
promotion (réduction), f.	special offer	promoción	promoção	促销	عرض ترويجي
proposition, f.	proposal	propuesta	proposta	提议	اقتراح
protester	to protest	protestar	protestar	抗议，反对	اعترض على
province (au Canada), f.	State	provincia	província	省	مقاطعة
provoquer	to cause	provocar	provocar	怂恿，煽动，挑衅	استفز
prudent	careful	prudente	prudente	谨慎，小心	حَذِرٌ
publier	to publish	publicar	publicar	出版，发表	نشَرَ
public	public	público	público	公众，对象	عمومي
puissance, f.	power	potencia	potência	权力，威力，功率	قوة
purement	purely	puramente	puramente	纯粹地，完全，仅仅	محض
Q					
quand même	however	de todos modos	na mesma	仍然，还是	رغم ذلك
quartier	district	barrio	bairro	城市中的区	حارة
quelquefois	sometimes	a veces	por vezes	有时	أحيانا
quittance, f.	receipt	recibo	recibo	收据	إيصال
quotidien	daily	diario	diário	每日的，日报	يومي
quotidiennement	on a daily basis	diariamente	diariamente	每日，天天	يوميا
R					
raconter	to tell	contar	contar	叙述，告诉	حكى
rage, f.	anger	rabia	ira	狂怒	سُخْط
ralentissement	slowdown	ralentización	abrandamento	减速，延迟	تباطؤ
rancune, f.	grudge	rencor	rancor	仇恨，嫉妒	حِقْد
ranger	to tidy up	ordenar	arrumar	整理，安排	رتّب
rassurer	to reassure	tranquilizar	tranquilizar	使安心，使放心	طمأن
rater	to fail	suspender	falhar	失败，受挫	رَسَب
ravager	to devastate	asolar	destroçar	破坏，蹂躏	خرّب
ravi	delighted	encantado	extasiado	高兴的，愉快的	مسرور
réagir	to react	reaccionar	reagir	起反应，抵抗	تفاعل
réaliser	to achieve	realizar	realizar	实施，实现	أنجز

français	anglais	espagnol	portugais	chinois	arabe
rechercher	to research	investigar	procurar	追求，仔细寻找	بحث عن
record, m.	record	récord	record	最高记录，空前的成绩	رقم قياسي
recruter	to recruit	contratar	recrutar	招募，雇用	وظّف
reculer	to go back	retroceder	recuar	退，退后	تراجَعَ
rédaction, f.	editing / redaction	redacción	redacção	编写，编撰	تحرير
rédiger	to edit	redactar	redigir	撰写，编写	كتَبَ
réduire	to reduce	reducir	reduzir	减少	قلّص
réduit	reduced	reducido	reduzido	降低的	مخَفّض
refaire	to redo	rehacer	refazer	再做，重做	أعاد
réflexion, f.	thought	reflexión	reflexão	思考，感想	تفكير
refus	refusal	rechazo	recusa	拒绝	رفض
régime, m.	diet	régimen	regime	饮食习惯	حمية غذائية
règle du jeu, f.	rules of the game	regla del juego	regra do jogo	游戏规则	قواعد اللعبة
relation, f.	relationship	relación	relação	关系	علاقة
relevé, m.	statement	extracto	extracto	清单，一览表	كشف حساب
rembourser	to reimburse	reembolsar	reembolsar	偿还	سَدّد
remercier (licencier)	to fire	cesar	despedir	辞退	سرّح
remercier (dire merci)	to thank	agradecer	agradecer	感谢，谢谢	شكَرَ
remplacer	to replace	sustituir	substituir	代替，取代	استبدل
rendre	to yield / make etc.	devolver	tornar	归还	أرجعَ
renouvele	to redial	rellamar	repetir	重做	أعاد
rentable	profitable	rentable	rentável	有收益的，值得的	مُربحٌ
renvoyer (d'un emploi)	to fire	despedir	reenviar	解雇	طرَدَ
reportage, m.	report / commentary	reportaje	reportagem	报导，采访	تحقيق صحفي
reporter	to postpone	aplazar	adiar	延后，推迟	أرجأ
repos, m.	rest	descanso	repouso	休息，静止	راحة
réquisitoire, m.	closing speech (for the prosecution)	requisitorio	requisitório	起诉，控诉	قرار اتهام
responsable	responsible	responsable	responsável	有责任的	مسؤول
restauration, f.	catering	restauración	restauração	餐饮业	إصلاح
restriction, f.	restriction	restricción	restrição	限制，约束	تقييد
retirer (qqch)	to withdraw	retirar	levantar	领取，取回	استلم
retourner	to return	volver	virar	翻转，倒转	رَجَعَ
réussite, f.	success	triunfo	sucesso	成功，成就	نجاح
revanche, f.	revenge	revancha	desforra	报仇，复仇	انتقام
risque, m.	risk	riesgo	risco	风险，危险	خطر
rubrique, f.	heading	sección	rubrica	专栏，标题	قِسْمٌ
rumeur, v	rumour	rumor	rumor, v	流言，谣言，嘈杂声	إشاعة

S

français	anglais	espagnol	portugais	chinois	arabe
s'associer	to be associated with	asociarse	associar-se	参加，参与，与...相配	اشترك مع
s'inquiéter	to be concerned	inquietarse	preocupar-se	担心，忧虑	انتابه القلق
s'inscrire	to join	inscribirse	inscrever-se	报名参加，注册	سَجّل نفسه
s'installer	to settle in (restaurant, etc.)	instalarse	instalar-se	安家，定居，坐定	استقر بـ
sans faute	faultless	sin fallo	sem falta	一定，无论如何	أكيد
satisfaisant	satisfying	satisfactorio	satisfatório	令人满意的	مُرضٍ
satisfait	satisfied	satisfecho	satisfeito	感到满意的	راضٍ
sauvage	wild	salvaje	selvagem	野生的，野蛮的	متوحش
scandale, m.	scandal / disgrace	escándalo	escândalo	丑闻，公愤	فضيحة
scandaleux	scandalous	escandaloso	escandaloso	令人气愤的，可耻的	مشينٌ
scotch, m.	sellotape	celo	cola fita	胶带	شريط لاصق
se baisser	to bend down	bajarse	baixar-se	俯身，弯腰	انخفض
se ficher de	to make fun of / to care nothing for	desentenderse de	troçar de	瞧不起，不在乎	سخِرَ من
se joindre à	to join	unirse a	juntar-se a	参加，加入	انضم إلى
se moquer de	to make fun of	burlarse de	troçar de	嘲笑，不在乎	استهزأ بـ
se pencher	to bend over	inclinarse	inclinar-se	俯身，关心	انحنى
se plaindre	to complain	quejarse	queixar-se	抱怨	اشتكى
se prendre au sérieux	to take oneself seriously	tomarse en serio	tomar-se a sério	自以为是	أعطى قيمة لنفسه
se reposer	to rest	descansar	descansar	休息	ارتاح
se réunir	to meet	reunirse	reunir	聚集，集合	اجتمع
se souvenir	to remember	recordar	lembrar-se	想起，记得，忆及	تذكر
secteur, m.	sector	sector	sector	领域	قطاع
sécurité	security	seguridad	segurança	安全	أمن
s'éloigner	to go away	alejarse	afastar-se	离开，远离	ابتعد
selon	according to	según	segundo	根据，按照	وفْقَ
semestriel	half-yearly	semestral	semestral	每半年一次的，半年的	نصف سنوي

français	anglais	espagnol	portugais	chinois	arabe
sensibilisation	awareness	sensibilización	sensibilização	唤起大众注意	تحسيس
sentir	to feel	sentir	sentir	感觉，感受	شَعَر بـ
servir à (ça sert à)	to be used for	servir para	servir para	用于	يفيد
sévère	strict	severo	severo	严格的，严厉的	صارم
signe, m.	sign	signo	sinal	迹象，征兆	إشارة
silence, m.	silence	silencio	silêncio	寂静，沉默	صمت
sinon	if not / otherwise	sino	caso contrário	否则，别的	و إلا
s'investir	to put a lot of effort into	implicarse	investir-se	给自己授权	استثمر
site, m.	site	página web	site	因特网	موقع إلكتروني
social	social	social	social	社会的	اجتماعي
société, f.	society	sociedad	sociedade	社会	مجتمع
somme, f.	sum	suma	soma	总数，总额	مبلغ
souci, m.	concern / worry	preocupación	preocupação	忧虑，操心，烦恼	هَمٌّ
souffle, m.	breath	aliento	fole	喘气，气息，呼吸	نَفْخَة
souffrir	to suffer	sufrir	sofrer	忍受，受苦	تعذّب
souligner	to emphasise	destacar	sublinhar	强调	شدّد على
sourire, m.	smile	sonreír	sorriso	微笑	ابتسم
spéculer	to speculate	especular	especular	投机	ضارَبَ
stage, m.	training period	prácticas	estágio	实习，培训	تربصّ
suffire	to be enough	bastar	bastar	满足，足够	كفى
super	brilliant	super	super	极好的	ممتاز
superficie, f.	surface	superficie	superfície	面积	مساحة
supprimer	to delete / remove	eliminar	eliminar	废除，取消，消除，删除	أزال
sympathiser	to get on well with	simpatizar	simpatizar	产生好感	تعاطف مع
T					
tempête, f.	storm	tempestad	tempestade	风暴，暴风雨	عاصفة
tension, f.	tension	tensión	tensão	紧张状态	توتُّر
tenter de	to try to	intentar	tentar	试图，企图	حاول
tiercé, m.	to bet on the horses	carrera de cavallos	aposta em cavalos	（赛马）前三名独赢	رهان سباق الخيول
tirer au sort	to draw lots	sortear	tirar à sorte	抽签	إجراء القرعة
tiroir, m.	drawer	cajón	espelho	抽屉	دُرْج
titre, m.	title	titular	título	标题	عنوان
toile, f.	screen	red	tela	因特网	شبكة
toit, m.	roof	techo	tecto	屋顶	سقف
tolérer	to tolerate	tolerar	tolerar	容许，忍受	تسامح مع
tornade, f.	tornado	tornado	tornado	龙卷风	إعصار
tort	wrong (to be)	la culpa	sem-razão	过错	أخطأ
touche, f.	key	tecla	tecla	键	زر
tout à coup	suddenly	de repente	de repente	突然地	فجأة
tradition, f.	custom / tradition	tradición	tradição	传统	تقليد
transport, m.	transport(ation)	transporte	transporte	运送，运输	نقل
travailleur	worker	trabajador	trabalhador	工人，工作者	عامل
travaux, m. pl.	work	trabajos	trabalhos	工程	أعمال
trimestriel	quarterly	trimestral	trimestral	三个月的，一季度的	فصلي
tristesse, f.	sadness	tristeza	tristeza	忧愁，悲伤	حزن
tropical	tropical	tropical	tropical	热带的，炎热的	استوائي
tuer	to kill	matar	matar	杀死，弄死	قَتَلَ
U					
ultérieurement	subsequently	posteriormente	ulteriormente	以后，今后	لاحقا
V					
vacancier	holiday maker	persona de vacaciones	viajantes	度假的人	شخص في عطلة
valeur, f.	value	valor	valor	证券，股票	قيمة
valider	to validate	validar	validar	使有效，使生效	أثبت
valise, f.	suitcase	maleta	mala	行李，手提箱	حقيبة
valoir	it is better to ...	valer	valer	最好，宁可	غَلَبَ على
verdict, m.	verdict	veredicto	veredicto	评决结果	نتيجة
verser	to pay	pagar	pagar	缴，支付	دَفَعَ
version	version	versión	versão	说法，版本	نسخة
victime, f.	victim	víctima	vítima	遇难者，伤亡者，牺牲品	ضحية
villa, f.	villa	chalé	vila	别墅	فيلا
virer	to transfer	girar	virar	转帐	دَفَعَ لحساب
vivant	alive	vivo	vivo	活的，有生命的	حي
vœu, m.	wish	voto	voto	心愿，祝福	أمنية
voilà	here is / this is	aquí está	eis	是，看，这就是	ذا

Corrigés des autoévaluations

Autoévaluation 1 – page 40

1 **a) 1.** – Je suis complètement / totalement d'accord avec toi, on parle trop des artistes dans la presse. **2.** – Ah ! Ça me fait plaisir que tu dises ça, je suis complètement / totalement d'accord avec toi, c'est beaucoup trop cher ! **b) 1.** – Non, je ne suis pas d'accord avec toi, il a l'âge d'aller en discothèque. **2.** – Ce n'est pas vrai / C'est faux, c'est très simple. **c)** Phrases 1 et 4.

2 **1.** Je ne suis pas certain que Paul vienne à ma fête. (incertitude) - **2.** Elles ne répondent pas, je ne suis pas sûr qu'elles aient leur téléphone. (incertitude) - **3.** Nous sommes certains d'avoir fermé la porte à clé. (certitude)

3 Phrases n°1, 3, 4, 5 et 7.

4 Au XXe siècle, Yves Saint-Laurent **a été** un couturier de talent. En 1955, il **est entré** chez Dior. Il **travaillait** comme assistant modéliste quand, en 1957, il **a pris** la direction de Dior. Il **avait** 21 ans seulement. En 1958, sa collection « trapèze » **a connu** un franc succès. Saint-Laurent **a décidé** ensuite de quitter Dior et il **a créé** sa société en 1961. Il **aimait** le théâtre et le cinéma. En 2002, il **a pris** sa retraite, mais ses amis du spectacle **allaient** souvent le voir et lui **demandaient** conseil. Il **est mort** le 1er juin 2008 à Paris. Un grand nom de la mode **disparaissait**.

5 **1.** a pour objectif de – **2.** afin que – **3.** c'est décidé – **4.** prévoyons – **5.** pour.

6 **1.** parce que – **2.** ça permet de – **3.** c'est pour ça – **4.** ça sert à – **5.** ça permet de.

Autoévaluation 2 – page 76

1 **1.** Je suis moins grand que ma sœur. – **2.** La tour Eiffel est plus haute que la tour Montparnasse. – **3.** Ankara est aussi peuplée que Luanda. – **4.** Il y a autant de pages dans les deux livres.

2 1c – 2a – 3d – 4b.

3 Une chose étrange **est arrivée** hier soir. J'**étais fatigué.** Je **suis allé** me coucher de bonne heure. Le matin, j'**avais acheté** le dernier roman de Fred Vargas et je **voulais** le commencer. À dix heures dix, j'**ai entendu** du bruit. La pendule que m'**avait offerte** mes parents **s'est mise** à sonner. Étrange, je me **suis dit.** Puis, quelqu'un **a monté** l'escalier. J'**ai commencé** à avoir peur. Pourtant, j'en **étais** certain ! J'**avais fermé** la porte à clé et j'**avais mis** l'alarme. Soudain, la porte **s'est ouverte** et je les **ai vues,** ces choses étranges…

4 **1.** ça m'angoisse – **2.** je ne suis pas rassurée – **3.** Je suis inquiet.

5 **1.** ce n'est pas grave – **2.** Ne vous en faites pas – **3.** Ce n'est rien – **4.** Ça va aller.

6 – M. Delcour, vous travaillez pour la société Paton **depuis** combien de temps ?
– Eh bien, je suis entré dans l'entreprise **il y a** douze ans.
– Et **ça fait** combien de temps **que** vous avez des problèmes de santé ?
– Euh… J'ai eu des douleurs dans les jambes **pendant** environ cinq ans. Maintenant, j'ai des problèmes de respiration. Vous pensez que c'est grave docteur ?

7 **1.** Je suis triste que mon ami ne vienne pas en cours de français. – **2.** Vous êtes déçus qu'il ne fasse pas beau et que nous ne puissions pas nous promener. – **3.** Les enfants sont heureux que leurs grands-parents viennent en vacances. – **4.** Je suis déçu que vous ne vouliez pas passer une semaine en montagne. – **5.** Mon beau-père souhaite que je reprenne son entreprise.

Autoévaluation 3 – page 112

1 accepte : phrase n° 5 – hésite : phrases n° 1, 2 – refuse : phrases n° 3, 4.

2 **1.** prêter – **2.** a offert – **3.** donne ; prêtes.

3 Phrases 2, 4, 5 et 6.

4 Quand tu seras grande, je te donnerai ma bague en or, c'est promis. Je t'assure, elle a pleuré toute la nuit à cause de ses problèmes professionnels. Je te promets que nous ne ferons plus jamais ça. Oui, monsieur, je vous rappelle avant samedi, sans faute !

5 – Est-ce que je pourrais parler à
– De la part de qui ?
– Un instant, s'il vous plaît ; Pourriez-vous rappeler
– Ne quittez pas ; Vous voulez laisser un message
– Dites-lui que

6 Philippe : Ah ! Zut ! Mais pourquoi elle ne marche plus, cette machine à café ?
Aurélia : Moi, je crois que **c'est la faute de** Maria, elle a oublié de l'éteindre hier soir.
Maria : Hé, mais, **ce n'est pas vrai,** moi, je n'ai pas travaillé, hier ! **C'est toi qui** as dû faire ça, plutôt !
Philippe : **C'est peut-être** le directeur qui l'a trop utilisée… ou alors **c'est à cause de** la prise électrique.
Maria : Je ne sais pas, mais je sais que **je n'ai rien fait** !

7 Phrases 1, 3 et 5.

Autoévaluation 4 – page 148

1 **1.** Inverser les adresses expéditeur et destinataire – **2.** 44000 Nantes – **3.** **Mme** Sylvie Bélanger – **4.** Vallet, le 12 juin 2010 – **5.** Cher Monsieur ~~le banquier~~ – **6.** **Vous m'avez** informée – **7.** ~~Merci !~~ → Je vous en remercie – **8.** ~~À plus~~ → Je vous prie d'agréer, cher monsieur, l'expression de mes cordiales salutations.

2 **1.** malgré – **2.** Au contraire – **3.** bien que – **4.** même si – **5.** quand même.

3 Phrases n° 2, 3 et 6.

4 **1.** parce que – **2.** alors – **3.** à cause de – **4.** puisque – **5.** Par conséquent – **6.** grâce à – **7.** Comme.

5 **1.** pourrait – **2.** dises – **3.** prends/prendrai – **4.** n'ayons plus ; fait/fera – **5.** j'achèterais.

6 Phrases n° 2, 4 et 6.

Transcriptions

MODULE 1 : ÉCHANGER DES OPINIONS

UNITÉ 1 : TRÈS DRÔLE !

Piste 2

Activité 1, page 11

JOURNALISTE — Mesdames et messieurs bonjour et bienvenue dans *Polémiques*, notre émission sur les sujets qui fâchent.
Le président Nicolas Sarkozy vient de déclarer qu'il n'aime pas sa caricature. Jacques Chirac aimait bien la sienne. Mais il y a souvent polémique quand on se moque des personnalités politiques. Souvenez-vous par exemple : pour rire, sans se prendre au sérieux, Coluche se présente aux élections présidentielles en 1981 : grande polémique ! Jamel Debbouze se moquait ouvertement de Bernadette Chirac, la femme de l'ex-président ! Scandale ! Florence Foresti imite Ségolène Royal à la télévision pendant les élections : les dents grincent. Pourtant, ces humoristes sont très populaires ! La question se pose alors : peut-on rire des personnalités politiques ? L'humoriste Pierre Desproges, mort en 1988, disait « on peut rire de tout, mais pas avec n'importe qui. » On peut ajouter « et de n'importe qui ». Alors, qu'en pensez-vous ? Nous avons interrogé quelques Français.
DAME 1 — Ça me gêne un petit peu, effectivement, de rire des hommes politiques par exemple, et des femmes politiques aussi, particulièrement du président de la République. Ça ne me plaît pas trop. Ça peut être dangereux.
DAME 2 — Moi non plus je ne suis pas d'accord ! Il faut les laisser tranquille. On peut se moquer des Français en général, mais pas des personnalités au pouvoir. Ce n'est pas bon pour notre image.
MONSIEUR 1 — Moi, je m'en fiche ! Mais alors quelque chose de bien. Vraiment, ça m'est égal.
DAME 3 — Moi je ne m'en fiche pas. Le rire, c'est une liberté. Il faut l'utiliser. Ce sont des personnes publiques, c'est comme une tradition !
MONSIEUR 2 — Ah ça me fait plaisir qu'on se moque des hommes politiques ! Ça fait partie du jeu ! C'est drôle !
JOURNALISTE : Vous pouvez aussi réagir sur le forum de l'émission. Mais tout d'abord, discutons avec un spécialiste...

Piste 3

Activité 12, page 14

NAÏMA — Ah, bonjour.
NATHALIE — Bonjour.
NAÏMA — Vous emménagez ?
NATHALIE — Oui, je vais louer l'appartement du troisième.
NAÏMA — Ah d'accord. Bah... bienvenue dans l'immeuble. Je m'appelle Naïma, j'habite au cinquième. Vous verrez, c'est sympa ici. Je suis certaine que vous allez aimer. C'est assez calme.
NATHALIE — J'en suis sûre. Euh... il n'y avait pas un petit parc dans le quartier ? J'habitais un peu plus loin quand j'étais petite. Je ne suis pas certaine de l'endroit exact... Mais on allait au parc avec ma mère, pour jouer.
NAÏMA — Ah mais si. Il était là, en face. C'était bien pour les enfants, il y avait des jeux. L'été, on faisait des pique-niques. C'était vraiment agréable. Maintenant, c'est le centre commercial. Ils l'ont construit l'année dernière.
NATHALIE — Oh! Qu'est-ce qui s'est passé ?
NAÏMA — On a changé de maire. Il n'est pas très écolo... Il préfère probablement les immeubles.
NATHALIE — C'est évident !
NAÏMA — Je sais très bien que c'est important les commerces. Mais dans ce quartier, je suis absolument certaine que les gens préfèrent un parc. Tout le monde a protesté ! Attendez, je vais vous ouvrir la porte...
NATHALIE — Oh merci...
NAÏMA — Je vous aide ?
NATHALIE — Non, ça ira merci...
NAÏMA — Vous avez cinq minutes ? Je peux vous présenter votre voisin, je le connais bien. Je ne suis pas sûre qu'il soit là, mais on peut essayer... Il est étudiant.
NATHALIE — Euh... je n'ai pas beaucoup de temps. Une autre fois peut-être ?
NAÏMA — Ok, bon, eh bien... bon courage ! À bientôt...
NATHALIE — Nathalie.
NAÏMA — À bientôt alors, Nathalie.
NATHALIE — Oui, au revoir.

Piste 4

Activité 14, page 15

1. Je ne suis pas certaine qu'il vienne dîner demain soir.
2. Il n'est pas venu à son rendez-vous ? Il a probablement oublié de vous avertir, je suis désolé.
3. Écoute, je n'ai pas perdu mon portable. Il était sur la table. J'en suis absolument certaine. Je suis sûre qu'on l'a volé, c'est tout.
4. Marc, je sais très bien que tu n'es pas allé en cours hier. Le lycée a appelé. Alors, où étais-tu ?
5. Non, nous ne sommes pas sûrs d'aller en Sicile cet été. On va rester en France, ce sera plus simple.
6. Monsieur Guillot, il est évident que votre ordinateur n'est pas tombé tout seul. Je suis désolée, je ne peux pas vous aider.

Piste 6

Activité B, page 17

1. il m'aime
2. tu as parlé
3. on discute
4. je passais
5. tu as mangé
6. elle était

UNITÉ 2 : VOUS AVEZ DIT « CULTURE » ?

Piste 8

Activité 7, page 22

1. Elle croit qu'il a tort, c'est tout !
2. Ah ! Oui, je veux bien !
3. Je sais parfaitement que vous n'appréciez pas le théâtre.
4. Selon madame Roy, ce n'est pas une maladie grave.
5. Mon chef de service pense que je travaille trop lentement.
6. Vous pourriez nous aider, samedi matin ?
7. Non, à mon avis, il ne fera pas très beau.
8. Pour moi, la politique du gouvernement n'est pas bonne du tout.

Piste 9

Activité 14 b, page 24

NAÏMA — Ah ! Voilà Dominique ! Entre... Tu vas bien ?
DOMINIQUE — Très bien, et toi ? ... Bonsoir, tout le monde !
NAÏMA — Dominique, je te présente Nathalie, ta nouvelle voisine.
DOMINIQUE — Ah ! c'est toi ! Euh... enfin, c'est vous ? Ouais, c'est vrai qu'en France, on dit plutôt « vous », pardon.
NATHALIE — Pas de problème ! « Tu » ira très bien.
DOMINIQUE — Alors, bienvenue dans notre joyeux immeuble, Nathalie ! Tout va bien ?
NATHALIE — Oui, oui, tout va bien. Merci à tous pour votre accueil, c'est gentil. Oh, toi, tu es québécois, non ?
DOMINIQUE — Oui, je suis de Montréal et ici, j'étudie la sculpture à l'école des Beaux-Arts.
GAËL — Alors, qu'est-ce que tu prends ? Vin blanc, bière ?
DOMINIQUE — Bah, une petite bière si tu en as. Alors, vous avez des places pour les concerts ?
GAËL — Oui, à 9 euros au lieu de 18 ! Et tu as vu le programme ? Il y a plein de bons groupes, cette année.
DOMINIQUE — Ouais, j'ai vu. Je veux aller voir *Pigalle* le vendredi soir ! Toi aussi, Antony, non ?
ANTONY — Exact ! J'ai l'intention d'y aller aussi.
NATHALIE — Moi, je pense aller au concert de Cesaria Evora. J'aime beaucoup cette chanteuse, sa voix et...
NAÏMA — Ah ! oui, c'est génial ! J'ai décidé d'y aller aussi, mais sans Gaël, parce qu'il n'aime pas ce genre de musique. Alors, on y va toutes les deux ?
NATHALIE — Très bonne idée, Naïma !
JÉRÉMIE — Et personne n'a envie d'aller voir Keziah Jones ?
GAËL — Si, moi, peut-être... J'hésitais...
JÉRÉMIE — C'est excellent. Tu as écouté son premier album... Je te l'ai prêté, non ?
GAËL — Oui, c'est vrai, c'est bien et surtout très original. Allez, c'est décidé, je vais avec toi, Jérémie !
JÉRÉMIE — Je te passe l'album de Keziah Jones, Nathalie, pour que tu puisses le découvrir. Après, tu auras peut-être envie de venir avec nous.
NATHALIE — Euh... Mais c'est quel genre de musique ?
NAÏMA — Ah ! Je pense que c'est David et Laurent !

Piste 10

Activité 16, page 24

1. — Bon alors, on fait quoi samedi pour l'anniversaire de Mounir ?
— J'ai décidé qu'on allait lui faire une énorme surprise !

2. — Vous avez pris une décision pour améliorer votre santé ?
— Oui, j'arrête de fumer, c'est décidé !
3. — Qu'est-ce que tu vas faire, Phil, pour l'annonce de technicien de laboratoire ?
— Je pense rappeler l'agence pour l'emploi demain matin.
4. — Damien, vous avez l'intention de repartir en Roumanie, cette année ?
— Oui, bien sûr !
5. — Ah bon ? Alexia doit perdre 10 kilos ? Comment elle va faire ?
— Elle a décidé de faire du sport tous les jours.

Piste 11

Activité A, page 27

1. Nous le tirons.
2. Adèle est là.
3. Vous avez un dé ?
4. C'est rude.
5. Un bon atout.
6. Il est doux.
7. Elle m'attire.
8. Arrêtez !

Piste 12

Activité B, page 27

1. séducteur
2. habitude
3. redouter
4. taudis
5. multitude
6. tardif
7. dater
8. étourdi

Piste 13

Activité C, page 27

1. Vous avez commandé un café ou un thé ?
2. Attendez-moi, je suis bientôt prête !
3. Antoine a peur de la solitude.
4. Je trouve qu'il a tort, c'est tout !
5. Je déteste ces attitudes !

Piste 14

Activité 25, page 29

JOURNALISTE — Et tout de suite... le fabuleux destin d'une compagnie qui monte, qui monte... Les Géants Verts sont six artistes de rue et ils présentent un spectacle absolument époustouflant... sur des échasses ! Ne manquez pas, dans quelques instants, l'interview de Benoît Clain, créateur de la compagnie.
JOURNALISTE 2 — Benoit Clain, bonjour et merci d'accepter cette interview pour Radio Cultura. Pouvez-vous vous présenter en quelques mots ?
BENOÎT CLAIN — Eh bien... j'ai une maîtrise de théâtre et depuis 12 ans, je joue dans diverses compagnies de théâtre, de spectacles de marionnettes, de théâtre de rue et plus particulièrement de spectacle sur échasses.
JOURNALISTE 2 — Et comment vous est venue l'idée de créer votre compagnie des Géants Verts ?
BENOÎT CLAIN — Ben... avec quelques amis issus du spectacle et passionnés d'échasses, nous avons décidé de monter un spectacle en vue du festival du théâtre de rue d'Aurillac de juillet dernier. Nous avons reçu un bon accueil du public et donc... la compagnie des Géants Verts était née.
JOURNALISTE 2 — Et qui sont les artistes qui composent votre troupe ?
BENOÎT CLAIN — Nous sommes tous comédiens, mais venons d'origines diverses. Il y a un jongleur, une chanteuse, deux artistes de cirque, un marionnettiste et un musicien.
JOURNALISTE 2 — Dites-moi, est-ce que c'est difficile de tenir sur des échasses ?
BENOÎT CLAIN — Oui et non. La formation de base est simple, mais pour vraiment être à l'aise sur des échasses au milieu du public, il faut un travail physique important et aussi, évidemment, beaucoup d'heures de pratique.
JOURNALISTE 2 — Oui, j'imagine... Vos personnages correspondent à des thèmes différents. Comment les choisissez-vous et qui les fabrique ?
BENOÎT CLAIN — Alors, on choisit les thèmes tous ensemble, selon les envies et les idées des personnes du groupe. Ensuite, on fait appel à des costumiers pour créer nos vêtements.
JOURNALISTE 2 — Bien. Et quels sont vos projets futurs ?
BENOÎT CLAIN — Hum... nos projets... devenir riches et célèbres... et même beaux... mais là, il y a du boulot ! Non, je plaisante : on aimerait élargir notre domaine d'activités artistiques et nous diriger vers des créations plus théâtrales.
JOURNALISTE 2 — Benoît Clain, merci et longue vie aux Géants Verts !
BENOÎT CLAIN — Merci à vous !

UNITÉ 3 : ENVIE D'AILLEURS...

Piste 15

Activité 1, page 31

JOURNALISTE — Bonjour. Installé en Turquie, Julien Boumard, qui a mené une partie de sa carrière hors de France, a créé l'année dernière, à Istanbul, une librairie, le Forum, la seule libraire purement francophone de tout le pays. Alors Julien Boumard, pourquoi la Turquie ?
JULIEN BOUMARD — Bah, en fait, je suis venu ici en 2001 pour travailler, pendant deux ans, de 2001 à 2003. Et puis je suis retourné en France. Après, je suis allé au Liban, en 2005, mais j'avais toujours des contacts en Turquie, pour mon travail. Et j'avais aussi des amis, c'est pour ça que je revenais souvent ici, et j'ai fini par vraiment bien connaître le pays. Et je me suis installé à Istanbul en 2007.
JOURNALISTE — Oui, mais pourquoi la Turquie, pourquoi pas la France ou le Liban ?
JULIEN BOUMARD — Oh, vous savez, ici ou ailleurs... Mais j'adore la vie ici. Et il y a des choses que je peux faire ici et que je ne pourrais faire ni en France ni au Liban.
JOURNALISTE — Et en Turquie, pourquoi Istanbul ?
JULIEN BOUMARD — Oui, c'est vrai, il y a d'autres grandes villes, Ankara, Izmir... Non... J'ai choisi Istanbul parce que c'est vraiment un grand centre culturel, une ville cosmopolite, c'est la porte de l'Europe, vous savez... Et puis, il y a l'histoire aussi, la présence française, les écoles françaises, Pierre Loti, et tous les Turcs qui parlent français.
JOURNALISTE — Alors, Julien Boumard que trouve-t-on dans votre librairie ? Il n'y a que des livres ?
JULIEN BOUMARD — Non, pas seulement. Quand j'ai monté ce magasin-là, j'avais envie d'avoir différents produits culturels français à offrir en Turquie : des livres bien sûr, mais aussi des CD, des DVD, des jeux de société, des cartes de vœux... Et puis, au fond du magasin, il y a un petit coin avec des tables et des chaises, on peut prendre du café ou du thé, vous savez, la tradition turque... Ce petit coin, ça permet de prendre son temps, de feuilleter un peu quelques livres... Ce n'est pas juste un magasin où on vient acheter, ni juste une librairie, c'est un endroit plus convivial, enfin j'espère... Et puis, vous savez, il y a des clients qui viennent souvent, on se connaît bien, on a sympathisé.
JOURNALISTE — Et vous avez un site internet...
JULIEN BOUMARD — Oui, alors, le site présente tous les produits que nous avons en magasin. Il permet aux personnes qui n'habitent pas à Istanbul d'acheter en ligne. C'est vraiment utile. Ça sert aussi à faire connaître le magasin : il y a des personnes qui cherchent d'abord sur Internet et qui viennent au magasin après.

Piste 16

Activité 7, page 32

1. Tu veux continuer tes études ?
2. Tu veux apprendre une autre langue étrangère ?
3. Pourquoi est-ce que tu prends des cours de communication ?
4. Tu n'as pas assez de diplômes pour travailler ?
5. Et tes cours d'informatique, c'est utile ?

Piste 17

Activité 14, page 35

1. Nous avons organisé cette réunion afin de vous expliquer le fonctionnement des agences à l'étranger.
2. Nous avons pour objectif de développer notre société dans l'Union européenne.
3. Si ces trois agences fonctionnent comme nous le souhaitons, nous envisageons d'ouvrir d'autres agences dans d'autres pays européens.
4. Nous recherchons des personnes avec un minimum d'expérience afin que nos agences puissent fonctionner rapidement.
5. Nous voudrions vous rencontrer plusieurs fois pour que vous compreniez bien quel sera votre travail.
6. Nous avons prévu d'employer deux ou trois personnes dans chaque agence.
7. Et si vous ne parlez pas polonais, nous avons l'intention de vous faire suivre des cours aux mois de novembre et décembre.

Piste 19

Activité B, page 37

1. Bienvenue !
2. Premier paragraphe.
3. Boulevard Arnault.
4. C'est un mauvais livre.

5. Une question difficile.
6. Au revoir.
7. Le bureau d'information.
8. Un œuf en chocolat.

Piste 20

Activité D, page 37

1. Vous voulez faire vos valises ?
2. Il faut tout vendre avant vendredi.
3. Qui vole un œuf, vole un bœuf.
4. Ce sont des filles actives et volontaires.
5. Le vent est fort et il fait vraiment froid.

Piste 21

Activité 21, page 38

JOURNALISTE — Mathilde Lemaistre, vous habitez à Pointe-Noire. Quand est-ce que vous êtes arrivés ici ? Pourquoi vous êtes venus au Congo ?
MATHILDE LEMAISTRE — Alors, ça fait maintenant trois ans qu'on est au Congo. C'est pour mon travail évidemment qu'on est venus ici. Avant, pour mon travail aussi, j'ai passé quatre ans au Brésil, et avant encore, j'étais au Japon. Mon mari est japonais, on s'est rencontrés au Japon.
JOURNALISTE — Alors, comment ça se passe pour vous au Congo, et pour votre mari et vos enfants ?
MATHILDE LEMAISTRE — Eh bien, vous savez, on n'est plus au temps des colonies où il y avait une grande différence entre les Congolais et les Européens ou les étrangers. Là, moi, les personnes avec qui je travaille sont congolaises, ce sont des collègues, il n'y a pas de différence entre nous. C'est vrai qu'on a une maison plutôt belle, mais bon, ce n'est pas un château et on s'entend bien avec nos voisins, on se rencontre facilement. Pour mon mari, au Brésil, il y avait beaucoup de personnes d'origine japonaise, il avait des amis japonais, ici, ce n'est pas la même chose... Mais, il y a quand même pas mal de Français ici, on doit être trois ou quatre mille au Congo. Pour les enfants pas de problème, ils sont bien partout : au Brésil, ils avaient des copains brésiliens, ici, ils ont des copains congolais, ils ont même appris quelques mots de lingala. Moi, je parle seulement français avec mes collègues. Le Congo, c'est un pays très ouvert sur le monde.
JOURNALISTE — Et la ville de Pointe-Noire ?
MATHILDE LEMAISTRE — Je crois qu'on est mieux ici qu'à Brazzaville. On est au bord de l'océan. Par certains côtés, ça nous rappelle Recife au Brésil. Au Japon, on habitait à Nagasaki. On aime bien vivre au bord de la mer.

MODULE 2 : PARLER DE SES SENTIMENTS ET DE SES ÉMOTIONS

UNITÉ 4 : VOILÀ L'ÉTÉ !

Piste 24

Activité 1, page 47

JOURNALISTE — Mesdames et messieurs bonsoir et bienvenus dans cette édition de 18 heures, voici les titres de notre journal de ce soir.
— Départs en vacances ce week-end, Bison Futé prévoit une journée rouge dans les deux sens. Plus de circulation dans le sens Nord-Sud que l'année dernière aujourd'hui samedi, mais moins d'accidents qu'en juillet, les Français sont plus prudents. Reportage sur l'autoroute du soleil.
— Les spécialistes du tourisme sont contents : le niveau de réservation des hôtels est très bon, meilleur que l'année dernière. La France est toujours aussi populaire et reste le pays le plus touristique du monde devant l'Espagne et les États-Unis et elle accueille mieux les touristes qu'il y a quelques années. Reportage à Cannes où même les palaces font le plein.
— Bonne nouvelle pour les vacanciers : l'essence est moins chère qu'en juillet. Explications avec notre spécialiste.
— Le milliardaire russe, Mikhaïl Prokhorov, s'achète la villa Leopolda de Villefranche-sur-mer pour 500 millions d'euros. C'est l'une des villas les plus chères du monde. Enquête sur ces nouvelles fortunes russes.
— La tempête tropicale Fay a fait un mort et trois disparus samedi lors de son passage en République dominicaine. Fay n'a pas tué autant que Noël qui avait fait 30 morts. C'est la tempête la moins mortelle des trois de cette année.
— Enfin, Alain Bernard a nagé le plus vite, c'est le meilleur nageur du monde du moment sur le 100 mètres nage libre. Il n'a pas battu de record, mais c'est le commencement d'une belle carrière olympique. Portrait de la nouvelle star de la natation.

Piste 25

Activité 3, page 47

JOURNALISTE — Mais commençons par les départs en vacances. Cette année, les Français utilisent plus le train pour aller en vacances et partent moins longtemps, mais, ce week-end, il y a quand même beaucoup de monde sur les routes. Notre reporter a interrogé des vacanciers sur l'autoroute du soleil, l'autoroute la plus fréquentée de l'Hexagone. Ambiance avec Olivier Jacquot.
OLIVIER JACQUOT — Sur l'autoroute du soleil, il y a autant de circulation que d'habitude, 120 km de bouchons. Il y a ceux qui remontent vers le Nord, bronzés et détendus et les autres qui descendent pour aller au soleil et profiter de la plage, direction le camping, l'hôtel ou le gîte loué à la campagne. Bonjour monsieur, vous allez où ?
HOMME — À Grimaud, près de Sainte Maxime, on va louer une petite maison.
OLIVIER JACQUOT — Vous allez faire quoi pendant les vacances ?
HOMME — On va se reposer. Avec ma femme et les enfants, on aime beaucoup cette région. On aime bien Grimaud parce qu'il y a la mer pas très loin et la campagne. Mais il y a souvent beaucoup de monde.
FEMME — Les enfants préfèrent la mer, c'est plus sympa pour eux. Ça nous plaît bien d'aller à la plage, mais, nous, vraiment, on aime mieux faire des visites de châteaux et des villages de Provence, c'est plus intéressant. On préfère découvrir la région, quoi.
OLIVIER JACQUOT — Très bien, merci et bonnes vacances, soyez prudents. Et vous madame...

Piste 26

Activité 4, page 47

JOURNALISTE — Mesdames et messieurs bonsoir et bienvenus dans cette édition de 18 heures, voici les titres de notre journal de ce soir.
— Départs en vacances ce week-end, Bison Futé prévoit une journée rouge dans les deux sens. Plus de circulation dans le sens Nord-Sud que l'année dernière aujourd'hui samedi, mais moins d'accidents qu'en juillet, les Français sont plus prudents. Reportage sur l'autoroute du soleil.
— Les spécialistes du tourisme sont contents : le niveau de réservation des hôtels est très bon, meilleur que l'année dernière. La France est toujours aussi populaire et reste le pays le plus touristique du monde devant l'Espagne et les États-Unis et elle accueille mieux les touristes qu'il y a quelques années. Reportage à Cannes où même les palaces font le plein.
— Bonne nouvelle pour les vacanciers : l'essence est moins chère qu'en juillet. Explications avec notre spécialiste.
— Le milliardaire russe, Mikhaïl Prokhorov, s'achète la villa Leopolda de Villefranche-sur-mer pour 500 millions d'euros. C'est l'une des villas les plus chères du monde. Enquête sur ces nouvelles fortunes russes.
— La tempête tropicale Fay a fait un mort et trois disparus samedi lors de son passage en République dominicaine. Fay n'a pas tué autant que Noël qui avait fait 30 morts. C'est la tempête la moins mortelle des trois de cette année.
— Enfin, Alain Bernard a nagé le plus vite, c'est le meilleur nageur du monde du moment sur le 100 mètres nage libre. Il n'a pas battu de record, mais c'est le commencement d'une belle carrière olympique. Portrait de la nouvelle star de la natation.
JOURNALISTE — Mais commençons par les départs en vacances. Cette année, les Français utilisent plus le train pour aller en vacances et partent moins longtemps, mais, ce week-end, il y a quand même beaucoup de monde sur les routes. Notre reporter a interrogé des vacanciers sur l'autoroute du soleil, l'autoroute la plus fréquentée de l'Hexagone. Ambiance avec Olivier Jacquot.
OLIVIER JACQUOT — Sur l'autoroute du soleil, il y a autant de circulation que d'habitude, 120 km de bouchons. Il y a ceux qui remontent vers le Nord, bronzés et détendus et les autres qui descendent pour aller au soleil et profiter de la plage, direction le camping, l'hôtel ou le gîte loué à la campagne. Bonjour monsieur, vous allez où ?
HOMME — À Grimaud, près de Sainte Maxime, on va louer une petite maison.
OLIVIER JACQUOT — Vous allez faire quoi pendant les vacances ?

HOMME — On va se reposer. Avec ma femme et les enfants, on aime beaucoup cette région. On aime bien Grimaud parce qu'il y a la mer pas très loin et la campagne. Mais il y a souvent beaucoup de monde.
FEMME — Les enfants préfèrent la mer, c'est plus sympa pour eux. Ça nous plaît bien d'aller à la plage, mais, nous, vraiment, on aime mieux faire des visites de châteaux et des villages de Provence, c'est plus intéressant. On préfère découvrir la région, quoi.
OLIVIER JACQUOT — Très bien, merci et bonnes vacances, soyez prudents. Et vous madame...

Piste 27

Activité 16, page 50

1. — Allo maman ? J'ai eu mon bac ! Enfin !
   — C'est extraordinaire ! Je suis vraiment contente pour toi. C'est bien ma chérie.
2. — Bah, t'es bizarre ! Qu'est-ce qui ne va pas ?
   — J'en ai marre. J'ai raté mon permis de conduire. C'est la cinquième fois !
3. — Salut tous les deux, comment ça va ?
   — Eh bien... Nous avons le plaisir de vous annoncer notre mariage !
4. Chéri, c'est magnifique, c'est génial ! J'ai eu une promotion, je suis directrice de département maintenant !
5. — Je viens d'avoir ma mère au téléphone. Elle a passé des examens. Son cancer est guéri !
   — C'est fantastique ! Enfin, une bonne nouvelle !

Piste 28

Activité A, page 53

1. Chut !
2. Chouette !
3. Sors.
4. Cherche.
5. Salut.
6. Possible.
7. Chantons.
8. Santé !

Piste 31

Activité 26, page 55

HOMME — Moi, j'ai échangé mon appartement de Paris contre un appartement à New York. Eh bien, je ne recommencerai pas. L'appartement là-bas était plus petit que sur la description, c'était très bruyant et il n'y avait pas la climatisation. Et quand je suis rentré chez moi, mon appartement n'était pas très propre...
FEMME — Nous, on a échangé notre maison de Grasse contre une maison en bois en Norvège. C'était génial, extraordinaire ! On avait un bateau pour visiter les fjords. Nous avons aussi sympathisé avec des amis de la famille, on a mieux compris comment vivent les Norvégiens.
FEMME — Moi, j'ai échangé ma maison de Québec avec un appartement à Genève, en 2002. Les propriétaires sont devenus des amis. Depuis 2002, chaque année, on s'échange nos logements. Ils me donnent toujours de bonnes adresses de restaurants. J'adore.

UNITÉ 5 : TERRE INCONNUE

Piste 32

Activité 6, page 58

1. — Ben, qu'est-ce qui ne va pas ?
   — Laisse-moi tranquille, je suis malheureux, c'est tout !
2. — Tu en fais une tête, Marion !
   — Je suis inquiète, mon fils est sorti et je ne sais pas à quelle heure il va rentrer.
3. — On va au cinéma ? On va voir *La Momie* ?
   — Oh ! non, pas ça ! Ça me fait peur, ce genre de film ! Je n'aime pas.
4. — Qu'est-ce qui se passe, Philippe ?
   — J'ai le regret de vous annoncer que je dois quitter Paris bientôt...
5. — Tu as peur de quoi, exactement ?
   — J'ai peur d'avoir un accident, tu conduis trop vite, je te dis !
6. — Pourquoi tu ne souris plus, Juliette ?
   — Parce que j'en ai assez de tes remarques ; tu n'es pas sympa, voilà pourquoi...
7. — Dis donc, il n'a pas l'air content le directeur, ce matin...
   — Oui, j'ai bien peur qu'il nous apprenne une mauvaise nouvelle...

Piste 33

Activité 13, page 60

NAÏMA — Bonjour madame Legay ! Déjà au travail !
MME LEGAY — Bonjour ! Eh oui, il faut se lever tôt quand on est concierge, hein : le ménage, le courrier, arroser les plantes... Vous allez bien ?
NAÏMA — Oui, oui. Vous aussi ?
MME LEGAY — Oh ! Toujours des soucis avec ma jambe, mais qu'est-ce que vous voulez, ce n'est pas bon de vieillir !
NAÏMA — Ah ! bon ? Je ne savais pas que vous aviez des problèmes.
MME LEGAY — Je souffre de cette jambe depuis vingt ans ; du rhumatisme, on ne peut rien faire...
NAÏMA — Ce n'est pas possible !
MME LEGAY — Éh si ! Ça fait des années que je prends des médicaments tous les jours, mais... Dites-moi... Le monsieur du Canada, il va bien, en ce moment ? Il a l'air, euh, comment dire, un peu bizarre...
NAÏMA — Ah ? Euh... je ne sais pas vraiment...
MME LEGAY — Oh non ! Moi je sais ! Ça ne va plus avec la petite dame du troisième. C'est ça, hein ! Bah, il n'y a pas très longtemps qu'ils se fréquentent, si ?
NAÏMA — Je ne... Je ne sais pas trop...
MME LEGAY — Les jeunes, maintenant, avant qu'ils se connaissent, c'est déjà fini ! On ne se pose plus de question, maintenant, hop ! on se quitte !
NAÏMA — Enfin, euh... Je ne sais...
MME LEGAY — Ma petite fille, vous savez, Lola, c'est pareil. Il y a trois ans, elle a rencontré son Juan. Ils voulaient se marier, ils ont tout préparé, et deux mois avant le mariage, pouf... terminé ! Vous m'entendez, terminé ! Pourquoi ? Alors là... Vous imaginez, ils se sont aimés pendant deux ans, hein... et puis, un beau jour, plus rien, ter-mi-né !
NAÏMA — Et oui... Ouh là là, il est déjà 8 heures moins le quart, il faut que je me dépêche, je vais être en retard au bureau...
MME LEGAY — Oh, ben, ne courez pas, ils vous attendront bien...
NAÏMA — Bonne journée, à bientôt !
MME LEGAY — Au revoir, oui, oui, c'est ça, à bientôt...

Piste 34

Activité 15, page 60

1. — Julie va partir en Chine cet été.
   — Ce n'est pas vrai, elle va en Inde.
2. — Tu sais quoi ? Marie, elle a quitté Antoine !
   — Bah... je m'en fiche...
3. — Finalement, on quitte la France, on va vivre en Espagne dès septembre.
   — Ce n'est pas vrai ! Oh, vous nous quittez ?
4. — Tu sais, la voisine de ma sœur qui attendait des jumeaux... Eh bien, elle a eu trois bébés !
   — Ça alors ! Des triplés ?
5. — Je ne sais pas si tu sais, je vais passer le concours pour entrer à l'école d'architecture de Rennes.
   — Bravo !
6. — Hier soir, Marseille a perdu contre Auxerre 3-1.
   — Oh non !
7. — Demain matin, il faut se lever tôt, on part à six heures et demie.
   — Pardon ? Six heures et demie ?

Piste 35

Activité A, page 63

1. C'est pire.
2. Non, c'est dur.
3. Vous avez des piles ?
4. Relis, s'il te plaît !
5. C'est paru.

Piste 36

Activité B, page 63

1. Elle est russe ?
2. Il a des puces.
3. Tout va bien ?
4. Regarde dessus !
5. On la loue.

Piste 37

Activité C, page 63

1. moue
2. cire
3. ta rue
4. pue
5. joue
6. la mûre

Piste 38
Activité D, page 63

1. Tu viens dîner mardi soir ?
2. Vous pouvez leur écrire, c'est sûr ?
3. Vous allez où en août ?
4. Il habite dans quel pays, ton ami ?
5. Saïd est petit, musclé et sportif.
6. Ah ! C'est beau, l'amour !

Piste 39
Activité 23, page 65

JOURNALISTE — Inna, vous êtes étudiante en cinéma et vous avez 26 ans. Que signifie pour vous devenir Européen ?
INNA — Devenir Européen ne veut pas dire être tous identiques, mais plutôt prendre le meilleur de cultures très diverses. Un Espagnol, par exemple, ne vit pas comme un Suédois, mais les deux cultures sont intéressantes.
JOURNALISTE — Est-ce difficile de vivre loin de son pays ?
INNA — Mon pays ne me manque pas, mais j'aimerais voir ma famille plus souvent. Ce qui est le plus lourd pour moi, c'est que... euh, c'est que... pour rester en Espagne, un pays que j'adore, je dois renouveler mon visa d'étudiante tous les ans... et comme il faut six mois pour l'obtenir...

JOURNALISTE — Augustin, vous venez du Cameroun et vous étudiez l'histoire de l'art à Paris. Quelle image avez-vous de l'Europe actuelle ?
AUGUSTIN — Je vois une réelle volonté de s'ouvrir et de dépasser les idées reçues. Je trouve aussi que beaucoup de jeunes Européens voient plus loin que leur identité nationale. Oui, ils se sentent Européens, voilà.
JOURNALISTE — Et vous vivez heureux en France ?
AUGUSTIN — Oui. Oui et non. Ici, en France, je n'ai pas l'impression que les Africains sont pris très au sérieux, c'est bizarre, mais je dois toujours montrer mes capacités. Et moi, euh... Enfin... Oui, je peux comprendre que les gens me regardent comme un Africain, mais ce n'est pas normal, je trouve, pour les Français d'origine africaine. Ils sont trop souvent considérés comme des étrangers, juste à cause de leurs origines... en fait à cause de leur couleur de peau. Ça change un peu, mais ça ne va pas très vite...

JOURNALISTE — Et vous, Enrique, vous venez du Chili et vous avez décidé de traverser l'Atlantique il y a quatre ans maintenant.
ENRIQUE — Oui, je viens de Santiago où j'ai étudié à l'école française. Je suis maintenant étudiant en architecture à Paris.
JOURNALISTE — Est-il difficile de vivre en France quand on vient d'Amérique latine ?
ENRIQUE — Non, au contraire ! Je suis heureux d'être un Chilien en Europe et ici, tout le monde est très gentil avec moi, la vie est facile, oui, vraiment facile. Grâce aux échanges Erasmus, je connais des étudiants de nationalités très diverses et c'est formidable. Il n'y a plus de frontières entre les pays et leurs cultures et on découvre des gens très différents et c'est vraiment intéressant de discuter avec eux. Pour moi, ce qui est important dans le mot « Européen » c'est la dimension européenne plus que le fait d'être d'un seul pays. Vous voyez, moi, je suis heureux d'être en France, mais je suis encore plus heureux d'être en Europe.

UNITÉ 6 : VIVEMENT DIMANCHE !

Piste 40
Activité 1 et 2, page 67

Au jour le jour, la rubrique de Fabien Brisset. Sur Radio Midi.
FABIEN BRISSET — Constance Jaulin, bonjour.
CONSTANCE JAULIN — Bonjour.
FABIEN BRISSET — Constance Jaulin, vous êtes la présidente de l'Association des commerçants et artisans du Cœur de ville. Vous défilez dans les rues aujourd'hui avec plusieurs dizaines de commerçants du centre ville. Vous manifestez contre l'ouverture des magasins le dimanche. Pourquoi cette manifestation ?
CONSTANCE JAULIN — Le problème vient des grandes surfaces, des grands centres commerciaux installés à l'extérieur des villes. Ils voudraient faire disparaître ce jour de repos et obliger les employés à travailler le dimanche. Mais, nous, les petits commerces, on ne peut pas ouvrir le dimanche, on ne peut pas ouvrir sept jours sur sept. Non ! On ne peut pas accepter ça !
FABIEN BRISSET — Mais ça crée des emplois, non ?
CONSTANCE JAULIN — Mais non ! Mais qui travaillera dans les grandes surfaces le dimanche ? Des étudiants, des personnes qui veulent travailler quelques heures par semaine. L'ouverture du dimanche peut créer essentiellement des emplois à temps partiel, des emplois du week-end. Elle en crée peu et en supprime des centaines dans le petit commerce...
FABIEN BRISSET — Comment ça ?
CONSTANCE JAULIN — Parce que l'ouverture du dimanche n'augmente pas la consommation, si l'on y réfléchit bien. Les clients n'achètent pas plus : ils n'ont pas tout à coup plus d'argent parce que les magasins ouvrent un jour de plus. Les clients qui vont acheter le dimanche ne viendront pas chez nous le mardi ou le samedi. C'est bientôt la mort des centres villes. Les clients vont dans les grandes surfaces et ils n'en sortent plus. C'est pour nous inacceptable.
FABIEN BRISSET — Mais vous pourriez ouvrir le dimanche et fermer le lundi et le mardi, par exemple ?
CONSTANCE JAULIN — Oui, mais notre objectif... Enfin, le problème... C'est aussi un problème de société. L'ouverture du dimanche a des conséquences sociales importantes : si les magasins ouvrent le dimanche, la famille ne peut pas se retrouver, les enfants ne voient plus leurs parents, on réduit les activités sociales, les loisirs... Ouvrir le dimanche, c'est faire disparaître notre mode de vie social et familial et le remplacer par le mode de vie des supermarchés et de l'argent. C'est intolérable ! Si demain l'ensemble des commerces doit ouvrir le dimanche, alors il faudra aussi faire travailler les salariés de la sécurité, des transports, des banques et d'autres secteurs du service public. On ne peut pas tolérer ça.
FABIEN BRISSET — Constance Jaulin, merci pour toutes ces explications.

Piste 41
Activité 5, page 68

— Nous, les petits commerces, on ne peut pas ouvrir le dimanche, on ne peut pas ouvrir sept jours sur sept. Non ! On ne peut pas accepter ça !
— C'est bientôt la mort des centres villes. C'est pour nous inacceptable.
— Ouvrir le dimanche, c'est faire disparaître notre mode de vie social et familial et le remplacer par le mode de vie des supermarchés et de l'argent. C'est intolérable !
— Si demain l'ensemble des commerces doit ouvrir le dimanche, alors il faudra aussi faire travailler les salariés de la sécurité, des transports, des banques et d'autres secteurs du service public... On ne peut pas tolérer ça.

Piste 42
Activité 6, page 68

1. — C'est la troisième fois cette semaine que vous arrivez en retard...
   — Oui, je sais mais...
   — Non, vous n'avez aucune excuse, vous ne faites aucun effort. Je ne peux pas tolérer ça !
2. — Votre valise fait 28 kilos. Vous avez droit à 25 kilos. Il y a trois kilos en trop.
   — Oui, bon, trois kilos, c'est bon, non ?
   — Non, la limite c'est 25 kilos. Il faut enlever trois kilos ou alors vous payez 42 euros.
   — Quoi ! 42 euros ? Mais, c'est scandaleux ! Je ne vais pas payer 42 euros pour trois kilos !
3. — Service technique. Sébastien à votre service.
   — Ah, ben enfin ! Ça fait au moins un quart d'heure que j'attends !
   — Oui, je suis désolé madame, on a beaucoup d'appels aujourd'hui.
   — Oui, bon ben, mon ordinateur ne marche pas et en plus il n'y a personne qui répond au téléphone. Je trouve ça lamentable !
   — Excusez-nous madame. Quel est votre problème ?
4. — Ah, non, monsieur, votre passeport n'est pas prêt.
   — Attendez, vous plaisantez ? Je l'ai demandé il y a un mois !
   — Oui, mais au mois de mai, il y a beaucoup de demandes.
   — Mais vous exagérez, un mois pour faire un passeport ! Et je pars la semaine prochaine au Japon ! Comment je fais moi ?
   — Attendez, je vais appeler le service.
5. — Non, non, non, je ne comprends pas !

On ferme l'usine, on met 150 personnes au chômage et personne ne fait rien !
— Oui, mais vous savez, c'est la crise économique partout.
— La crise économique ? Mais, non, il y a de l'argent, c'est juste que la vie de 150 personnes n'a pas d'importance pour les patrons qui ont de l'argent. C'est lamentable !
— On va trouver une solution...

Piste 43
Activité 18, page 72

1. Elle voudrait que tu y ailles avec ta sœur.
2. Je ne suis pas sûre que ce soit possible.
3. Dans les journaux, on dit que vous allez démissionner.
4. Je trouve dommage qu'on soit obligé d'abandonner le projet.
5. Il faut que tu fasses attention.
6. Vous croyez que la banque va accepter ?
7. J'espère que tu comprends le problème.

Piste 44
Activité 20, page 72

1. J'ai vu le directeur. Votre voyage à Kyoto, la semaine prochaine, est annulé.
2. Bon, on avait envoyé cinquante invitations. Je n'ai reçu que trois réponses positives.
3. Ah, je suis désolé, l'hôtel est complet.
4. Clarisse, non, elle n'est pas là. Elle est en réunion jusqu'à 18 heures.
5. Tu sais le bon fromage qu'on a acheté au marché ce matin. Le chien l'a mangé.

Piste 45
Activité A, page 73

1. le bain
2. l'étang
3. le plein
4. le teint
5. le banc
6. le plan

Piste 46
Activité B, page 73

1. c'est lent
2. il est blond
3. le premier rang
4. c'est long
5. le premier rond
6. il est blanc

Piste 47
Activité C, page 73

1. Il n'y a plus de vent.
2. Il l'a atteint ?
3. Ils ont raison.
4. Prends tes gants !
5. Tu aimes bien tes voisins ?
6. J'en vends !
7. Un pain, s'il vous plaît.
8. Il n'est pas très long, ce pont.

Piste 48
Activité D, page 73

1. Lui est américain, mais elle est anglaise, elle a grandi à Londres.
2. Ils sont venus lundi matin avec leurs cinq enfants.
3. On s'embrasse, on ne va pas se serrer la main !
4. Tu penses que c'est impressionnant de passer un examen oral ?
5. Fais attention de ne pas tomber.

Piste 49
Activité 23, page 75

Le dimanche, c'est d'abord la suite du samedi, ça a l'air bête à dire, mais c'est important, parce que, le samedi, on sort, on voit des amis, on se fait un ciné, on a un mariage... et donc, le dimanche on se repose, on se lève tard, on prend le temps de vivre... Ça fait du bien. Et puis, il y a toujours quelque chose à faire, un peu de bricolage, toutes les choses qu'on n'a pas eu le courage de faire pendant la semaine, s'occuper un peu du jardin... J'aime bien aller dans mon jardin le dimanche matin, faire le tour des plantes, voir comment elles vivent, manger des fraises ou une pomme. Le midi, le déjeuner, c'est souvent avec la famille, avec les frères et sœurs... C'est le dimanche qu'on va chez nos parents, on n'a jamais trop le temps de passer les voir pendant la semaine... Les enfants sont contents de voir leurs grands-parents... Et puis il y a toujours une fête ici ou là, dans les petites villes de la région, un vide-grenier, une fête des pommes ou une fête des artisans... On y va avec la famille ou avec des copains... On rencontre des gens, on fait des rencontres, c'est sympa. Le dimanche, on vit, on prend le temps de vivre, c'est ça qui est important.

MODULE 3 : DIRE ET DIRE DE FAIRE

UNITÉ 7 : ENTREPRENDRE

Piste 1
Activité 2, page 83

1. C'est la partie pratique, expérience professionnelle, quand on fait des études.
On peut le faire dans une entreprise ou dans l'administration, dans un ministère par exemple.
2. Il dirige, il coordonne les équipes, il va chercher des clients, il s'occupe du budget aussi, il a un poste à responsabilités.
3. C'est une qualité indispensable quand on travaille sur des projets un peu artistiques. On dit aussi être *imaginatif*.
4. Pour expliquer ce mot, on pourrait dire : avoir la capacité à faire quelque chose.
5. Quand on finit ses études, on y entre. C'est le monde du travail !

Piste 2
Activité 7, page 84

1. Ça te dirait de partir en Bretagne le week-end prochain ?
2. Nous pourrions emmener les enfants au parc si tu rentres de bonne heure.
3. Oh, je vais aller me coucher tôt, je suis tellement fatigué !
4. Et toi, qu'est-ce que tu penses du dernier film d'Agnès Jaoui ?
5. Je vous propose que nous nous retrouvions sur le quai de la gare, ce sera plus simple.
6. Je regrette vraiment qu'il ne vienne pas déjeuner dimanche.
7. Tu veux qu'on dîne au restaurant ce soir ? Je n'ai pas eu le temps de faire les courses.
8. Non, je suis désolée, mais je veux que tu rentres pour dix heures.

Piste 3
Activité 9, page 85

MME DESCHAMPS — Alors messieurs, que pensez-vous de ma proposition ? Ça vous intéresse ? Patrice.
PATRICE — Pour moi, sans hésiter, c'est oui. D'accord ! Pas de problème ! L'idée est géniale ! Créer une entreprise, c'est super !
MME DESCHAMPS — Et vous Emmanuel ?
EMMANUEL — Euh... je ne sais pas... peut-être... ouais... pourquoi pas ! Je dois réfléchir.
MME DESCHAMPS — Prenez une décision rapidement s'il vous plaît. Et vous Nicolas ?
NICOLAS — Je suis désolé, mais je ne peux pas. Je ne serai plus ici en juin. Je vais faire mon stage à l'étranger.
MME DESCHAMPS — C'est dommage. C'est une belle occasion. Enfin, bon. Alors, j'ai trouvé plus d'infos...

Piste 4
Activité 10, page 85

1. — On finit ce rapport et on va boire un verre quelque part, ça te dit ?
— Si tu veux, mais je ne suis pas certaine qu'on termine avant deux bonnes heures...
2. — Oh ! C'était long cette réunion. Il est déjà 22 heures. Je vous ramène ?
— Euh... Une autre fois peut-être, je n'habite pas loin.
3. — Ça vous dirait de faire du bateau demain ?
— Oh, oui ! Avec plaisir.
4. — Laure et Jess vont voir le dernier film d'Alain Chabat, on va avec eux ?
— Je vais voir... Je suis tellement fatiguée...
5. — Ah, j'irais bien en vacances en Martinique, le soleil, la mer...
— Ok ! Achète les billets !

Piste 5
Activité 12, page 85

1. Dites, vous pourriez me raccompagner à mon hôtel ?
2. Tu viens ? On va faire un match de foot !
3. Dites-moi, vous pourriez me faxer ce document aujourd'hui, c'est assez urgent...
4. Que dirais-tu de louer une maison en Provence cet été ?
5. J'ai une proposition à te faire : on trouve 150 000 euros et on ouvre un bar à cocktails de jus de fruits !

6. Ça te dirait toi de partir à l'étranger pendant deux ou trois ans ?
7. Et si on allait voir l'expo Dali au musée d'art moderne ?
8. Eh regarde, ils cherchent des vendangeurs saisonniers en Champagne. Ça te dit ?

Piste 6

Activité 14, page 86

MME LEGAY — Oh là là, mais c'est quoi tout ça ? C'est à vous tous ces cartons monsieur Pietrovski ?
M. PIETROVSKI — Ceux-là oui, c'est pour la foire à tout du quartier ! Les autres, je ne sais pas...
MME LEGAY — Ah mais ça ne va pas rester longtemps ici j'espère ? On ne peut même plus circuler !
M. PIETROVSKI — Non, ne vous inquiétez pas madame Legay. Dites-moi, vous pourriez me prêter un peu de scotch pour fermer mes cartons ?
MME LEGAY — Oh, non, je n'en ai pas, désolée. Tiens, il est joli ce petit cadre.
M. PIETROVSKI — Lequel ? Celui-ci avec les chevaux ? Quelle horreur !
MME LEGAY — Non, celui-là, avec la petite madone, c'est mignon.
M. PIETROVSKI — Eh ben, tenez, je vous l'offre. C'est cadeau ! Et prenez celui avec les chevaux aussi.
MME LEGAY — C'est vrai ! Ah bah c'est gentil. Je vais les mettre dans mon salon. Ça vous dérange si je regarde ce que vous avez ? Vous me ferez un petit prix, hein ?
M. PIETROVSKI — Profitez-en, jetez un coup d'œil, s'il y a des choses qui vous intéressent, prenez-les ! Pour vous, c'est gratuit.
MME LEGAY — Et ces chaussures, là, elles sont à vous ?
M. PIETROVSKI — Lesquelles ? Celles-là ?
MME LEGAY — Non, celles en cuir noir là. Elles ont l'air bien. Pour mon mari...
M. PIETROVSKI — Euh, celles-là, elles sont presque neuves... Je les ai achetées 100 euros, je...
MME LEGAY — Oh c'est gentil ! Il va être content ! Il fait bien chaud aujourd'hui, je vous offre un petit quelque chose à boire ? Vous prendrez bien un petit bout de gâteau aussi ?
M. PIETROVSKI — Euh... non, il faut que j'y aille là...
MME LEGAY — Bon bah, au revoir, bonne journée et bonne foire à tout !
M. PIETROVSKI — Oui, merci. Au revoir madame Legay.

Piste 7

Activité 16, page 87

1. M. PIETROVSKI — [...] Dites-moi, vous pourriez me prêter un peu de scotch pour fermer mes cartons ?
   MME LEGAY — Oh, non, je n'en ai pas, désolée. [...]
2. M. PIETROVSKI — Tenez, je vous l'offre. C'est cadeau ! Et prenez celui avec les chevaux aussi.
   MME LEGAY — C'est vrai ! Ah bah c'est gentil. [...]
3. M. PIETROVSKI — Profitez-en, jetez un coup d'œil, s'il y a des choses qui vous intéressent, prenez-les ! Pour vous, c'est gratuit.
4. MME LEGAY — [...] Il fait bien chaud aujourd'hui, je vous offre un petit quelque chose à boire ? Vous prendrez bien un petit bout de gâteau aussi ?
   M. PIETROVSKI — Euh... non, il faut que j'y aille là...

Piste 8

Activité 17, page 87

1. — Encore un peu de vin avec le fromage ?
   — Non merci, je conduis.
2. — Je peux t'emprunter quelques euros, j'ai oublié mon porte-monnaie ?
   — Bah, j'ai pas grand-chose sur moi...
3. — Ah, tiens, j'ai le dernier CD de Miossec. Pas terrible. Prends-le, garde-le, je ne l'écoute jamais.
   — Ah, c'est gentil, merci.
4. — Ça te dirait d'aller au ciné demain soir ? Ils passent le dernier Klapisch à Odéon.
   — Oh, oui, pourquoi pas, j'ai lu de bonnes critiques.
5. — Excusez-moi, la rue Aragon, c'est dans le coin ?
   — Oui, c'est pas très loin. Vous prenez à gauche au carrefour, et vous y êtes.
   — Merci.
6. — Alors, un flacon d'eau de parfum Chanel n°5, eh bien... ça vous fait 88 euros 35 s'il vous plaît. Je vous mets quelques échantillons, c'est offert par la boutique.
   — Oui, merci, et vous en auriez pour mon mari aussi ?
7. — Tu me prêtes ta paire de ciseaux ? Je ne retrouve plus la mienne.
   — Oui, mais elle s'appelle reviens !
8. — Alors, aujourd'hui, je peux vous proposer un cocktail de crevettes en entrée, une bavette grillée sauce au poivre en plat principal et une petit mousse au chocolat maison en dessert.
   — Hummm, ça me va.

Piste 9

Activité A, page 89

1. Paris
2. riche
3. lac
4. morue
5. laisse
6. toile
7. tarot
8. lin

Piste 10

Activité B, page 89

1. lime
2. rue
3. bal
4. calé
5. clim

Piste 11

Activité C, page 89

1. religion
2. allure
3. larguer
4. lumière
5. labourer
6. râler
7. clair
8. rallumer

UNITÉ 8 : VOUS AVEZ GAGNÉ !

Piste 13

Activité 3, page 93

1. Je n'ai pas de chance, je perds tout le temps...
2. On ne doit pas écrire sur le livre, seulement sur notre cahier d'exercices.
3. Génial ! Mon numéro a été tiré au sort !
4. Non, je ne veux pas jouer au tiercé, je ne connais pas les chevaux.
5. N'oubliez pas de valider votre réponse avant le 10 à minuit.
6. Je n'ai pas lu la règle du jeu.

Piste 14

Activité 7, page 94

1. — Maman, est-ce que je peux te demander de garder les jumeaux jeudi soir ?
   — Jeudi... Ah, je ne peux pas te promettre...
2. — Vous nous aiderez pour le déménagement, non ?
   — Sans problème !
3. — Pourrais-tu m'aider à faire mes exercices ? Je ne comprends pas.
   — Bah, pourquoi pas ?
4. — Il fait chaud, vous ne trouvez pas ?
   — Il n'est pas question que j'ouvre la fenêtre !
5. — Il faudra absolument que tu mettes une cravate pour la soirée.
   — Je vais y réfléchir.
6. — On se demandait si tu pouvais aussi inviter Solène samedi.
   — Solène ? Oh, il faut voir...
7. — On prendra ta voiture et on ira visiter le château de Chambord.
   — Pourquoi pas...

Piste 15

Activité 16, page 96

NAÏMA — Eh ! Salut, Nathalie ! Tu vas bien ?
NATHALIE — Oui, oui, ça va, et toi ?
NAÏMA — Tout va bien. Tu rentres chez toi ? Moi aussi. On marche ensemble ?
NATHALIE — Oui, bien sûr !
NAÏMA — Dis, tu te souviens de Lucas, tu sais, mon copain qui habite à Nantes et qui...
NATHALIE — Oui, oui, je ne le connais pas, mais tu m'as déjà parlé de lui : il est informaticien, il adore la planche à voile et le jazz... bref, qu'est-ce qu'il a, Lucas ?

NAÏMA — De la chance ! Beaucoup de chance ! Il vient de gagner cent mille euros sans rien faire.
NATHALIE — Cent mille euros ? Je ne te crois pas !
NAÏMA — Je t'assure ! Demande à Gaël si tu ne me crois pas ! Pour son travail, il cherchait des informations sur Internet et il a été informé que son adresse avait été tirée au sort et qu'il avait gagné cent mille euros. Il a reçu un message aussitôt pour le lui confirmer.
NATHALIE — Mais Naïma, mais tu es naïve, par moment... et puis ton copain Lucas aussi, j'ai l'impression... Ce genre de message, on en reçoit tous les jours ! C'est faux et archi faux ! Il ne recevra jamais rien, ce pauvre garçon...
NAÏMA — Écoute, il a d'abord vu une fenêtre s'ouvrir sur son écran avec le message « vous avez gagné » ou quelque chose comme ça ; après, il a reçu un message électronique signé, avec un nom de personne, un nom de société...
NATHALIE — Ouais, ouais, continue... et finalement ?
NAÏMA — Rien encore, mais tu sais ce qu'il disait, le message ? Plein de choses : Lucas est invité à Paris pour retirer son gain. En plus, son train est payé, sa nuit d'hôtel aussi. Attends, il y a encore une chose : pour fêter l'événement, une soirée est organisée à l'hôtel Georges V, voilà. Tu te rends compte ?
NATHALIE — Non, pas vraiment. Mais dis donc, Naïma ?
NAÏMA — Quoi ?
NATHALIE — Ah ben... Quand est-ce que tu me le présentes, ton copain ?
NAÏMA — Lucas ? Ah ! Tu vois ! Tu vois comment tu es, hein ? La prochaine fois qu'il vient à Rouen, je te le dis et j'organise un dîner à la maison. Sans faute !

Piste 16

Activité 19, page 97

1. Pas ce soir, une autre fois peut-être...
2. J'arriverai à l'heure, je t'assure.
3. On va choisir le cadeau ensemble, non ?
4. Ne vous inquiétez pas, il va certainement vous rappeler dans la journée.
5. J'enverrai ma réponse avant la fin de la semaine, sans faute.
6. Ne t'en fais pas, je suis là.
7. Oui, je te rapporterai du bon café du Costa Rica, c'est promis !
8. Je te promets qu'on ira à Venise tous les deux.

Piste 17

Activité 23, page 98

1. Écoute, il a d'abord vu une fenêtre s'ouvrir sur son écran avec le message « vous avez gagné » ou quelque chose comme ça.
2. Oui, c'était très bon. On a mangé de l'agneau avec des légumes et puis une bonne tarte aux pommes. Ah ! Il y avait aussi un excellent fromage d'Auvergne.
3. Je ne pourrai pas venir vendredi. Je suis fatiguée et je dois travailler. De plus, je n'ai personne pour garder ma fille.
4. Non, ce n'est pas tout. Je vais prendre un café également.
5. Je vous ai tout dit : j'ai quitté le bureau vers 18 heures, j'ai retrouvé mon amie Viviane, on est allées au cinéma, je suis rentrée chez moi après le cinéma. Voilà.

Piste 19

Activité B, page 99

1. Quel gage ?
2. J'ai cassé mon ongle.
3. C'est mon oncle Greg.
4. Elle est sur le quai de la gare.
5. Tu sais faire le grand écart ?
6. C'est sa grande copine.

Piste 20

Activité C, page 99

1. Elle est garée.
2. Vous l'avez égoutté ?
3. C'est petit et carré.
4. Tu as des manques ?
5. Il est écrit.
6. Tu n'as rien écouté.
7. Vous voulez des mangues ?
8. C'est un peu vague.

Piste 21

Activité 27, page 101

Le CHU de Nantes a ouvert le premier centre de ressources sur le jeu excessif. Félix, 46 ans, ancien joueur a été traité dans ce centre. Écoutons son témoignage.
FÉLIX — Alors, j'ai joué au PMU pendant dix-huit ans. J'ai commencé avec un groupe de copains, on pariait sur les courses du dimanche. Et puis, on a commencé à parier aussi sur les courses en semaine. Je ne me suis pas rendu compte, je jouais de plus en plus et puis, quand j'ai compris que je dépensais plus d'argent que je n'en avais, c'était trop tard, je ne pensais qu'à jouer, c'était comme une drogue...
Alors, un jour, j'ai pris de l'argent sur un compte familial qu'on avait à la banque avec ma femme, de l'argent qu'on économisait pour nos enfants... Puis, j'ai craqué : j'ai tout dit à ma femme. Elle m'a aidé et j'ai décidé d'arrêter. J'ai d'abord vu un psychiatre, mais, bof... je prenais trop de médicaments, j'étais mal... et puis, une copine m'a parlé de ce service à l'hôpital. J'y suis allé. Bon, j'ai été beaucoup soutenu par le médecin et le personnel médical et aussi par ma famille. J'ai participé à des groupes de parole avec des joueurs de casino, de PMU, puis d'autres jeux. Et j'ai réussi a arrêté de jouer sans médicament. Je me suis mis à la randonnée avec des copains et j'ai aussi arrêté de fumer. Je rencontre parfois des anciens camarades de jeu, on parle de tout sauf des chevaux. Maintenant, je suis heureux, mais ça a été très dur.

UNITÉ 9 : NE QUITTEZ PAS...

Piste 22

Activité 1, page 103

STANDARDISTE — Société Valoris DP, Bonjour.
CHARLOTTE — Bonjour. Charlotte Guesnault à l'appareil. Pourrais-je parler à Vincent Alonso, s'il vous plaît ?
STANDARDISTE — Oui, ne quittez pas, je vous le passe.
VINCENT — Vincent Alonso, bonjour.
CHARLOTTE — Bonjour, monsieur Alonso, Charlotte Guesnault.
VINCENT — Bonjour madame Guesnault, vous allez bien ?
CHARLOTTE — Bien merci. Enfin presque. Je vous appelle au sujet de l'article qui est paru ce matin dans *Le Courrier du Sud-Ouest*...
VINCENT — Ah, oui, j'ai vu ça. J'ai cherché qui avait donné l'information...
CHARLOTTE — C'est vraiment regrettable. On ne devait informer personne de ce projet, vous le savez bien. Cela va avoir de graves conséquences.
VINCENT — Oui, oui, c'est la faute d'un intérimaire, il travaille avec nous depuis quinze jours seulement. Il n'a pas compris qu'il ne fallait pas...
CHARLOTTE — Non, mais, attendez, ce n'est pas vous le chef de projet chez Valoris ? J'estime que vous êtes responsable de cette fuite dans la presse.
VINCENT — Ah non, non, je n'y suis pour rien !
CHARLOTTE — Vous plaisantez ? Vous ne pouvez pas accuser un intérimaire. C'est trop facile.
VINCENT — Il ne connaît pas trop les projets, il ne pensait pas que c'était important.
CHARLOTTE — Mais ne dites pas que c'est de sa faute. Et puis, de toute façon, le problème n'est pas là. Le problème est que mon téléphone n'arrête pas de sonner ce matin. J'ai eu le maire au téléphone, j'ai eu Céline Drolon de chez Hapax, et mon directeur va me virer si on a des problèmes pour ce projet et qu'il échoue. Vous comprenez ça ?
VINCENT — Oui, oui, bien sûr, ici aussi, c'est la même chose. Mais bon, écoutez, *Le Courrier* ne donne pas beaucoup d'informations. C'est même presque bien qu'on ait eu cet article, on va pouvoir travailler plus facilement.
CHARLOTTE — Non, non, il faut qu'on se voie ! Est-ce que vous êtes libre à 13 heures ?
VINCENT — Bah, c'est-à-dire que...
CHARLOTTE — Vous annulez. Vous venez ici, dans mon bureau, à 13 heures.
VINCENT — Avec mon équipe ?
CHARLOTTE — Avec qui vous voulez.
VINCENT — Bon, bien, d'accord.
CHARLOTTE — À tout à l'heure !
VINCENT — Oui, d'accord, à tout à l'heure, madame...

Piste 23

Activité 5, page 104

STANDARDISTE — Société Valoris DP, Bonjour.
CHARLOTTE — Bonjour. Charlotte Guesnault à l'appareil. Pourrais-je parler à Vincent Alonso, s'il vous plaît.
STANDARDISTE — Oui, ne quittez pas, je vous le passe.

Piste 24

Activité 6, page 104

1. — Bonjour, est-ce que madame Rakoniewski est là s'il vous plaît ?
   — Ah, non, elle s'est absentée. Voulez-vous lui laisser un message ?
2. — Bonjour, Mathilde Beaupré, puis-je parler à madame Galichet, s'il vous plaît ?
   — Oui, un instant s'il vous plaît.
3. — Bonjour. Claire Iversen. Puis-je parler à Monika Cieslik ?
   — Oui, ne quittez pas.
4. FEMME — Monsieur Pellegrini ?
   M. PELLEGRINI — Oui.
   FEMME — Je vous appelle au sujet de notre proposition. Avez-vous pris une décision s'il vous plaît ?
   M. PELLEGRINI — Euh... qui est à l'appareil ?
5. — Oui, allo, est-ce que Youssouf est là, s'il vous plaît ?
   — Oui, de la part de qui ?

Piste 25

Activité 7, page 104

1. Bonjour, pourrais-je parler à madame Willems s'il vous plaît ?
2. Allo, monsieur Turpault ?
3. Madame Marty est en rendez-vous. Pouvez-vous rappeler à 14 heures ?
4. Société Lafeuille, bonjour.

Piste 26

Activité 8, page 104

1. Bonjour et bienvenue à l'Office de tourisme. Ce service vous sera facturé 34 centimes la minute. Dites « hôtel » pour joindre notre service d'information hôtelière...
2. Service municipal de l'environnement et du cadre de vie, bonjour. Ce service vous sera facturé au prix d'un appel local. Ce service est actuellement fermé. Nous vous remercions de bien vouloir renouveler votre appel ultérieurement.
3. Bonjour et bienvenue sur le service des examens 2008. Si vous appelez d'un poste fixe, cet appel sera facturé 1 euro 35 la minute, puis 34 centimes par minute après le bip sonore. Si vous êtes le candidat et que votre recherche concerne votre propre résultat, tapez 1.
4. Le cinéma Le Studio vous souhaite la bienvenue sur son service d'information. Nous vous proposons de découvrir les programmes de la semaine. Ce service vous est facturé 34 centimes d'euros par minute. Pour obtenir le programme des films à l'affiche, appuyez sur la touche 1.

Piste 27

Activité 10, page 105

VINCENT — Oui, oui, c'est la faute d'un intérimaire, il travaille avec nous depuis quinze jours seulement. Il n'a pas compris qu'il ne fallait pas...
CHARLOTTE — Non, mais, attendez, ce n'est pas vous le chef de projet chez Valoris ? J'estime que vous êtes responsable de cette fuite dans la presse.
VINCENT — Ah, non, non, je n'y suis pour rien !
CHARLOTTE — Vous plaisantez ? Vous ne pouvez pas accuser un intérimaire. C'est trop facile.

Piste 28

Activité 11, page 105

1. — Bah, mon fichier ! Qui a touché à mon ordinateur ? Qui a supprimé mon fichier ?
   — Ah, ce n'est pas moi !
2. — Qui a mangé le gâteau qui était dans le frigo ? C'est toi, Noémie ?
   — Non, ce n'est pas moi ! C'est peut-être le chien...
3. — Ah, vous voilà ! Vous avez vu l'heure ?
   — Oui, excusez-moi, c'est à cause des travaux en ville...
4. — Maman, maman, Lucas, il a dit un gros mot !
   — Non, ce n'est pas vrai, c'est elle qui l'a dit.
5. — Anne, c'est quoi cette lettre ? C'est vous qui avez écrit à Guy Bazin ?
   — Ah, non, non, je n'ai rien fait.

Piste 29

Activité 16, page 107

1. — Ah, Fabienne, je prends ton ordinateur, un instant, il faut que j'envoie un message rapide.
   — Eh ben, il ne faut pas te gêner, j'ai du travail, moi !
2. — Je ne sais pas pourquoi le directeur a embauché Frédéric, il ne sait pas travailler, il est vraiment incompétent...
   — Ce n'est pas gentil de dire ça. Il vient juste de commencer, il a encore des choses à apprendre.
3. — Monsieur, pourquoi vous avez mis Valentin dans notre groupe ? On ne veut pas travailler avec lui. Il est nul. Il ne sait rien faire. Il faut tout lui expliquer.
   — Sidonie, ce n'est pas bien de parler comme ça. Valentin a peut-être des problèmes, mais vous devez tous travailler ensemble. Et vous verrez, Valentin a beaucoup de qualités pour les travaux de groupes.
4. — J'ai rencontré Vanessa ce matin. Elle a de gros problèmes. Elle m'a demandé de lui prêter mille euros. Elle me les rendra la semaine prochaine.
   — Tu ne devrais pas lui prêter d'argent. Elle ne te les rendra jamais tes mille euros. Elle peut demander à sa banque, non ?
5. — Chéri, je ne me sens pas bien ce soir, je ne vais pas pouvoir aller au dîner avec toi.
   — Quoi ? Mais enfin, tu exagères ! C'est un dîner important pour moi. Qu'est-ce que je vais dire à mon directeur ?

Piste 32

Activité C, page 109

1. puis – puis
2. mien – moins
3. à genoux – agenouille
4. mensuel – mensuel
5. assiette – ascète
6. nouer – nuée
7. crayons – créons
8. touillette – touillette

Piste 33

Activité D, page 109

1. Il est enroué.
2. J'en ai moins.
3. Le problème essentiel.
4. Quelle tuile !
5. Un joli tatouage.
6. Un panier percé.
7. Un peu de miel.
8. Une rencontre virtuelle.

Piste 34

Activité 25, page 111

HOMME — Non, non, je n'achète pas beaucoup de journaux. Le matin, je prends *20 minutes* pour lire dans le métro, et puis sinon, euh, je lis les informations sur Internet. Je vais beaucoup sur le site du *Monde* ou sur d'autres sites comme Rue89. Ah, mais, j'achète quand même *Le Canard enchaîné*... parce qu'on ne peut pas le lire sur Internet.
FEMME — Ah, oui, moi, j'achète tous les jours *Midi libre*. C'est un bon journal. On a toutes les informations sur la ville et puis sur la région. Il y a même des informations sur la France. Et puis, il y a aussi les programmes télé. La télé, je la regarde l'après-midi ou le soir... Je la regarde, mais il n'y a pas grand-chose à voir, malheureusement. Le matin, j'aime bien écouter la radio. J'aime bien RTL. Ça fait des années que j'écoute RTL, j'ai mes petites habitudes vous voyez...
HOMME — La radio ou la télé, non pas beaucoup. Bon, la radio, le matin, pendant le petit-déjeuner. Mais je lis beaucoup. Chaque mois, je lis... je ne sais pas... peut-être une quinzaine de magazines différents... *L'Express, Le Monde diplo, Sciences humaines*... et puis aussi des revues spécialisées de mon domaine professionnel. Et puis aussi, le journal local, *Ouest-France*.
JEUNE FEMME — Oh, ouais, la télé, tous les jours. Et la radio, tous les jours aussi. Ben on écoute euh, NRJ, des trucs comme ça quoi... avec de la musique, quoi... Les magazines, oui, je lis des trucs de filles, mais des choses sérieuses quand même, oui, comme *Bien être*... Mais les journaux, non, ou alors des journaux gratuits.

MODULE 4 : STRUCTURER ET NUANCER SES PROPOS

UNITÉ 10 : ARGENT TROP CHER !

Piste 37

Activité 5, page 119

Bonjour, ici madame Leduc, directrice de l'agence Saint-Paul... Je vous appelle au sujet de votre courrier. Écoutez, euh... bon, malgré toute notre attention, il semble que nos services aient commis une erreur sur votre compte, euh..., ah oui en effet. Je vous rappelle très prochainement, mais je me charge dès maintenant de créditer la somme de neuf euros sur votre compte. Avec toutes nos excuses, je vous dis donc, à très bientôt. Au revoir.

Piste 38

Activité 12, page 121

1. Malgré la pluie, je pars courir une petite heure.
2. Elle ne travaille pas, pourtant elle est toujours fatiguée.
3. On viendra samedi, même si on n'a pas envie.
4. Il est marié ; il sort quand même tous les samedis sans sa femme.
5. Je n'appellerai pas Marie, bien qu'elle me l'ait demandé.

Piste 39

Activité 16, page 122

MME LEGAY — Oui, bonjour monsieur.
M. LEROY — Oui, je suis monsieur Leroy de la société Bati76. Nous avons refait les murs de l'escalier B et on m'a dit que les propriétaires n'étaient pas satisfaits des travaux…
MME LEGAY — Pas satisfaits ? Ils veulent se plaindre, oui… Attendez, j'appelle monsieur Gaël. C'est un propriétaire du 5e, c'est lui qui s'occupe des travaux.
M. LEROY — Bonjour. Monsieur Leroy.
GAËL — Bonjour monsieur.
M. LEROY — Il y a quelque chose qui ne convient pas dans les travaux ?
GAËL — Ah oui. Comme je l'ai dit à votre assistante au téléphone, nous sommes déçus du résultat, vous savez.
M. LEROY — Comment ça, déçus ?
GAËL — Vos peintres n'ont pas bien refait les murs avant de peindre. Ce n'est pas beau du tout, regardez ici, par exemple, on voit des bosses, le mur n'est pas lisse.
M. LEROY — Mouais… On peut reprendre un peu à cet endroit, c'est vrai. On va bien refaire les murs, puis on va repeindre cette partie.
GAËL — Non, non, vous n'allez pas reprendre ici seulement, mais tous les murs ! Regardez à la lumière, tout est à refaire ! Du travail comme ça, c'est inadmissible !
M. LEROY — Oh, n'exagérez pas, s'il vous plaît.
GAËL — Je n'exagère pas. Vous n'avez pas encore vu le pire. Venez… Vous voyez là, passez votre main… Vous sentez les bosses et les creux ? Ça se voit même à l'œil nu !
M. LEROY — Ouais. Bon, euh… Je vais voir comment on peut reprendre ça et puis…
GAËL — Oui, il faut reprendre et bien reprendre. Tous les propriétaires protestent… et pourtant, vous savez, on n'avait pas besoin de ça. Cette année, on a déjà eu des frais importants. Il a fallu changer toutes les fenêtres.
M. LEROY — Non, non, mais… Je comprends, monsieur. Reprenons rendez-vous pour jeudi ou vendredi. Je viendrai avec mon chef des travaux et je vous enverrai un nouveau devis.
GAËL — Un devis ? Attendez, c'est incroyable ça ! Les travaux ont été mal faits, vous les refaites et c'est gratuit ! On ne va quand même pas payer pour vos erreurs !
M. LEROY — Euh, oui, oui… non, non, euh, oui bien sûr, non je voulais dire, euh…

Piste 40

Activité 18, page 122

1. — Alors, c'était la chambre 12… 129 €, s'il vous plaît.
   — 129 ? Je dis non, là ! La chambre est à 109 €, madame !
2. — Je ne pense pas que Paul ait dit ça.
   — Ah ! bon ? Eh ben, c'est bien dommage qu'il ne soit pas là, Paul…
3. — Il faudrait repeindre tout le hall d'entrée.
   — Alors là, pas question !
4. — Tu es encore passé voir tes copains avant de rentrer à la maison !
   — Mais non, je t'assure que non !
5. — Oh ! Il pleut, ce matin…
   — Oh non, il ne manquait plus que ça ! Je suis déjà malade…
6. — Nous protestons contre la hausse des prix du restaurant d'entreprise !
   — Oui bah, protestez ! Que voulez-vous que je vous dise…
7. — Voilà. Votre pantalon est recousu, madame. Comme neuf !
   — Ah non ! Ça ne va pas aller comme ça ! Vous me redonnez un pantalon neuf !

Piste 41

Activité 19, page 123

1. — Ah non, monsieur, on ne rembourse pas les billets après le départ du train.
   — Mais pourquoi ? J'ai manqué mon train, je n'ai pas utilisé mon billet… C'est inadmissible !
2. — Nous allons voter pour ou contre le projet de travaux dans la cour de l'école.
   — Moi, je suis contre ce projet, je vous l'ai déjà dit.
3. — Voilà, madame, j'ai fini mon devoir d'expression écrite.
   — Ah ! Mais c'est à refaire ! Il ne faut pas plus de 150 mots, je ne veux pas trois pages !
4. — Chéri, ma mère est malade, on va devoir aller la voir samedi.
   — Samedi ? Ah ben, il ne manquait plus que ça…

Piste 42

Activité A, page 125

1. vigne – vigne
2. panne – pagne
3. ciné – signé
4. borne – borgne
5. ligne – ligne
6. résine – résigne
7. anneau – agneau
8. gagne – gagne

Piste 43

Activité B, page 125

1. magnifique
2. dépeigne
3. bagnole
4. désigne
5. mignon
6. vignoble

Piste 44

Activité C, page 125

1. Salut Agnès ! Ça va ?
2. Signez ici, s'il vous plaît.
3. Tu entends le signal ?
4. C'est un bel anneau.
5. Ils vont à Cagnes en juillet.
6. Il y avait Anatole et Monique.
7. Je me résigne.
8. Camille dessine très bien.

Piste 45

Activité D, page 125

1. Zut, ma voiture est en panne !
2. Tu as un peigne, s'il te plaît, Annie ?
3. Ça, c'est un signe.
4. Cette année, on ira se baigner au lac.
5. La médecine ne peut pas tout soigner.
6. Ils repeignent la cuisine en jaune.

Piste 46

Activité 27, page 127

FEMME — Moi ? Oui, bien sûr que j'ai changé mon mode de vie ! Bon, je n'avais pas le choix, vous savez, j'ai deux enfants, je suis employée de banque. D'abord, j'ai vendu ma voiture et je circule à Paris en Vélib' la semaine. En plus, c'est bien, je fais du sport en allant au travail ! Quand je veux partir en week-end, c'est simple, je loue une voiture. Et puis, tiens, regardez, ma petite robe, là, je l'ai acheté sur le net 60 % moins cher, elle est mignonne, non ? Ah, pour les vêtements, aussi, j'organise des goûters-trocs avec mes copines : chacune apporte tout ce qu'elle ne veut plus porter, on expose tous les vêtements, ensuite, on discute, on prend un café et chaque femme choisit ce qu'elle veut. C'est convivial et c'est gratuit ! Donc en fait, je ne suis ni pauvre ni riche, mais, je cherche à dépenser moins… Oui, ça c'est sûr !
HOMME — Ben oui, il faut faire plus attention qu'avant… J'ai une famille à nourrir, vous comprenez. Mais on essaie d'être futés, c'est tout. Pour les vacances, par exemple, on réserve à la dernière minute et on profite des promotions sur Internet. Pour manger aussi, on a changé nos habitudes : moins de viande, mais des soirées crêpes, de bons plats de pâtes.
Et puis, pour aller travailler, on s'arrange à trois collègues. On est à 30 minutes du travail et comme on prend chacun sa voiture une semaine sur trois, on économise 160 € par mois. Ma femme achète ses vêtements dans des magasins de dépôt-vente. Pour des vêtements d'occasion,

je vous assure qu'elle a de jolies choses !
Et maintenant, on fait nos courses dans les magasins à bas prix. On en a un près de chez nous, c'est bien. Eh oui, il n'y a pas de petites économies, comme on dit !

UNITÉ 11 : LE PÉTROLE FOU !

Piste 47

Activité 1 et 2, page 129

RFI, journal en français facile, 21 février 2008.
Le pétrole, le pétrole, de record en record, le pétrole toujours plus cher.
JOURNALISTE — Et donc ce nouveau record, c'était en Asie ce matin, le prix du baril de pétrole a dépassé une nouvelle fois les 100 dollars, le cours a même atteint 101 dollars et 32 cents. Lundi déjà, il y avait eu à New York une hausse des cours jusqu'à 101 dollars, c'est-à-dire du jamais vu. Alors comment comprendre justement pourquoi on arrive à de tels prix, il semble bien qu'il faut donner plusieurs explications, Marie Dupin.
MARIE DUPIN — Oui. Effectivement, il y a plusieurs raisons pour expliquer cette nouvelle flambée des prix. Au départ, tout est parti de rumeurs selon lesquelles l'Organisation des pays exportateurs de pétrole, l'OPEP, pourrait baisser sa production de pétrole. Du coup les marchés boursiers ont spéculé sur cette baisse de la production, c'est-à-dire que des investisseurs ont placé leur argent sur les valeurs pétrolières en pensant que ces valeurs allaient augmenter encore, ce qui a fait monter le prix du baril. Mais il y a également d'autres raisons à cette augmentation, par exemple les tensions qui continuent au Nigeria, un pays qui produit beaucoup de pétrole. Il y a aussi le Venezuela qui a menacé les États-Unis de ne plus leur livrer de pétrole en raison d'un conflit commercial. Tout cela a augmenté la crainte d'une pénurie, un manque de pétrole sur le marché, et cette crainte a logiquement entraîné une hausse des prix.
JOURNALISTE — Alors 100 dollars, 101 dollars, est-ce que cette hausse pourrait encore continuer ?
MARIE DUPIN — Eh bien logiquement, on devrait s'attendre à une baisse du prix du baril car avec le retour du beau temps dans les pays industrialisés la demande en pétrole devrait diminuer d'autant plus qu'avec le ralentissement de l'économie mondiale, les États-Unis notamment consomment moins d'énergie. Et si la demande diminue, les prix diminuent eux aussi. Mais sur une plus longue durée les prix devraient continuer d'augmenter. Pourquoi ? Parce que les pays en forte croissance comme la Chine consomment de plus en plus de pétrole, mais aussi parce que les réserves continuent de diminuer, de baisser. En conclusion, on peut dire que même si les prix du pétrole reculent dans les prochains jours, il suffira d'une petite tension dans le monde pour les faire flamber de nouveau.
JOURNALISTE — Marie Dupin.

Piste 48

Activité 3, page 129

Effectivement, il y a plusieurs raisons pour expliquer cette nouvelle flambée des prix. Au départ, tout est parti de rumeurs selon lesquelles l'Organisation des pays exportateurs de pétrole, l'OPEP, pourrait baisser sa production de pétrole. Du coup les marchés boursiers ont spéculé sur cette baisse de la production, c'est-à-dire que des investisseurs ont placé leur argent sur les valeurs pétrolières en pensant que ces valeurs allaient augmenter encore, ce qui a fait monter le prix du baril. Mais il y a également d'autres raisons à cette augmentation, par exemple les tensions qui continuent au Nigeria, un pays qui produit beaucoup de pétrole. Il y a aussi le Venezuela qui a menacé les États-Unis de ne plus leur livrer de pétrole en raison d'un conflit commercial. Tout cela a augmenté la crainte d'une pénurie, un manque de pétrole sur le marché, et cette crainte a logiquement entraîné une hausse des prix.

Piste 49

Activité 4, page 129

— Lundi déjà, il y avait eu à New York une hausse des cours jusqu'à 101 dollars, c'est-à-dire du jamais vu.
— Avec le retour du beau temps dans les pays industrialisés la demande en pétrole devrait diminuer d'autant plus qu'avec le ralentissement de l'économie mondiale, les États-Unis notamment consomment moins d'énergie.
— Mais il y a également d'autres raisons à cette augmentation, par exemple, les tensions qui continuent au Nigéria, un pays qui produit beaucoup de pétrole.

Piste 50

Activité 16, page 133

1. Oui, mais il faut souligner le fait que nous avons été informés très tard.
2. Je sais que notre réunion aura lieu le 22 juin à 13h30 dans l'auditorium de l'université Francis Poulenc.
3. On remarquera quand même que 55 personnes étaient présentes !
4. Attention, il y aura un changement d'horaires pour notre cours lundi : nous commencerons à 13h30 au lieu de 14 heures.
5. Je ne pense pas que les trains circuleront normalement ce week-end. Il y a une grève à la SNCF.
6. S'il vous plaît, je signalerais, pour finir, que ce livre est disponible en librairie et sur tous les sites de vente en ligne.

Piste 51

Activité 20, page 134

Mesdames et messieurs bonsoir, voici les principaux titres de l'actualité de ce mercredi 6 août.
— Des dizaines de maisons ont été détruites par une tornade dans un village du nord de la France, une personne a été tuée.
— Départ en vacances : les Français utilisent moins l'autoroute, le prix de l'essence est élevé et les Français font des économies sur les péages.
— Dans le sud-est de la France, des incendies ont ravagé plusieurs milliers d'hectares, la population locale est furieuse et demande des explications.
— À l'étranger, au Cameroun, des manifestations ont été organisées contre la hausse du prix du pain qui met en danger une partie de la population.
— Enfin, bonne nouvelle pour les fans de football, la légendaire équipe de Saint-Étienne est remontée en 1re division.

Piste 52

Activité A, page 135

1. chalet
2. soupe
3. jatte
4. sourire
5. zoo
6. chut
7. zen
8. juge

Piste 53

Activité B, page 135

1. zou
2. sans
3. cage
4. rossé

Piste 55

Activité D, page 135

1. Pour réussir une sauce blanche, le secret c'est de cuisiner avec du beurre sans sel dans une casserole.
2. Son chat s'appelle Zanzibar. Il est gentil, mais il se cache souvent sous la cage d'escalier pour jouer.

Piste 56

Activité 23, page 137

JOURNALISTE — En Grande-Bretagne, les dirigeants du pays cherchent à réduire les émissions des gaz d'échappement des véhicules pour protéger l'environnement. Pour cela, une solution intéressante : le covoiturage. Certaines villes du pays ont mis en place de belles initiatives dans ce sens. De notre correspondant à Londres, Louis Bruce.
LOUIS BRUCE — Sur nos autoroutes, sept voitures sur dix ne transportent qu'une personne. Cela provoque des embouteillages et bien sûr, accroît la pollution. Pour encourager les automobilistes à ne pas rouler seuls, ils peuvent maintenant, s'ils sont au moins deux, rouler sur la bande d'arrêt d'urgence. Ils ont alors la chance d'échapper aux embouteillages et peut-être celle d'arriver à l'heure au travail… Alors madame, votre avis s'il vous plait ?
DAME 1 — C'est une excellente idée, astucieuse et écologique !

DAME 2 — Moi, je n'aimerais pas monter dans la voiture d'un inconnu. On ne sait jamais...
HOMME — Il faut essayer, ça peut marcher, j'en suis sûr !
LOUIS BRUCE — Alors, par contre, attention, un automobiliste arrêté seul sur la bande d'arrêt d'urgence devra payer une amende de 90 €...
Et puis, un problème peut se poser : comment les pompiers ou la police pourront-ils être aussi rapides si beaucoup de véhicules roulent sur la voie qui leur est réservée ?

UNITÉ 12 : PARLEZ-MOI D'AMOUR...

Piste 57

Activité 1 et 2, page 139

« À quoi tu penses... ? », extrait de l'album Les portes, Hiripsimé, 2007

Si tu me disais à quoi tu penses, si tu me disais un peu ce que tu veux
De quel côté l'amour se penche, lorsque les vents te soufflent dans les yeux
Dis-moi où s'arrête et où commence, l'envie de fuir quand vient l'envie d'être deux
Si tu me disais un peu à quoi tu penses, on pourrait apprendre à s'apprendre à vivre... mieux
Parle-moi de tes silences, dis-moi ce que deviennent les mots lorsqu'ils ont faim
Raconte-moi comment un cœur en transhumance s'y prend pour ne jamais se tromper en chemin
Dis-moi où s'arrête et où commence, l'envie d'aimer quand on n'y comprend plus rien
Si tu me disais de quel côté l'amour se penche, on pourrait apprendre à s'apprendre
À se faire du bien...
Qu'en est-il de nos mémoires étanches, lorsque la peur s'éloigne de nous peu à peu
Lorsque la vie nous met ses habits du dimanche, pour nous rendre un peu plus fous,
Un peu moins vieux...
Dis-moi où s'arrête et où commence, l'envie de faire la fête quand il pleut
Lorsque le soleil s'entête à prendre sa revanche, en nous allumant dans la tête un grand feu
Si on se parlait, un peu, de nos croyances
De tout ce que l'on cherche à détruire, par peur de se découvrir
De ces rêves que l'on croit trop beaux, et des bienfaits de l'existence
Que l'on reçoit comme des cadeaux, quand on veut bien les ouvrir...
Si l'on pouvait s'apprendre à redresser la balance
Quand on s'alourdit le cœur, du poids de nos violences
Oublier nos rancunes comme dans des jeux d'enfants
Les brûler une à une et se sentir plus vivant...
Dis-moi où s'arrête et où commence,
L'envie de fuir quand vient l'envie d'être heureux
Si tu me disais de quel côté l'amour se penche,
On pourrait apprendre à s'apprendre à faire ce qu'on peut
Si tu me disais à quoi tu penses
Si tu me disais un peu ce que tu veux...

Piste 58

Activité 6, page 140

1. Si tu me disais un peu à quoi tu penses, on pourrait apprendre à s'apprendre à vivre mieux.
2. On partira en voyage cet été, si tu en as envie.
3. Si tu te sens fatigué, couche-toi plus tôt le soi !
4. Vous pouvez retrouver ces informations sur notre site, si vous le souhaitez.
5. Ce serait bien si vous pouviez venir avec nous à Berlin.
6. Ne vous inquiétez pas si j'arrive un peu en retard lundi soir.
7. Si je ne suis pas invité, je n'irai pas, évidemment !

Piste 59

Activité 7, page 140

1. Imaginez que votre avion ne puisse pas décoller, qu'est-ce que vous ferez ?
2. Sans l'aide de ses parents, elle ne pourrait pas payer son loyer.
3. On ira se promener dimanche, à condition qu'il ne pleuve pas.
4. Avec Pierre, elle n'aura pas peur, c'est sûr.
5. Le match sera reporté au 28 juin en cas de mauvais temps.
6. Tu te sens fatigué en ce moment, cherche pourquoi !

Piste 60

Activité 11, page 141

1. Ah ! J'aimerais tellement vivre dans un pays où il fait toujours beau...
2. Vous pourriez m'expliquer de nouveau, s'il vous plaît ?
3. Catastrophe aérienne au-dessus de l'Atlantique : il y aurait au moins deux cents victimes.
4. Si elle voulait, elle pourrait se marier avec Nicolas.
5. Tu pourrais peut-être en parler à ton médecin ?
6. Ça vous dirait un petit restaurant indien, ce soir ?
7. Si je gagnais beaucoup d'argent au loto, je crois que j'arrêterais de travailler.

Piste 61

Activité 17, page 143

1. De toute évidence, madame Legay est en colère, ce matin...
2. Il est bien possible que la banque n'ait jamais reçu votre lettre.
3. Elle a probablement oublié notre rendez-vous.
4. Il faut bien reconnaître que le gagnant méritait son cadeau.
5. Je trouve que l'humour de cette scène est évident.
6. Claire et Loïc sont amoureux, ça ne fait aucun doute.
7. Vous avez raison, c'est inadmissible !
8. Il est évident que maintenant ils devraient arrêter de discuter de ça.

Piste 62

Activité C, page 145

1. Tu vas où pendant les vacances ? À Marseille ou à Toulon ?
2. À quelle heure est-ce qu'elle arrive, Sylvie ?
3. On ne sait jamais si c'est vrai ou si c'est faux.
4. Il a dû te dire qu'il avait trouvé du travail, non ?
5. Je veux leur présenter tous mes vœux pour cette nouvelle année.
6. Moi ? Mais non, je suis né au mois d'août !

Piste 63

Activité 24, page 147

JOURNALISTE — Alors, Émilie, Miguel, qu'est ce qui vous a poussés à vous inscrire sur Meetic ?
ÉMILIE — Comme ça, pour passer le temps, en me disant aussi que peut-être...
MIGUEL — Pour faire des rencontres, pas forcément amoureuses, je cherchais plus des amis, des gens avec qui partager des sorties quoi.
JOURNALISTE — D'accord, avant votre rencontre, que s'est-il passé sur Meetic ?
ÉMILIE — Le soir, en rentrant chez moi, je regardais mes messages, mais personne ne m'intéressait. Je trouvais les gens un peu banals, mais lui ça a été différent, tout de suite.
MIGUEL — J'ai passé quelques semaines à regarder des fiches, mais je n'ai pris aucun contact.
JOURNALISTE — Comment s'est passée votre rencontre ?
ÉMILIE — Il m'a laissé un message ; j'ai regardé sa fiche. Je l'ai trouvé beau et en plus, comme moi, il avait une moto ! Donc je n'ai pas hésité une seconde pour répondre à son message.
MIGUEL — Un jour, j'ai sélectionné toutes les fiches qui parlaient de moto et je suis tombé sur celle d'Émilie. Elle m'a plu et j'ai aussitôt envoyé un message.
JOURNALISTE — Qu'est-ce qui vous a plu pour que vous ayez envie de lui répondre ?
ÉMILIE — Sa taille, son physique, ses yeux magnifiques, le fait qu'il parle très bien l'espagnol et puis bien sûr, la moto !
MIGUEL — Alors, la moto, le fait qu'elle parle espagnol, son annonce plutôt drôle et son visage souriant.
JOURNALISTE — Comment s'est passée votre rencontre ?
ÉMILIE — Incroyablement bien. Trois semaines après notre rencontre sur le site, on a décidé de se voir. On a eu tout de suite plein de choses à se raconter et puis... on s'est plu tout de suite !
MIGUEL — Oui, on s'est donné rendez-vous au centre de La Rochelle où on habite tous les deux. J'ai été très impressionné quand j'ai vu cette belle fille qui me souriait. Et puis, on a parlé, on a fait de la moto... et on ne s'est plus quittés quoi !
JOURNALISTE — Et alors maintenant, quels sont vos projets ?
ÉMILIE — On va se marier en 2010 et on va faire un voyage en Australie !
MIGUEL — On veut se marier, trouver un bel appartement ensemble, acheter une nouvelle moto ensemble, voyager... et puis, on verra !

Index des contenus

U = unité A = activité

aussi (que)	*Il est **aussi** grand que son frère.*	U4 A8, 11
aussi	*Toi **aussi**, tu veux boire ?* *Oui, et les enfants **aussi**, je crois.*	U4 A19, 20
autant	*Il travaille **autant** que toi.*	U4 A8, 11
ça	*Je ne savais pas **ça**, moi.*	U7 A19, 20, 22
ça fait… que	***Ça fait** une semaine **que** je n'ai pas vu Paul.*	U5 A17, 18, 19, 20, 21
celui, celle(s), ceux, celui-ci, celle-là…	*Tu veux quel livre ? **Celui-là** ?* *C'est ta voiture ou **celle** de Marie ?* ***Ceux** qui veulent peuvent partir.*	U7 A19, 20, 22
ce que, ce qui	*Il veut savoir **ce que** tu fais ce soir.* *Je vous demande **ce qui** ne va pas.*	U12 A3, 4, 5
ce que…, c'est ce qui…, c'est	***Ce que** j'aime, **c'est** l'art abstrait.* ***Ce qui** nous intéresse, **c'est** la culture de ce pays.*	U9 A22, 23
c'est… qui c'est… que	***C'est** toi **qui** as sonné ?* ***C'est** François **que** je voudrais voir.*	U9 A18, 19, 20, 21
déjà	*Tu as **déjà** visité Rome ?*	U10 A23, 24, 25
depuis	*Elle travaille là **depuis** 11 ans (depuis 1999).* *Je ne l'ai pas vu **depuis** longtemps.*	U5 A17, 18, 19, 20, 21
en	*Ne lui **en** parlez pas !* *Je ne pars pas à Paris, j'**en** viens !* *Partir au bout du monde, ah, j'**en** ai envie.* *J'ai beaucoup ri **en** lisant ton message.*	U3 A18, 19, 20 U6 A9, 11 U8 A14, 15 U12 A20, 21, 22
encore	*Tu habites **encore** dans le XXᵉ arrondissement ?*	U10 A23, 24, 25
il y a	*Il a déménagé **il y a** deux ans.*	U5 A17, 18, 19, 20, 21
il y a… que	***Il y a** longtemps **que** je le sais.*	U5 A17, 18, 19, 20, 21
le	*J'aimerais que tu m'écoutes bien, je **le** souhaite vraiment.*	U8 A14,15
le mien, la tienne, les leurs…	*C'est ma veste ou c'est **la tienne** ?* *Nos vélos sont là, mais où sont **les vôtres** ?*	U1 A9, 10
le meilleur, la meilleure les meilleurs, les meilleures	*C'est **le meilleur** vin de la région.* *Que **la meilleure** gagne !*	U4 A12, 13
le mieux	*C'est toi qui chantes **le mieux**.*	U4 A12, 13
le pire, la pire	*Tout arrêter est **la pire** des solutions.*	U4 page 49
le plus, le moins	*C'est **le plus** beau.* *Ce sont les villes **les moins** peuplées.*	U4 A12, 13
lequel, laquelle, lesquels, lesquelles	*Regarde les tableaux ! **Lequel** préfères-tu ?* *Tu veux **lesquelles** ? Celles-ci ou celles de droite ?*	U7 A19, 21, 22

leur	*Vous* ***leur*** *en parlerez ?*	U3 A18, 19, 20
lui	*Je* ***lui*** *en donne.*	U3 A18, 19, 20
meilleur(s) meilleure(s)	*Les joueurs sont* ***meilleurs*** *que l'année dernière.* *Prends ces fraises, elles sont* ***meilleures.***	U4 A9, 10, 11
mieux	*Mon frère parle* ***mieux*** *l'anglais que moi.*	U4 A9, 10, 11
moins (que)	*Il est* ***moins*** *beau que l'autre.* *Je cours* ***moins*** *vite que toi.* *On a* ***moins*** *d'argent.* *Il mange* ***moins*** *que toi.*	U4 A8, 11
ne… que	*Je* ***n'****aime* ***que*** *toi…*	U3 A16, 17
ne… plus ne… jamais ne… pas encore	*Je* ***n'****ai* ***plus*** *froid.* *Je* ***n'****ai* ***jamais*** *vu la neige.* *Elle* ***n'****est* ***pas encore*** *arrivée.*	U10 A23, 24, 25
ni	*Il* ***n'****a* ***pas*** *de frère,* ***ni*** *de sœur.* *Je* ***n'****ai* ***ni*** *chèque,* ***ni*** *carte de crédit.*	U3 A8, 9
non plus	*Je n'aime pas ça et Céline* ***non plus.***	U4 A19, 20
pire, pires	*Sa situation est* ***pire*** *que la tienne.* *Les problèmes de Marie sont bien* ***pires*** *que les tiens.*	U4, page 49
plus (que)	*Il est* ***plus*** *beau que l'autre.* *Je cours* ***plus*** *vite que toi.* *On a* ***plus*** *d'argent qu'avant.* *Il mange* ***plus*** *que toi.*	U4 A8, 11
qu'est-ce qui ? qu'est-ce que ?	***Qu'est-ce qui*** *est drôle ?* ***Qu'est-ce que*** *tu as fait ?*	U2 A9, 10, 11 U2 A4, 5, 9, 10, 11
qui est-ce qui ? qui est-ce que ?	***Qui est-ce qui*** *est intéressé ?* ***Qui est-ce que*** *tu as vu ?*	U2 A9, 10, 11
quoi, que	*Il veut* ***quoi ?*** ***Que*** *faites-vous samedi prochain ?*	U2 A4, 5
si	***Si*** *tu peux, viens dîner avec nous ce soir.* *J'achèterais une voiture neuve,* ***si*** *j'avais plus d'argent.* *Il m'a demandé* ***si*** *j'étais d'accord.*	U12 A6, 7, 8, 9, 10 U12 A6, 7, 8, 9, 10, 11, 13, 14 U12 A3, 4, 5
toujours	*Il déjeune* ***toujours*** *dans le même restaurant.* *Tu as* ***toujours*** *ta vieille voiture ?*	U10 A23, 24, 25
y	*Je vais vous* ***y*** *rejoindre dans dix minutes.* *Tu t'****y*** *retrouves dans toutes ces informations, toi ?* *Où j'irai l'année prochaine ? Je n'****y*** *ai pas réfléchi.*	U3 A18, 19, 20 U3 A18, 19, 20 U8 A14, 15

Crédits photographiques, illustrations et textes

8		The Bridgeman Art Library
10	bd	Laval/Sipa
10	bg	Emanuele Scorcelletti/Gamma/Eyedea
10	hd	Ginies/Sipa
10	hg	Frédéric Souloy/Gamma/Eyedea
11	d	Shioguchi/Getty Images
11	g	Stockbyte/Getty Images
11	m	George Doyle/Getty Images
14		Bruno Arbesu/Amandine Bollard
16	d	Pawel Wysocki/hemis.fr
16	g	Collection IM/Kharbine-Tapabor
17		Jacques Loïc/Photononstop
18	bd	Lor/For Picture/Corbis
18	bg	Mric/Iconovox
18	hg	© ADAGP, Banque d'images, Paris 2009
18	mbg	Honoré/Iconovox
18	mhg	Wiaz
19		Christophe Lartige/Sipa
20		www.paperblog.fr
21		Pedro Ruiz/Gamma/Eyedea Presse
27		Anne-Christine Poujoulat/AFP
28	bd	Véronique Guillien/Picturetank
28	bg	Pascal Gely/CDDS Bernand
28	hg	Tristan Jeanne-Vales/CDDS Enguerand
28	mg	François Le Diascorn/Rapho/Eyedea
29		Bertrand Desprez/Agence Vu
30	bd	Hervé Hughes/hemis.fr
30	bg	Jean-Daniel Sudres/Top/Eyedea
30	hd	Stephen Derr/Getty Images
30		MIXA/Getty Images
30	md	Ingolf Pompe/hemis.fr
30	hg	Editions Complexe/illustration de Yeni Cami
33		Gen Nishino/Getty Images
37		Olivier Culmann/Tendance Floue
38	b	Yoshikazu Tsuno/AFP
38	h	Philippe Renault/hemis.fr
38	m	Fondation Alliance Française
39	bg	Giacomo Pirozzi/Panos-Réa
39	d	Chris Howes/Wild Places Photography/ Alamy
39	hg	Brigitte Merle/Photononstop
42		http://vivrealetranger.studyrama.com - Avec l'aimable autorisation de Olivier Sudan
43		Collection ChristopheL
44		© ADAGP, Banque d'Images, Paris 2009
46	hd	Laurent Giraudou/hemis.fr
46	bd	Banana/Photononstop
46	mg	Joe Raedle/AFP
46	md	A. Philippon/Explorer/Hoa-Qui/Eyedea
46	hg	Patrick Gripe/Signatures
46	bg	John Thys/AFP
46		Francesco Lagnese/Getty Images
47		Peter Granser/Laif-Rea
49		Jean-Luc Manaud/Rapho/Eyedea
49		Fiches pays d'après le Bilan du Monde 2008
50	h & b	Bruno Arbesu/Amandine Bollard
51	d	William King/Getty Images
51	g	David P. Hall/Corbis
53	b	Annette Soumillard/hemis.fr
53	h	Michael Busselle/Robert Harding World Imagery/Corbis
54	bg	Camille Moirenc/hemis.fr - Jardin Serre de la Madone à Menton (06), jardin historique crée en 1924.
54	d	Paul Bradbury/Ojo Images/Photononstop
54	hg	Ludovic Maisant/hemis.fr
54	mg	Bo Zaunders/Corbis
55		Alvaro Leiva/AGE Fotostock/Eyedea
56	b	Hadj/Sipa
56	hg & hd	Eldorado, Laurent Gaudé © Actes Sud, Arles, août 2006
58	d	Ryan Mc Vay/Getty Images
58	g	BSIP/ABLESTOCK
60		Bruno Arbesu/Amandine Bollard
61		Geri Lavrov/Getty Images
63		François Lenoir/Reuters
64	bg & d	2007 - Guy Delcourt productions - David Chauvel - Alfred - Michaël le Galli
64	hg	Mouvement du nid
64	mg	MC Productions/F. Boudjellal
65	b	John Birdsall/AGE Fotostock
65	g	Josu Altzelai/AGE Fotostock
65	h	Peter Dazeley/Getty Images
66	b	Pierre Wellor/Reporters-Réa
66	h	Ian Hanning/Réa
66	md	Maurice Rougemont/Top/Eyedea
66		Scott Helner/Getty Images
66	mg	René Pétillon
73		Monalyn Gracia/Fancy/Veer/Photononstop
74	b	Gilles Guittard/Hoa-Qui/Eyedea
74	h	Stéphanie Têtu/Rapho/Eyedea
74	mb	Pascal Dolémieux/Rapho/Eyedea
74	mh	Alain Félix/hemis.fr
75		Matthieu Verdeil/hemis.fr
78		Mehdi Fedouach/AFP
78		Remerciements à LCI.fr
80		Todd Davidson/Getty Images
84	bd	Doug Scott/AGE Fotostock/Eyedea
84	g	Michele Westmorland/Getty Images
84	hd	Topic Photo Agency In/AGE Fotostock
86		Michel Gaillard/Réa
87	d	Albin Michel
87	g	Ian Hanning/Réa
87	md	Jeffrey Coolidge/Corbis
87	mg	Topic Photo Agency In/AGE Fotostock
89		Erik Dreyer/Getty Images
90	b	Gilles Rolle/Réa
90	h	Benoît Decout/Réa
90	m	Benoît Decout/Réa
91	bb	Y. Soulabaille/Urba Images Server
91	bh	Ludovic/Réa
91	bm	Richard Damoret/Réa
91	h	Qilai Shen/Panos-Réa
92		Jan Cobb Photography Ltd/Getty Images
93		Jacques Loïc/Photononstop
96		Bruno Arbesu/Amandine Bollard
99		Manchan/Getty Images
100	b	JPDN/Sipa
100	h	Wolfgang WeinHaüpl/Mauritius/ Photononstop
100	m	Pascal Sittler/Réa
101		Hadj/Sipa
102	d	Lester Lefkowitz/Getty Images
102	b	Hamilton/Réa
102	g	Halary/Sipa
103		Fanny Tondre/Réa
109		LWA-Dann Tardif/Zefa/Corbis
110	b	Ludovic/Réa
110	h	Michael Dalder/MAD/JOH/PW/Reuters
110	m	Denis/Réa
111		Louie Psihoyos/Science Faction/ Getty Images
115		Hans-Bernhard Huber/Laif-Réa
116		© ADAGP, Banque d'Images, Paris 2009
118	bd	Laurent Cerino/Réa
118	bg	Jochen Sand/Getty Images
118	h	Kevin Fleming/Corbis
119	1	Fred Thomas/Hoa-Qui/Eyedea
119	2	Ludovic/Réa
119	3	Michel Gaillard/Réa
119	4	Ian Hanning/Réa
119	5	Hamilton/Réa
122		Bruno Arbesu/Amandine Bollard
125		Xavier Testelin/Rapho/Eyedea
126	h	Stéphane Audras/Réa
126	m	Meigneux/Sipa
126	b	Pacal Sittler/Réa
127		Boris Horvat/AFP
128	mg	Chip East/Reuters
128	md	Gabriel Rivera/Archivolatino-Réa
128	hg	Maisonneuve/Sipa
128	hd	Jean-Claude Moschetti/Réa
128	b	Jan Van De Vel/Reporters-Réa
128		Greg Kuchik/Getty Images
131	b	Chappatte dans le Temps (Genève) - www.globecartoon.com
131	h	Ferri/CQFD
135		Ken Wramton/Getty Images
136	bg	Franck Guiziou/hemis.fr
136	d	Eric Lestrade/AFP
136	hg	Patrick Forget/Explorer/Eyedea
136	mg	Titus Lacoste/Getty Images
137		Cédric Delsaux/Euro RSCG/EDF
138	h	Lucile Reiboz
138	bd	Mat Jacob/Tendance Floue
138	bg	Flore-Ael Surun/Tendance Floue
141		PNC/Brand X/Corbis
142		Bruno Arbesu/Amandine Bollard
145		Dev Carr/Cultura/Photononstop
146	h	Pierre-Yves Brunaud/Picturetank
146	b	Allen Simon/Getty Images
146	m	Thierry Ardouin/Tendance Floue
147		Emile Luider/Rapho/Eyedea
151	h	Ger Loeffen/HH-Réa
151	b	Jamie Grill/Blend Images/Corbis

Références sonores

Piste 1 (CD 1) : « Universal Vision » (Pierre Perez-Vergara) – Kosinus
Piste 14 (CD 1) : « Living Together » (Pierre Perez-Vergara) – Kosinus
Piste 24 (CD 1) : « Dynamic News » (Marc Durst) – Kosinus
Piste 40 (CD 1) : « News Marketing » (Fred Fenouille) – Kosinus
Piste 50 (CD 1) : « Génération Monde », Fabiana / Sciences-Po – Société FROGGIES
Piste 51 (CD 1) : Reportage sur la grève à Air France de Juliette Duquesne et Thimotée Dereix, JT 13 du 21/12/2007 – TF1
Piste 26 (CD 2) : Avec l'aimable autorisation de France Examen
Piste 57 (CD 2) : Chanson de Hiripsimé « À quoi tu penses », extraite de l'album *Les Portes*, avec l'aimable autorisation de Polydor, un label d'Universal Music France
Piste 35 (CD 2) : Reportage de M6 Grenoble « 6 minutes » (Groupe Silicomp / Open de tennis de l'Isère)
Piste 47 (CD 2) : Journal en français facile du 21/02/2008 réalisé par Caroline Pare, Joël Costi et Marie Dupin / rfi / http://www.rfi.fr
Piste 51 (CD 2) : « Future News » (Laurent Lombard) – Kosinus

Nous avons recherché en vain les éditeurs ou les ayants droit de certains textes ou illustrations reproduits dans ce livre. Leurs droits sont réservés aux éditions Didier.

Conception et direction artistique : Christian Dubuis Santini © Agence Mercure
Principes de maquette pages intérieures (hors réalisation et iconographie) : Christian Dubuis Santini © Agence Mercure
Mise en page : www.avisdepassage.net
Photogravure : MCP
Illustrations : AUREL : pages 19, 23, 29, 32, 35, 36, 39, 48, 55, 61, 62, 65, 69, 71, 72, 75, 83, 86, 91, 94, 98, 101, 107, 108, 111, 120, 124, 127, 133, 137, 140, 143, 147 – Cyril DUBALLET : pages 15, 25, 59, 68, 105 – Dom JOUENNE : pages 85, 123, 134
Montages photos : Solène OLLIVIER : pages 10, 13, 17, 20, 24, 30, 34, 46, 53, 56, 65, 66, 70, 82, 92, 102, 118, 128, 138,
Enregistrements, montage et mixage : Fréquence Prod